NEW 서울대 선정 인문고전 60선

59

브로델 물질문명과 자본주의

NEW 서울대 선정 인문 고전 59

만화 브로델 물질문명과 자본주의

개정 1판 1쇄 인쇄 | 2019. 8. 14
개정 1판 1쇄 발행 | 2019. 8. 21

손영운 글 | 이진영 그림 | 손영운 기획

발행처 김영사 | 발행인 고세규
등록번호 제 406-2003-036호 | 등록일자 1979. 5. 17.
주소 경기도 파주시 문발로 197 (우10881)
전화 마케팅부 031-955-3100 | 편집부 031-955-3113~20 | 팩스 031-955-3111

값은 표지에 있습니다.
ISBN 978-89-349-9484-8
ISBN 978-89-349-9425-1(세트)

좋은 독자가 좋은 책을 만듭니다. 김영사는 독자 여러분의 의견에 항상 귀 기울이고 있습니다.
독자의견전화 031-955-3139 | 전자우편 book@gimmyoung.com
홈페이지 www.gimmyoungjr.com | 어린이들의 책놀이터 cafe.naver.com/gimmyoungjr

이 도서의 국립중앙도서관 출판예정도서목록(CIP)은 서지정보유통지원시스템 홈페이지(http://seoji.nl.go.kr)와
국가자료종합목록시스템(http://www.nl.go.kr/kolisnet)에서 이용하실 수 있습니다. (CIP제어번호 : CIP2018043092)

어린이제품 안전특별법에 의한 표시사항

제품명 도서 제조년월일 2019년 8월 21일 제조사명 김영사 주소 10881 경기도 파주시 문발로 197
전화번호 031-955-3100 제조국명 대한민국 ⚠주의 책 모서리에 찍히거나 책장에 베이지 않게 조심하세요.

미래의 글로벌 리더들이 꼭 읽어야 할 인문고전을 만화로 만나다

NEW 서울대 선정 인문고전 60선

59

브로델 물질문명과 자본주의

손영운 글 · 이진영 그림

주니어김영사

| 기획에 부쳐 |

<서울대 선정 인문고전>이 국민 만화책이 되기를 바라며

제가 대여섯 살 때 동네 골목 어귀에 어린이들에게 만화책을 빌려주는 좌판 만화 대여소가 있었습니다. 땅바닥에 두터운 검정 비닐을 깔고 그 위에 아이들이 좋아하는 만화책을 늘어놓았는데, 1원을 내면 낡은 만화책 한 권을 빌릴 수 있었지요. 저는 그곳에서 만화책을 보면서 한글을 깨쳤고 책과의 인연을 맺었습니다.

초등학교 때는 용돈을 아껴서 책을 사서 읽었고, 중학교 때는 학교 도서 반장을 맡아 도서관에서 매일 밤 10시까지 있으면서 참 많은 책을 읽었습니다. 그 무렵 헤밍웨이의 《노인과 바다》를 손에 땀을 쥐며 읽으면서 인생에 대해 고민했고, 헤르만 헤세의 《수레바퀴 아래서》를 읽으며 사춘기의 심란한 마음을 달랬습니다. 김래성의 《청춘 극장》을 밤새워 읽는 바람에 다음 날 치르는 중간고사를 망치기도 했습니다.

당시 저의 꿈은 아주 큰 도서관을 운영하는 사람이 되어 온종일 책을 보면서 책을 쓰는 작가가 되는 것이었습니다. 나이가 들고 어느 정도 바라는 꿈을 이루었습니다. 큰 도서관은 아니지만 적당한 크기의 서점을 운영하고, 글을 쓰는 작가가 되었거든요. 저는 여기에 새로운 꿈을 하나 더 보탰습니다. 그것은 즐거운 마음과 힘찬 꿈을 가지게 해 주고, 나아가 자기 성찰을 도와주는 좋은 만화책을 만드는 일이었습니다. 이렇게 해서 만든 책이 바로 〈서울대 선정 인문고전〉입니다. 서울대학교 교수님들이 신입생과 청소년들이 꼭 읽어야 할 책으로 추천한 도서들 중에서 따로 50권을 골라 만화로 만든 것입니다. 인류 지성사의 금자탑이라고 할 수 있는 고전을 보기 편하고 이해하기 쉽도록 만화책으로 만드는 일은 쉬운 일은 아니었습니다. 약 4년 동안에 수십 명의 학교 선생님들과 전공 학자들이 원서의 내용을 정확하

게 전달할 수 있도록 밑글을 쓰고, 수십 명의 만화가들이 고민에 고민을 거듭하면서 만화를 그려 50권의 책을 만들었습니다.

〈서울대 선정 인문고전〉이 완간되었을 무렵에 우리나라에 인문학 읽기 열풍이 불기 시작했습니다. 〈서울대 선정 인문고전〉은 인문학 열풍을 널리 퍼뜨리는 데 한몫을 하면서 독자들의 뜨거운 사랑과 관심을 받았습니다. 덕분에 지금까지 수백만 권이 팔리는 베스트셀러가 되었습니다. 그 사랑에 조금이나마 보답을 하기 위해 《칸트 실천이성 비판》, 《미셸 푸코 지식의 고고학》, 《이이 성학집요》 등 우리가 꼭 읽어야 할 동서양의 고전 10권을 추가하여 만화로 만들었습니다.

〈서울대 선정 인문고전〉은 어린이와 청소년이 부모님과 함께 봐도 좋을 만화책입니다. 국민 배우, 국민 가수가 있듯이 〈서울대 선정 인문고전〉이 '국민 만화책'이 되길 큰마음으로 바랍니다.

손영운

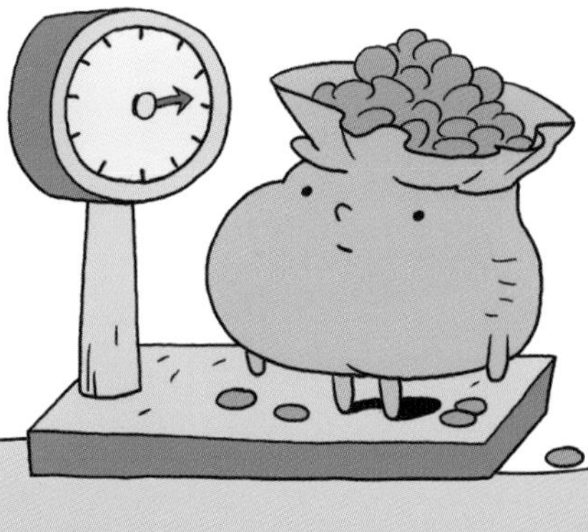

| 글 작가 머리말 |

역사는 미래를 지탱해 주는 기반

중국은 동북 공정과 같은 역사 왜곡을 통해 고대사를 완전히 바꾸었습니다. 그런가 하면 일본은 아직도 제국주의 시대에 저질렀던 잘못을 인정하지 않고 있습니다. 우리나라에서도 역사와 관련된 논란은 계속해서 벌어지고 있습니다. 국가의 정체성을 규정하는 데 역사는 매우 중요한 의미를 가지기 때문입니다.

왜 사람들은 이렇게 지나간 일에 집착할까요? 그것은 과거의 일, 즉 역사가 미래를 지탱해 주는 기반이 되기 때문입니다. 우리의 지식과 경험은 어느 날 갑자기 주어진 것이 아닙니다. 살면서 차곡차곡 쌓아 온 것이지요.

'나'는 어떻게 만들어졌는지 생각해 볼까요? 예전에 먹은 음식과 여러 가지 경험, 책과 미디어를 통해 얻은 정보, 감동 등을 통해 지금의 나로서 존재합니다. 이것은 국가도 마찬가지입니다. 대한민국은 어느 날 갑자기 하늘에서 뚝 떨어진 것이 아닙니다. 유구한 역사를 거쳐서 오늘의 모습이 되었습니다. 이렇게 긴 역사 안에서 우리는 조상의 생각과 경험을 배워 왔습니다. 역사를 통해 지금의 우리가 있으며, 앞으로의 우리 역시 존재할 수 있습니다. 그래서 역사는 더욱 소중합니다.

근대 이전까지 역사는 권력자의 전유물이었습니다. 역사를 기록하고 편찬하는 데 엄청난 시간과 돈이 들다 보니, 역사는 권력을 가진 자의 시각에서 쓰일 수밖에 없었습니다. 동서양을 막론하고 대부분의 역사책은 왕들의 것이나 다름없었지요.

그러나 페르낭 브로델은 《펠리페 2세 시대의 지중해와 지중해 세계》, 《물질문명과 자본주의》와 같은 저서를 통해 역사 연구의 새로운 방법을 제시했습니다. 그는 그전까지 정치사나 왕조사에 치중되어 있던 역사학의 영역을 경제사, 사회사로 넓혔습니다. 또한 문자로 미처 기록

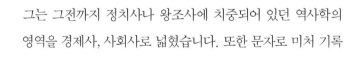

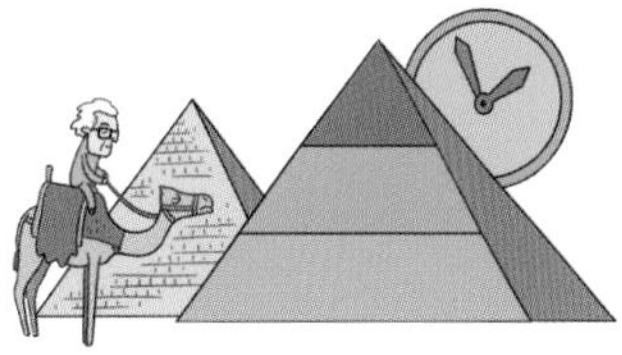

되지 못한 사람들의 삶을 역사의 장으로 끌어들이려 노력했습니다.

브로델은 수십 년에 걸쳐 어마어마한 양의 자료를 검토하고 연구한 끝에, 역사학을 단기 지속, 중기 지속, 장기 지속이라는 세 가지 개념으로 구분할 수 있었습니다. 또한 자본주의 역시 일상생활, 시장 경제, 자본주의라는 세 개의 층위로 나누었습니다. 그는 다른 연구자들이 중요하게 생각하지 않았던 인구나 의식주, 사치품 등을 면밀히 연구하며, 그것들로부터 세상을 바꾸는 원동력이 생겨난다는 사실을 통찰했습니다. 이러한 업적 때문에 그는 아날학파의 대표이자 프랑스 역사학의 대부로 불리고 있습니다.

지금 이 순간에도 역사는 계속 흐르고 있습니다. 수백 년 뒤에 우리 후손들은 과연 오늘날 대한민국의 역사를 어떻게 기록하고 평가할까요? 그 역사책을 제공하는 이들은 여러분입니다. 어떤 역사를 만들어 갈지 결정하는 것은 오직, 여러분 자신의 몫입니다.

손영운

우리의 현재와 미래를 이해하는 데 도움이 되기를

자본주의란 무엇일까요? 자본주의는 언제, 어떻게 시작되었으며 어떻게 발전해 왔을까요? 이 물음에 대한 답을 찾는 것은 참으로 중요합니다. 오늘날 우리는 모두 자본주의 사회를 살아가고 있기 때문입니다. 그러므로 자본주의의 과거와 현재를 살펴보는 일은 단순히 지난 일을 살펴보는 것이 아닙니다. 지금의 우리 사회를 제대로 이해하기 위한 노력이기도 합니다.

페르낭 브로델은 위의 물음들을 연구했던 프랑스의 역사가입니다. 그는 세계사뿐만 아니라 경제학, 인류학, 지리학 등 다양한 학문을 바탕으로 하여 물질문명과 자본주의에 대해 살펴보았지요. 또한 알제리, 브라질 등 다양한 국가에서 머물렀던 경험을 통해 역사를 객관적으로 연구하고자 노력했습니다.

브로델의 연구 성과는 《물질문명과 자본주의》에 고스란히 담겨 있습니다. 이 책은 총 세 권으로 이루어져 있습니다. 제1권 〈일상생활의 구조〉, 제2권〈교환의 세계〉, 제3권 〈세계의 시간〉으로 구성되어 있지요. 이 책에는 산업화 이전, 15~18세기의 인간 사회에 대한 연구가 담겨 있습니다. 브로델은 그의 저서를 통해 자본주의가 단시간에 만들어진 것이 아니라, 오랜 시간 동안 다져져 하나의 문명이 되었음을 밝히고자 했지요.

자본주의를 이해하는 것은 매우 어려운 일입니다. 하지만 브로델의 《물질문명과 자본주의》를 이해하기도 정말 쉽지 않습니다. 브로델이 20여 년 동안 연구한 끝에 나온 책이라고 하니, 그의 연구가 얼마나 폭넓고 깊었을지 추측해 볼 수 있습니다. 그러나 책의 내용들을 하나씩 이해해 나갈 때의 기쁨은 굉장히 큽니다. 브로델의 책을 읽는다는 것은 단순히 과거의 역사를 살펴보는 작업이 아니라, 내가 지금 살고 있는 사회

를 이해하는 움직임이기 때문입니다.

자본주의 사회는 계속해서 이어지고 있습니다. 발전을 거듭하며 변화하고 있기도 합니다. 앞으로 자본주의는 어떻게 변화할까요? 자본주의가 건강해지려면 어떻게 해야 할까요? 또한 변화하는 자본주의 속에서 우리는 어떻게 살아야 할까요? 자본주의에 대한 질문은 책을 읽은 뒤에도 계속 생겨날지도 모릅니다. 끝없이 꼬리를 물고 이어지는 물음에 대해, 미래의 새싹인 여러분도 한번 생각해 보았으면 좋겠습니다.

이진영

| 차례 |

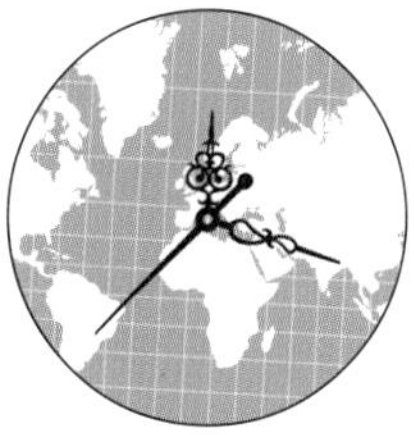

1장

《물질문명과 자본주의》는 어떤 책인가?

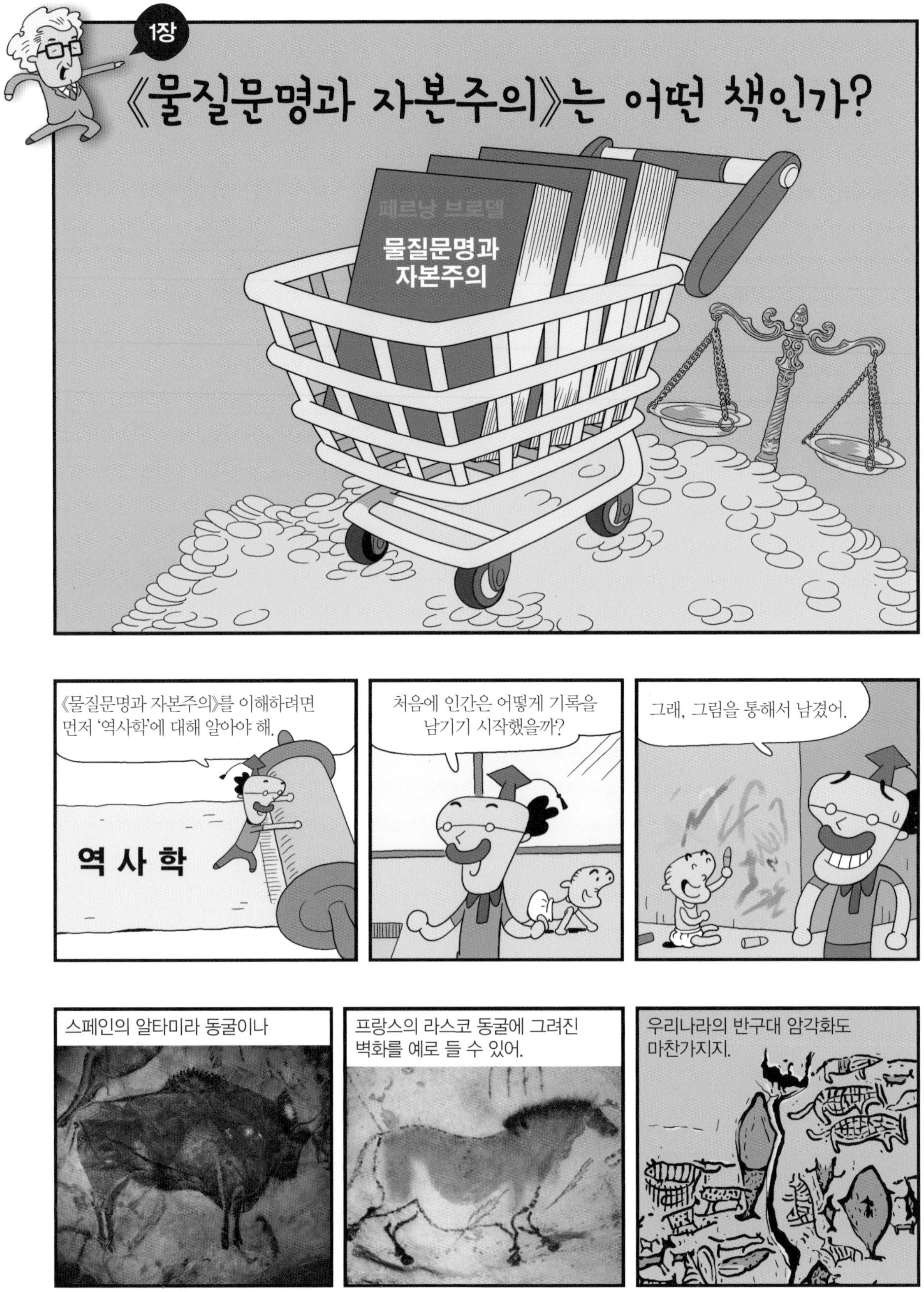

페르낭 브로델
물질문명과 자본주의
《물질문명과 자본주의》를 이해하려면 먼저 '역사학'에 대해 알아야 해.
역 사 학
처음에 인간은 어떻게 기록을 남기기 시작했을까?
그래, 그림을 통해서 남겼어.
스페인의 알타미라 동굴이나
프랑스의 라스코 동굴에 그려진 벽화를 예로 들 수 있어.
우리나라의 반구대 암각화도 마찬가지지.

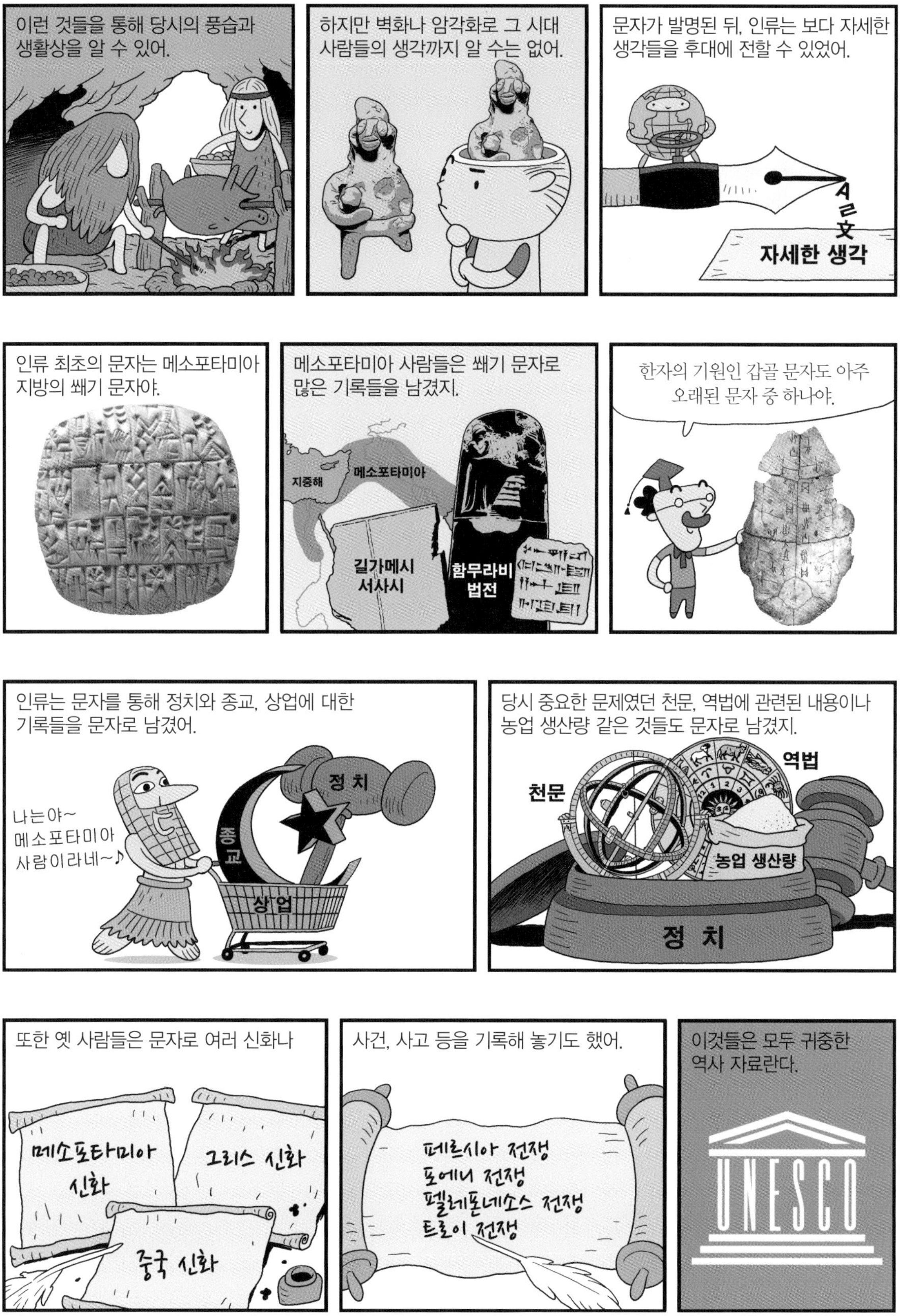
이런 것들을 통해 당시의 풍습과 생활상을 알 수 있어.
하지만 벽화나 암각화로 그 시대 사람들의 생각까지 알 수는 없어.
문자가 발명된 뒤, 인류는 보다 자세한 생각들을 후대에 전할 수 있었어.
文
자세한 생각
인류 최초의 문자는 메소포타미아 지방의 쐐기 문자야.
메소포타미아 사람들은 쐐기 문자로 많은 기록들을 남겼지.
지중해
메소포타미아
길가메시 서사시
함무라비 법전
한자의 기원인 갑골 문자도 아주 오래된 문자 중 하나야.
인류는 문자를 통해 정치와 종교, 상업에 대한 기록들을 문자로 남겼어.
나는야~ 메소포타미아 사람이라네~♪
정치
종교
상업
당시 중요한 문제였던 천문, 역법에 관련된 내용이나 농업 생산량 같은 것들도 문자로 남겼지.
천문
역법
농업 생산량
정 치
또한 옛 사람들은 문자로 여러 신화나
메소포타미아 신화
그리스 신화
중국 신화
사건, 사고 등을 기록해 놓기도 했어.
페르시아 전쟁
포에니 전쟁
펠레폰네소스 전쟁
트로이 전쟁
이것들은 모두 귀중한 역사 자료란다.
UNESCO

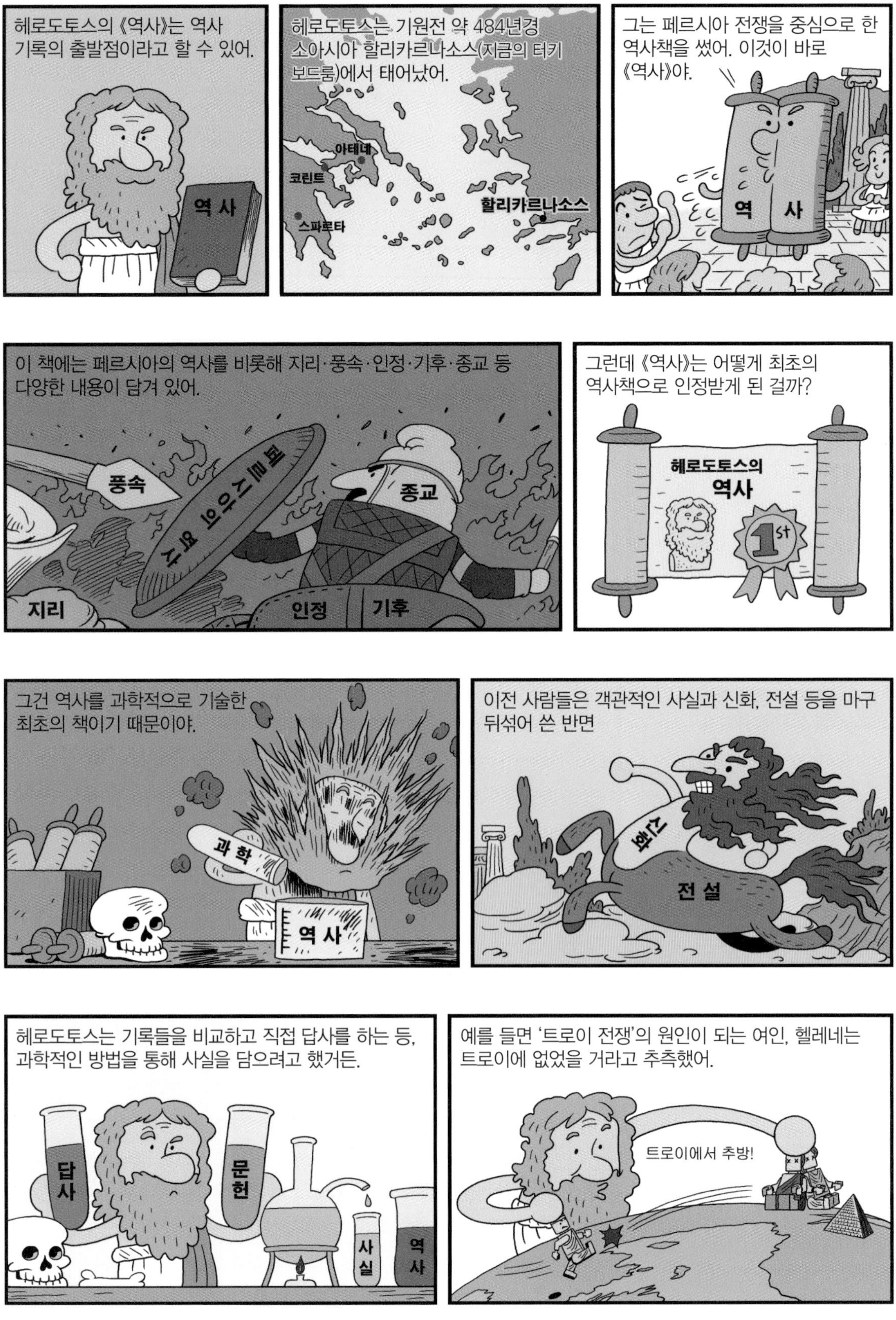
헤로도토스의 《역사》는 역사 기록의 출발점이라고 할 수 있어.
역 사
헤로도토스는 기원전 약 484년경 소아시아 할리카르나소스(지금의 터키 보드룸)에서 태어났어.
아테네
코린트
스파르타
할리카르나소스
그는 페르시아 전쟁을 중심으로 한 역사책을 썼어. 이것이 바로 《역사》야.
역 사
이 책에는 페르시아의 역사를 비롯해 지리·풍속·인정·기후·종교 등 다양한 내용이 담겨 있어.
풍속
페르시아의 역사
종교
지리
인정
기후
그런데 《역사》는 어떻게 최초의 역사책으로 인정받게 된 걸까?
헤로도토스의
역사
1st
그건 역사를 과학적으로 기술한 최초의 책이기 때문이야.
과 학
역 사
이전 사람들은 객관적인 사실과 신화, 전설 등을 마구 뒤섞어 쓴 반면
신화
전 설
헤로도토스는 기록들을 비교하고 직접 답사를 하는 등, 과학적인 방법을 통해 사실을 담으려고 했거든.
답사
문헌
사실
역사
예를 들면 '트로이 전쟁'의 원인이 되는 여인, 헬레네는 트로이에 없었을 거라고 추측했어.
트로이에서 추방!

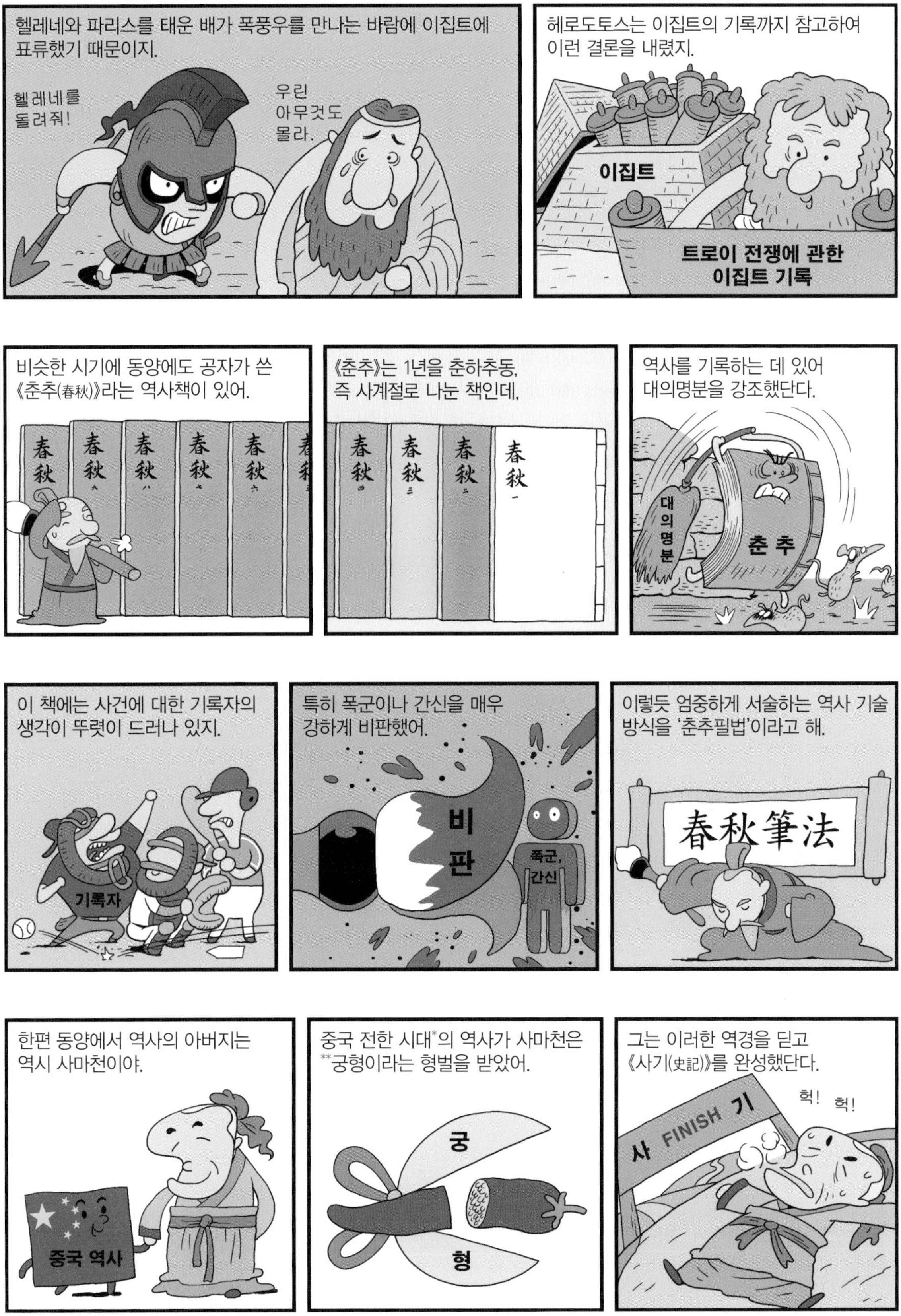
헬레네와 파리스를 태운 배가 폭풍우를 만나는 바람에 이집트에 표류했기 때문이지.
헬레네를 돌려줘!
우린 아무것도 몰라.
헤로도토스는 이집트의 기록까지 참고하여 이런 결론을 내렸지.
이집트
트로이 전쟁에 관한 이집트 기록
비슷한 시기에 동양에도 공자가 쓴 《춘추(春秋)》라는 역사책이 있어.
春秋
《춘추》는 1년을 춘하추동, 즉 사계절로 나눈 책인데,
春秋
역사를 기록하는 데 있어 대의명분을 강조했단다.
대의명분
춘추
이 책에는 사건에 대한 기록자의 생각이 뚜렷이 드러나 있지.
기록자
특히 폭군이나 간신을 매우 강하게 비판했어.
비판
폭군, 간신
이렇듯 엄중하게 서술하는 역사 기술 방식을 '춘추필법'이라고 해.
春秋筆法
한편 동양에서 역사의 아버지는 역시 사마천이야.
중국 역사
중국 전한 시대*의 역사가 사마천은 **궁형이라는 형벌을 받았어.
궁
형
그는 이러한 역경을 딛고 《사기(史記)》를 완성했단다.
사 FINISH 기
헉! 헉!

* 전한 시대(기원전 206년~기원후 8년) 고조 유방이 세운 중국을 두 번째로 통일한 황조. ** 궁형: 죄인의 생식기를 없애는 형벌.

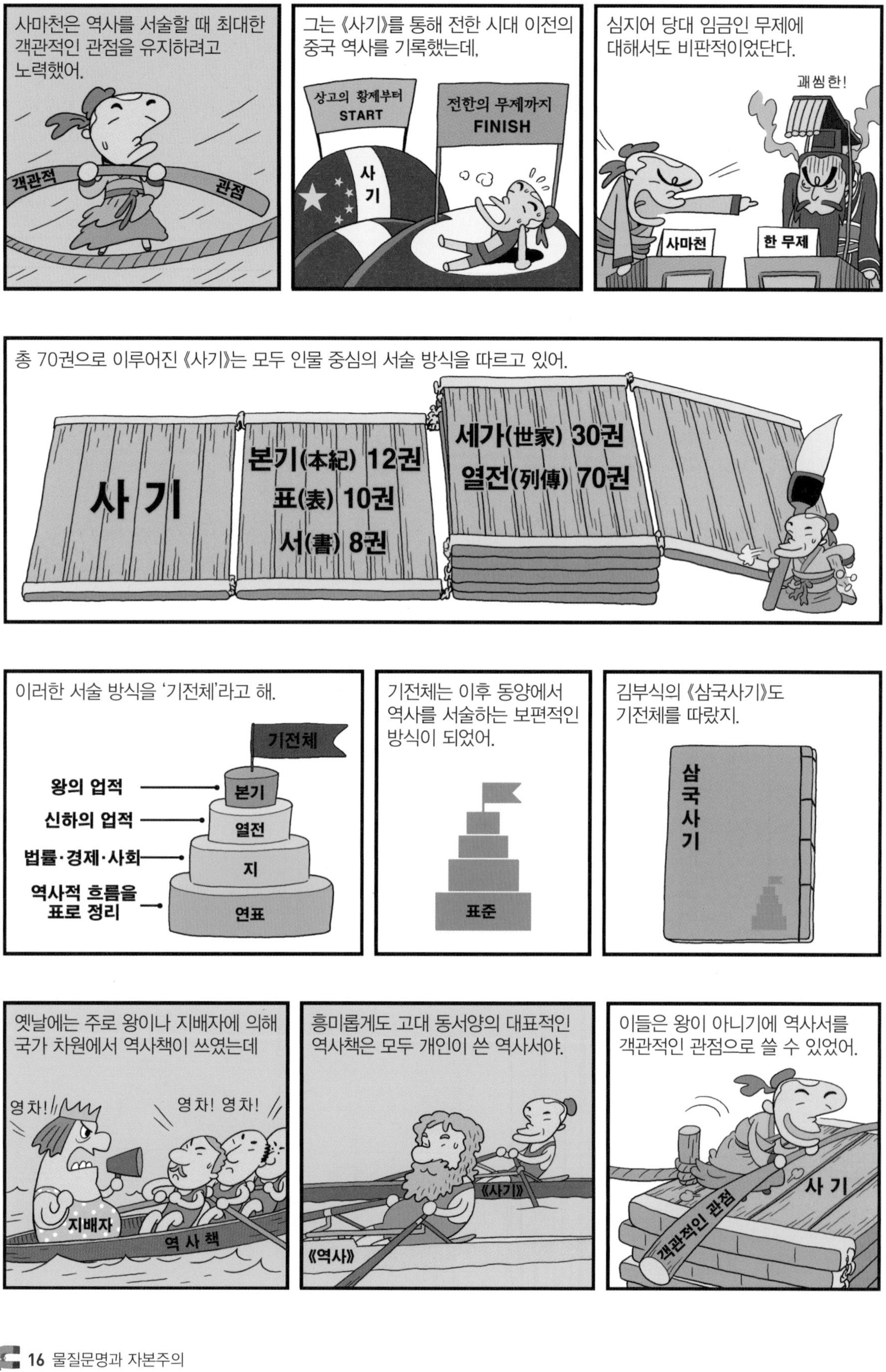
사마천은 역사를 서술할 때 최대한 객관적인 관점을 유지하려고 노력했어.
객관적
관점
그는 《사기》를 통해 전한 시대 이전의 중국 역사를 기록했는데,
상고의 황제부터 START
전한의 무제까지 FINISH
사기
심지어 당대 임금인 무제에 대해서도 비판적이었단다.
괘씸한!
사마천
한 무제
총 70권으로 이루어진 《사기》는 모두 인물 중심의 서술 방식을 따르고 있어.
사 기
본기(本紀) 12권
표(表) 10권
서(書) 8권
세가(世家) 30권
열전(列傳) 70권
이러한 서술 방식을 '기전체'라고 해.
기전체
왕의 업적
본기
신하의 업적
열전
법률·경제·사회
지
역사적 흐름을 표로 정리
연표
기전체는 이후 동양에서 역사를 서술하는 보편적인 방식이 되었어.
표준
김부식의 《삼국사기》도 기전체를 따랐지.
삼국사기
옛날에는 주로 왕이나 지배자에 의해 국가 차원에서 역사책이 쓰였는데
영차!
영차! 영차!
지배자
역 사 책
흥미롭게도 고대 동서양의 대표적인 역사책은 모두 개인이 쓴 역사서야.
《사기》
《역사》
이들은 왕이 아니기에 역사서를 객관적인 관점으로 쓸 수 있었어.
사 기
객관적인 관점

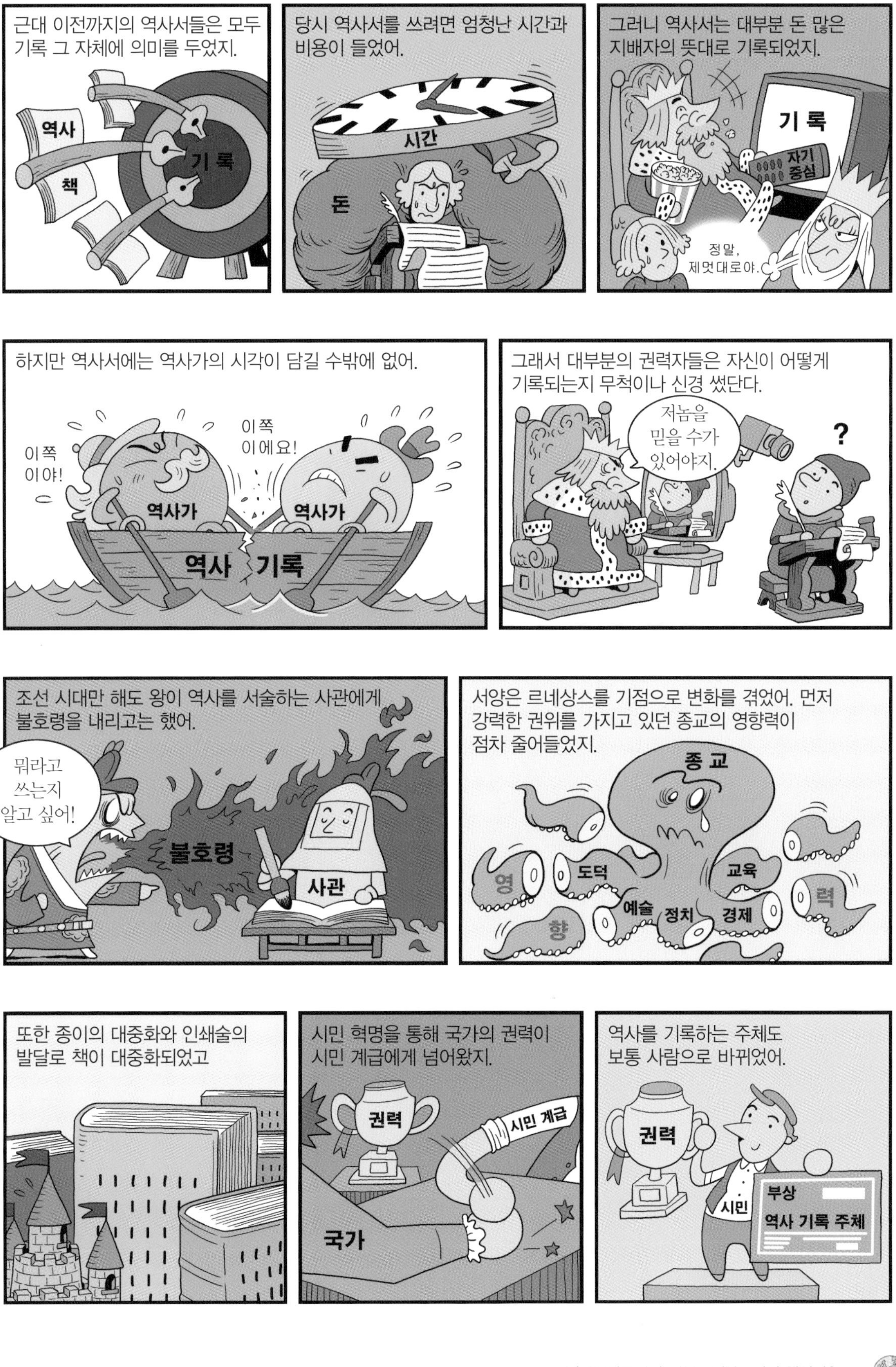
근대 이전까지의 역사서들은 모두 기록 그 자체에 의미를 두었지.
역사
책
기 록
당시 역사서를 쓰려면 엄청난 시간과 비용이 들었어.
시간
돈
그러니 역사서는 대부분 돈 많은 지배자의 뜻대로 기록되었지.
기 록
자기 중심
정말, 제멋대로야.
하지만 역사서에는 역사가의 시각이 담길 수밖에 없어.
이쪽 이야!
이쪽 이에요!
역사가
역사가
역사 기록
그래서 대부분의 권력자들은 자신이 어떻게 기록되는지 무척이나 신경 썼단다.
저놈을 믿을 수가 있어야지.
?
조선 시대만 해도 왕이 역사를 서술하는 사관에게 불호령을 내리고는 했어.
뭐라고 쓰는지 알고 싶어!
불호령
사관
서양은 르네상스를 기점으로 변화를 겪었어. 먼저 강력한 권위를 가지고 있던 종교의 영향력이 점차 줄어들었지.
종 교
도덕
교육
예술
정치
경제
영
향
력
또한 종이의 대중화와 인쇄술의 발달로 책이 대중화되었고
시민 혁명을 통해 국가의 권력이 시민 계급에게 넘어왔지.
권력
시민 계급
국가
역사를 기록하는 주체도 보통 사람으로 바뀌었어.
권력
시민
부상
역사 기록 주체

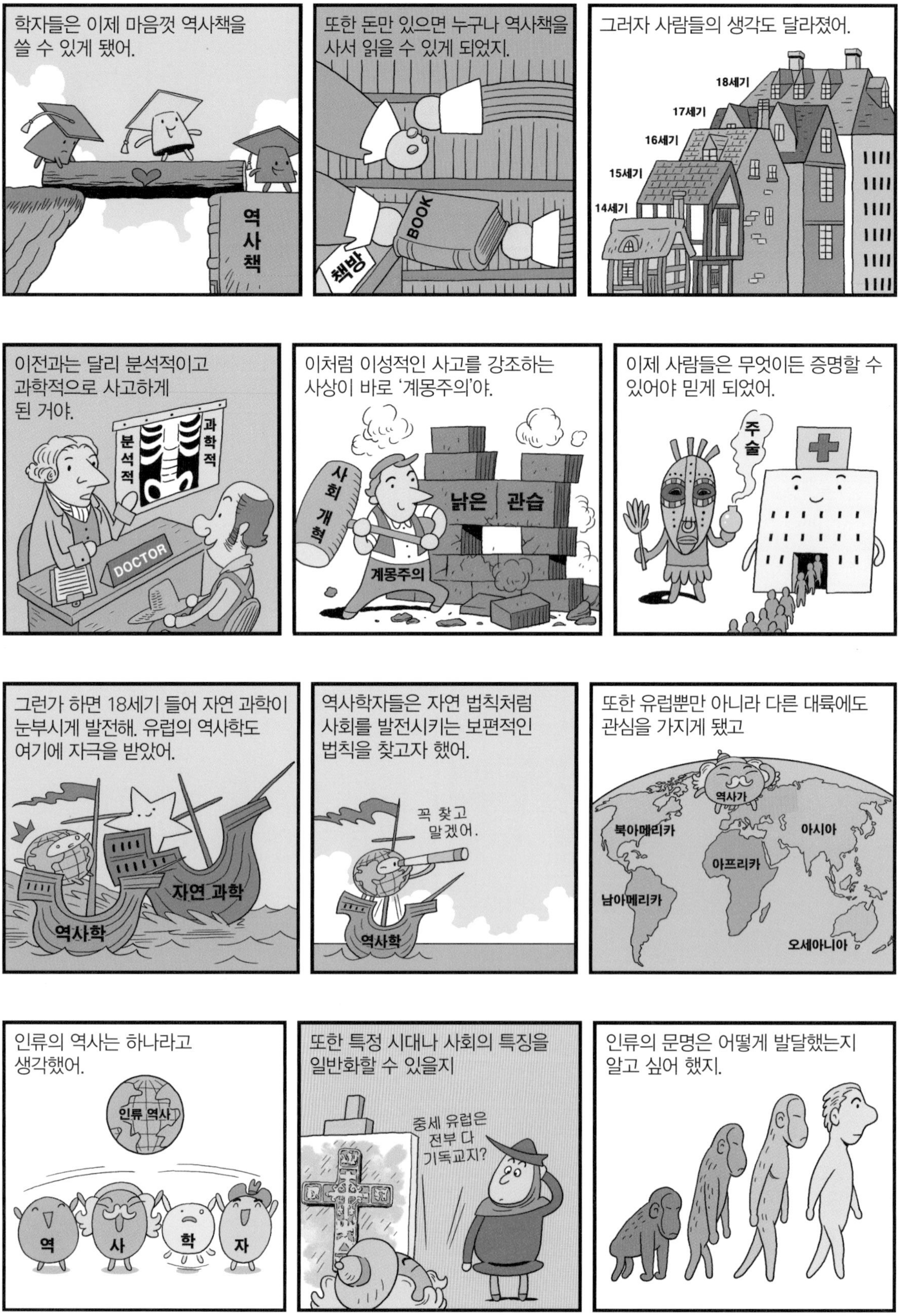
학자들은 이제 마음껏 역사책을 쓸 수 있게 됐어.
역사책
또한 돈만 있으면 누구나 역사책을 사서 읽을 수 있게 되었지.
BOOK
책방
그러자 사람들의 생각도 달라졌어.
18세기
17세기
16세기
15세기
14세기
이전과는 달리 분석적이고 과학적으로 사고하게 된 거야.
분석적
과학적
DOCTOR
이처럼 이성적인 사고를 강조하는 사상이 바로 '계몽주의'야.
사회 개혁
낡은 관습
계몽주의
이제 사람들은 무엇이든 증명할 수 있어야 믿게 되었어.
주술
그런가 하면 18세기 들어 자연 과학이 눈부시게 발전해. 유럽의 역사학도 여기에 자극을 받았어.
자연 과학
역사학
역사학자들은 자연 법칙처럼 사회를 발전시키는 보편적인 법칙을 찾고자 했어.
꼭 찾고 말겠어.
역사학
또한 유럽뿐만 아니라 다른 대륙에도 관심을 가지게 됐고
역사가
북아메리카
아시아
아프리카
남아메리카
오세아니아
인류의 역사는 하나라고 생각했어.
인류 역사
역 사 학 자
또한 특정 시대나 사회의 특징을 일반화할 수 있을지
중세 유럽은 전부 다 기독교지?
인류의 문명은 어떻게 발달했는지 알고 싶어 했지.

이 시기를 대표하는 역사책이 바로 18세기 후반에 에드워드 기번(1737~1794년)이 쓴 《로마 제국 쇠망사》야.
로마 제국 쇠망사
에드워드 기번
기번은 로마 제국의 사회 제도와 역사를 연결 지어서 연구했어.
로마 제국
사회 제도
역사
특히 로마 제국이 쇠퇴한 원인을 분석했는데
로마 제국의 쇠퇴 원인
그는 유럽이 로마 제국보다 훨씬 발전된 단계에 이르렀으며,
유럽
로마
로마처럼 무너지지는 않을 것이라고 주장했어.
조심
조심
로마 제국
쇠퇴 원인
19세기 들어 역사학은 어엿한 학문으로 자리 잡아.
국가
사회
학문으로서 공식적으로 인정함
역사학
역사학을 전문적으로 연구하는 교수들도 나타났지.
역사학 연구
이제 역사는 더 이상 지배자들이 권력을 정당화하는 수단이 아니었어.
역사학
역사학은 인간이 지나 온 길을 연구함으로써
연구
역사
더 나은 사회를 만드는 데 도움을 주는 학문으로 당당하게 자리매김했지.
역사학
비로소 사람들은 역사를 어떻게 연구할 것인지 고민하기 시작했어.
역사 연구
체
계
화
방법론

성직자인 샤를 V. 랑글루아와 역사가인 샤를 세뇨보가 1898년에 쓴 《역사 연구 입문》은 근대적인 역사 방법론을 다룬 대표적인 책이야.
Introduction aux études historiques
(1898)
Charles-Victor Langlois
(1863-1929)
Charles Seignobos
(1854-1942)
eBox Editions
샤를 V. 랑글루아
(1767~1851년)
샤를 세뇨보
(1854~1942년)
랑글루아와 세뇨보는 '역사는, 어떻게 하면 불완전한 문서나 서술된 기록에서 실제로 일어난 일을 알아낼 수 있는가를 추론하는 과학'이라고 말했어.
불완전한
문서
이쯤에서 역사학의 아버지 랑케(1795~1886년)에 대해 알아보자.
짜 잔 ~
closed
그는 '근대 역사학의 아버지'라 불리는 역사가야.
역사학
현대
근대
중세
랑케는 대학에 역사학과를 정착시키고,
역사학과
역사학을 연구하는 세미나를 최초로 여는 등 서유럽의 역사학계에 커다란 영향을 주었지.
역사 세미나
그는 역사를 서술할 때는 사료에 충실하면서 객관적으로 기술해야 한다고 주장했어.
"역사가는 가능한 한 객관적으로, '있는 그대로'를 기술해야 한다."
객관적
사료
역
사
즉, 랑케는 '분석가'라기보다는 '역사 서술가'인 셈이지.
역사

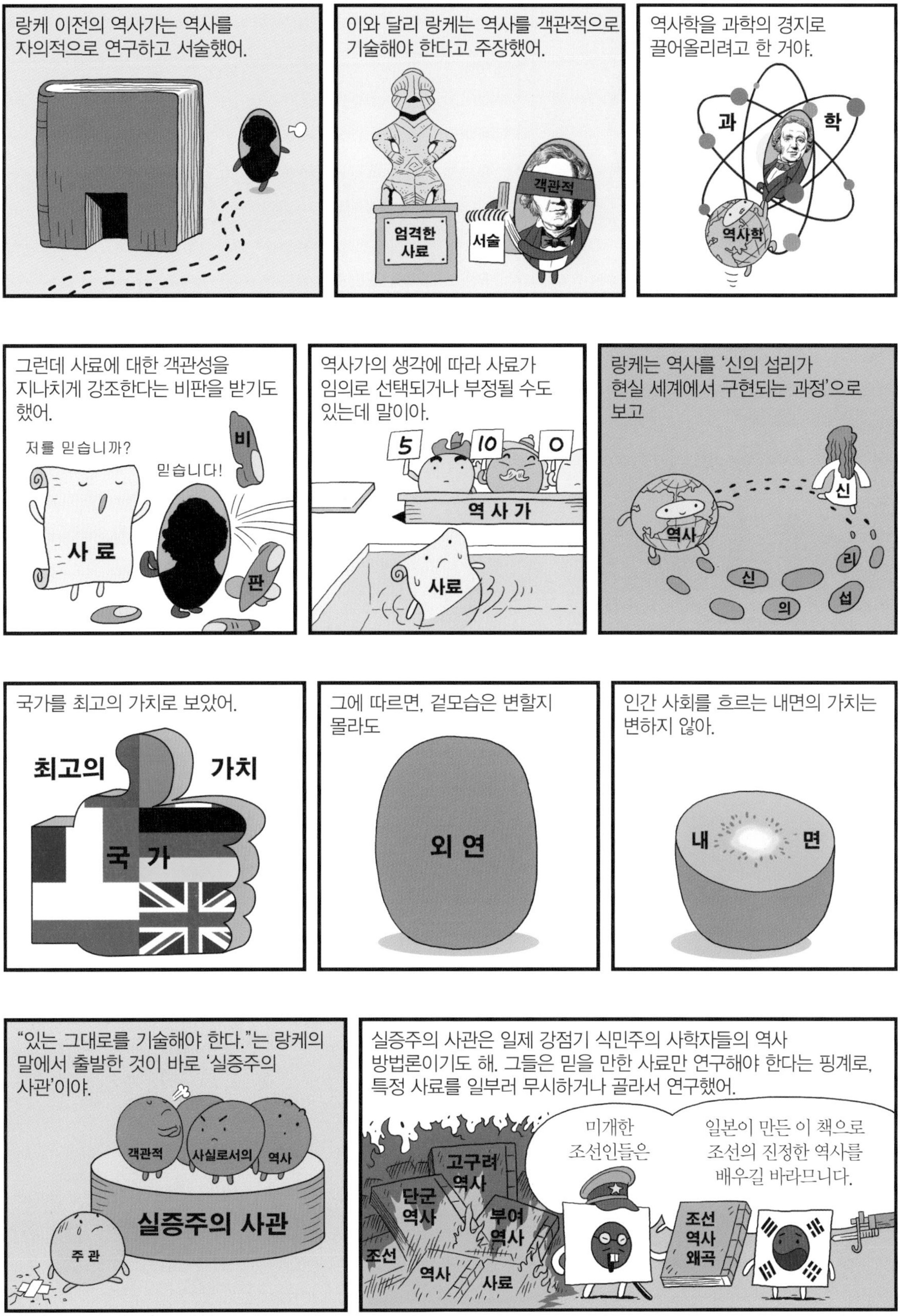
랑케 이전의 역사가는 역사를
자의적으로 연구하고 서술했어.
이와 달리 랑케는 역사를 객관적으로
기술해야 한다고 주장했어.
엄격한
사료
서술
객관적
역사학을 과학의 경지로
끌어올리려고 한 거야.
과
학
역사학
그런데 사료에 대한 객관성을
지나치게 강조한다는 비판을 받기도
했어.
저를 믿습니까?
믿습니다!
사 료
비
판
역사가의 생각에 따라 사료가
임의로 선택되거나 부정될 수도
있는데 말이야.
5
10
0
역 사 가
사료
랑케는 역사를 '신의 섭리가
현실 세계에서 구현되는 과정'으로
보고
신
역사
신
의
섭
리
국가를 최고의 가치로 보았어.
최고의
가치
국 가
그에 따르면, 겉모습은 변할지
몰라도
외 연
인간 사회를 흐르는 내면의 가치는
변하지 않아.
내
면
"있는 그대로를 기술해야 한다."는 랑케의
말에서 출발한 것이 바로 '실증주의
사관'이야.
객관적
사실로서의
역사
실증주의 사관
주 관
실증주의 사관은 일제 강점기 식민주의 사학자들의 역사
방법론이기도 해. 그들은 믿을 만한 사료만 연구해야 한다는 핑계로,
특정 사료를 일부러 무시하거나 골라서 연구했어.
미개한
조선인들은
일본이 만든 이 책으로
조선의 진정한 역사를
배우길 바라므니다.
고구려
역사
단군
역사
부여
역사
조선
역사
사료
조선
역사
왜곡

그런데 역사학자 R. G. 콜링우드(1889~1943년)와 E. H. 카(1892~1982년)는 랑케의 입장에 반대했단다.
콜링우드
E. H. 카
콜링우드는 '역사가에 의해 역사적 사실이 구성되고 그 의미 또한 역사가에 의해 부여되기 때문에, 역사는 과학과 거리가 있다.'고 보았어.
역사 자료
탐구
결론
과학
거
리
부여
구성
역사적 사실
역사가
"역사는 과거와 현재의 대화다."라는 유명한 말을 남긴 E. H. 카는
대
화
과거의 E. H. 카
현재의 E. H. 카
현재의 시각에 따라 역사를 재구성하고 연구해야 한다고 주장했지.
재구성
연구
역사
E. H. 카와 랑케의 의견에는 정말 큰 차이가 있지?
역사의
진보성
E. H. 카는 과거에 대한 이해를 통해 현재를 반성하고 성찰하면
빌리 브란트 전 서독 총리의 역사 반성
그에 따라 현재의 지식이 풍부해진다고 보았지.
지식
이러한 과정 속에서 역사가 점차 진보한다고 생각했어.
역사
한편 프랑스에서는 랑케의 사실주의 입장에서 벗어나, 새로운 움직임이 나타났어.
랑케의 실증주의 사관
새로운 역사학은 정치보다는 사회, 개인보다는 집단, 연대보다는 구조를 기본으로 삼아야 한다고 주장했지.
역사 인식
사회
집단
구조
새로운 역사학

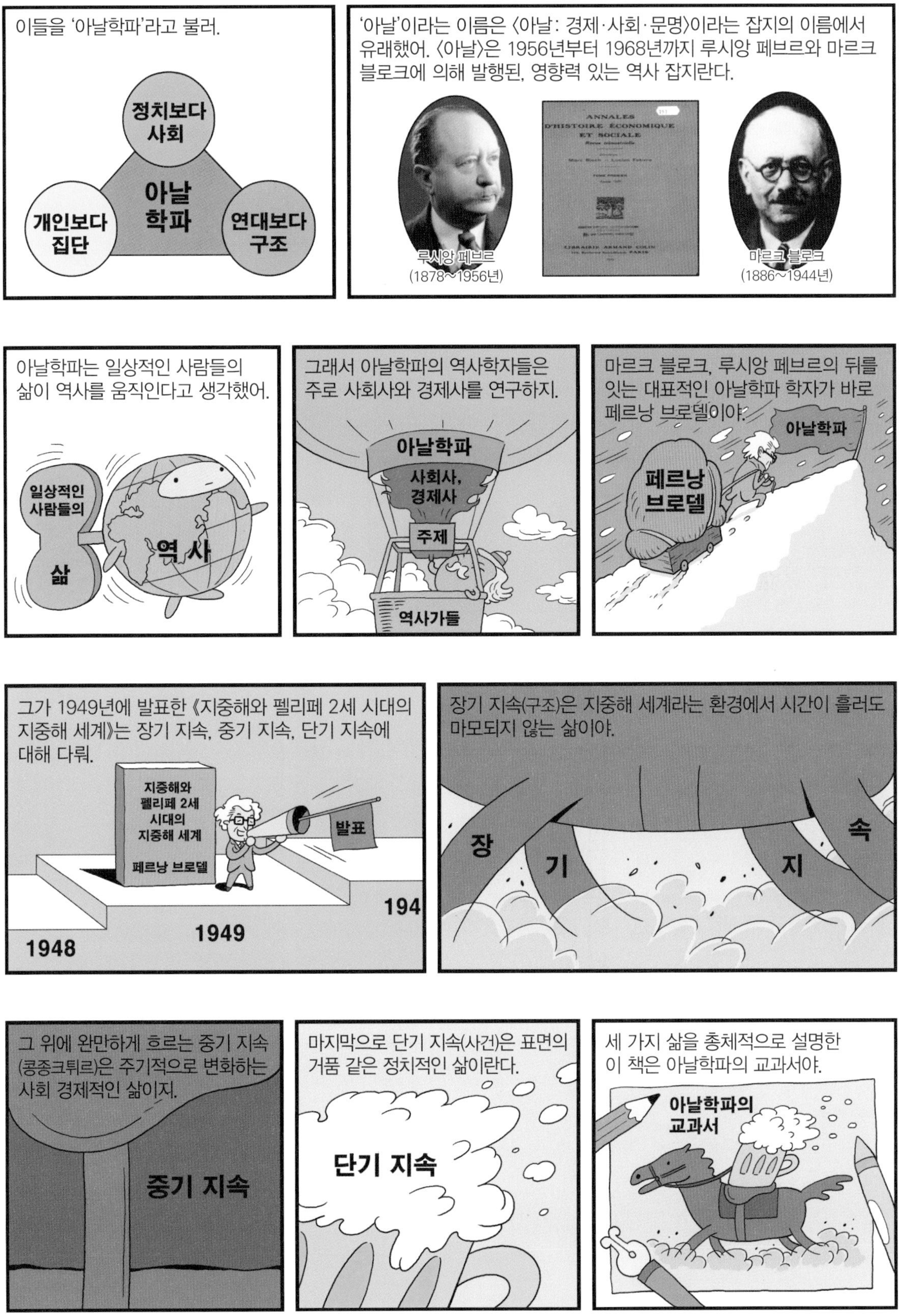
이들을 '아날학파'라고 불러.
정치보다 사회
아날 학파
개인보다 집단
연대보다 구조
'아날'이라는 이름은 〈아날: 경제·사회·문명〉이라는 잡지의 이름에서 유래했어. 〈아날〉은 1956년부터 1968년까지 루시앙 페브르와 마르크 블로크에 의해 발행된, 영향력 있는 역사 잡지란다.
ANNALES D'HISTOIRE ÉCONOMIQUE ET SOCIALE
LIBRAIRIE ARMAND COLIN PARIS
루시앙 페브르 (1878~1956년)
마르크 블로크 (1886~1944년)
아날학파는 일상적인 사람들의 삶이 역사를 움직인다고 생각했어.
일상적인 사람들의 삶
역사
그래서 아날학파의 역사학자들은 주로 사회사와 경제사를 연구하지.
아날학파
사회사, 경제사
주제
역사가들
마르크 블로크, 루시앙 페브르의 뒤를 잇는 대표적인 아날학파 학자가 바로 페르낭 브로델이야.
아날학파
페르낭 브로델
그가 1949년에 발표한 《지중해와 펠리페 2세 시대의 지중해 세계》는 장기 지속, 중기 지속, 단기 지속에 대해 다뤄.
지중해와 펠리페 2세 시대의 지중해 세계 페르낭 브로델
발표
1948
1949
194
장기 지속(구조)은 지중해 세계라는 환경에서 시간이 흘러도 마모되지 않는 삶이야.
장 기 지 속
그 위에 완만하게 흐르는 중기 지속(콩종크튀르)은 주기적으로 변화하는 사회 경제적인 삶이지.
중기 지속
마지막으로 단기 지속(사건)은 표면의 거품 같은 정치적인 삶이란다.
단기 지속
세 가지 삶을 총체적으로 설명한 이 책은 아날학파의 교과서야.
아날학파의 교과서

이후 아날학파 연구의 제3세대라고 할 수 있는 G. 뒤비, E. 르 루아 라뒤리, J. 르 고프 등은
G. 뒤비
(1919~1996년)
E. 르 루아 라뒤리
(1929년~)
J. 르 고프
(1924~2014년)
브로델의 역사학을 기본으로 삼으면서 인간의 집단 심리에 대해서도 연구하기 시작했어.
집단 심리
그리고 최근에 이르러 R. 샤르티에(1945년~)는 문화 현상에 대해 사회사적으로 접근하면서 아날학파의 제4세대를 이끌고 있지.
제4세대 아날학파
아날학파, 또는 페르낭 브로델을 이해하기 위해서는 '시간'의 의미를 알아야 해.
째깍
째깍
브로델은 역사를 단편적인 사건들로 이해하는 데 반대해.
반대
역 사
사건사
그는 아주 오랜 시간이 쌓여 역사가 이루어졌다고 말하지.
째깍
째깍
역 사
째깍
째깍
흔히 세상이 인간의 의지와 선택에 의해 바뀐다고 여기기 쉽지만, 브로델은 그렇게 생각하지 않았어.
인간 세계의
현실
사실 변화는 세계의 장기적 구조에 의해 미리 결정되고 예견되어 있다는 거야.
각본대로 잘하고 있군.
연극 각본
세계 장기적 구조

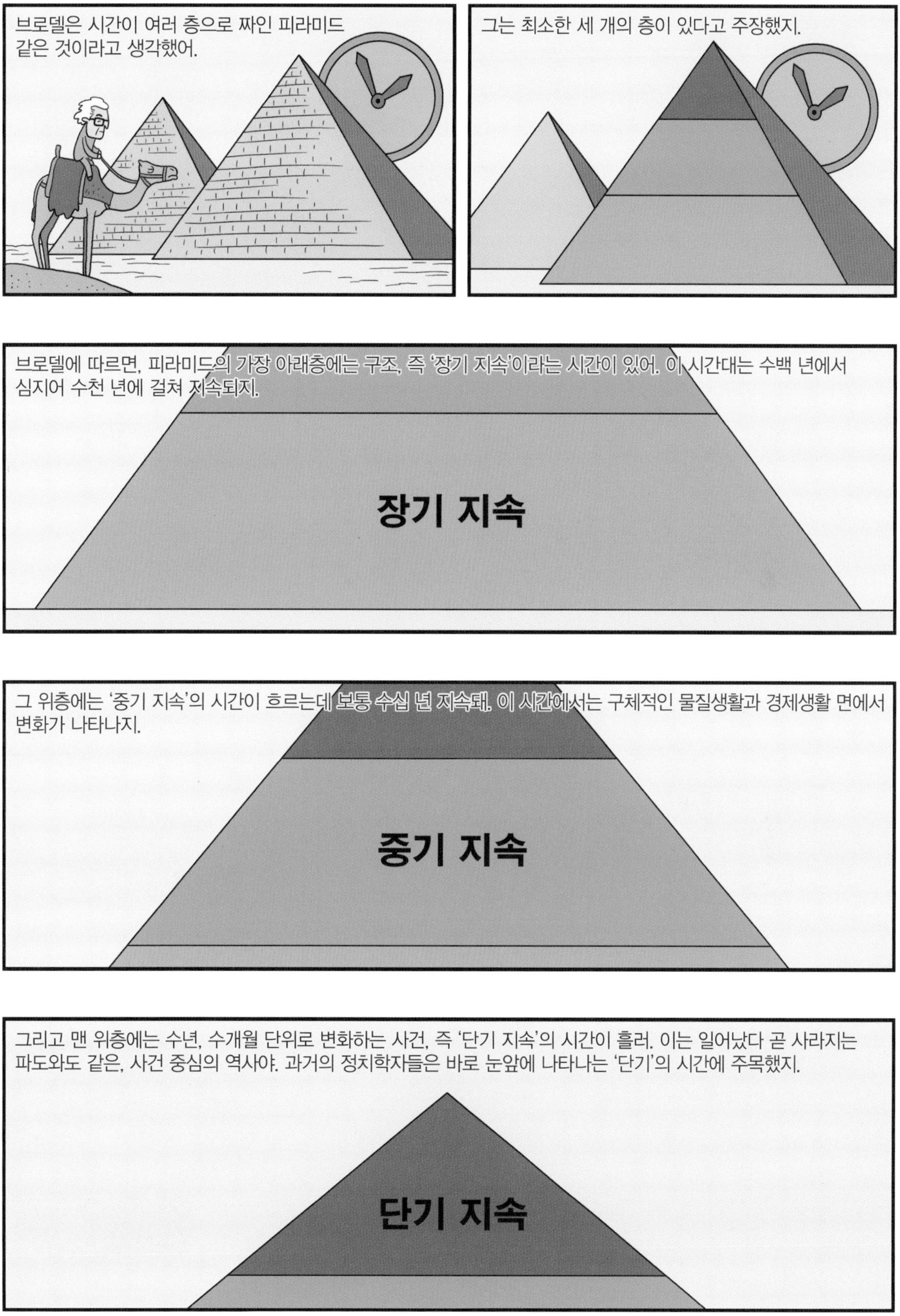
브로델은 시간이 여러 층으로 짜인 피라미드 같은 것이라고 생각했어.
그는 최소한 세 개의 층이 있다고 주장했지.
브로델에 따르면, 피라미드의 가장 아래층에는 구조, 즉 '장기 지속'이라는 시간이 있어. 이 시간대는 수백 년에서 심지어 수천 년에 걸쳐 지속되지.
장기 지속
그 위층에는 '중기 지속'의 시간이 흐르는데 보통 수십 년 지속돼. 이 시간에서는 구체적인 물질생활과 경제생활 면에서 변화가 나타나지.
중기 지속
그리고 맨 위층에는 수년, 수개월 단위로 변화하는 사건, 즉 '단기 지속'의 시간이 흘러. 이는 일어났다 곧 사라지는 파도와도 같은, 사건 중심의 역사야. 과거의 정치학자들은 바로 눈앞에 나타나는 '단기'의 시간에 주목했지.
단기 지속

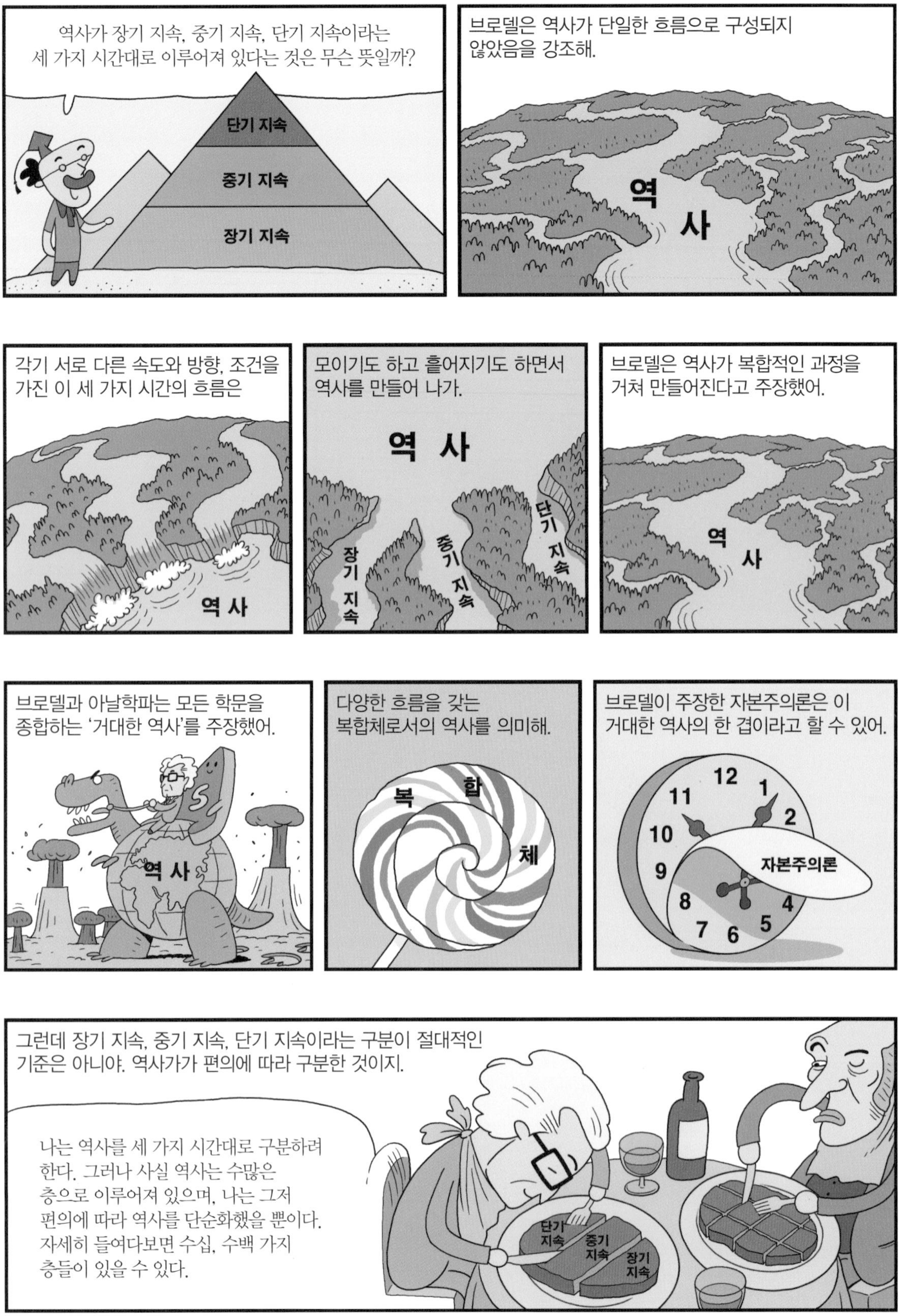
역사가 장기 지속, 중기 지속, 단기 지속이라는
세 가지 시간대로 이루어져 있다는 것은 무슨 뜻일까?
단기 지속
중기 지속
장기 지속
브로델은 역사가 단일한 흐름으로 구성되지
않았음을 강조해.
역사
각기 서로 다른 속도와 방향, 조건을
가진 이 세 가지 시간의 흐름은
역사
모이기도 하고 흩어지기도 하면서
역사를 만들어 나가.
역사
장기 지속
중기 지속
단기 지속
브로델은 역사가 복합적인 과정을
거쳐 만들어진다고 주장했어.
역사
브로델과 아날학파는 모든 학문을
종합하는 '거대한 역사'를 주장했어.
역사
다양한 흐름을 갖는
복합체로서의 역사를 의미해.
복합체
브로델이 주장한 자본주의론은 이
거대한 역사의 한 겹이라고 할 수 있어.
자본주의론
그런데 장기 지속, 중기 지속, 단기 지속이라는 구분이 절대적인
기준은 아니야. 역사가가 편의에 따라 구분한 것이지.
나는 역사를 세 가지 시간대로 구분하려
한다. 그러나 사실 역사는 수많은
층으로 이루어져 있으며, 나는 그저
편의에 따라 역사를 단순화했을 뿐이다.
자세히 들여다보면 수십, 수백 가지
층들이 있을 수 있다.
단기 지속
중기 지속
장기 지속

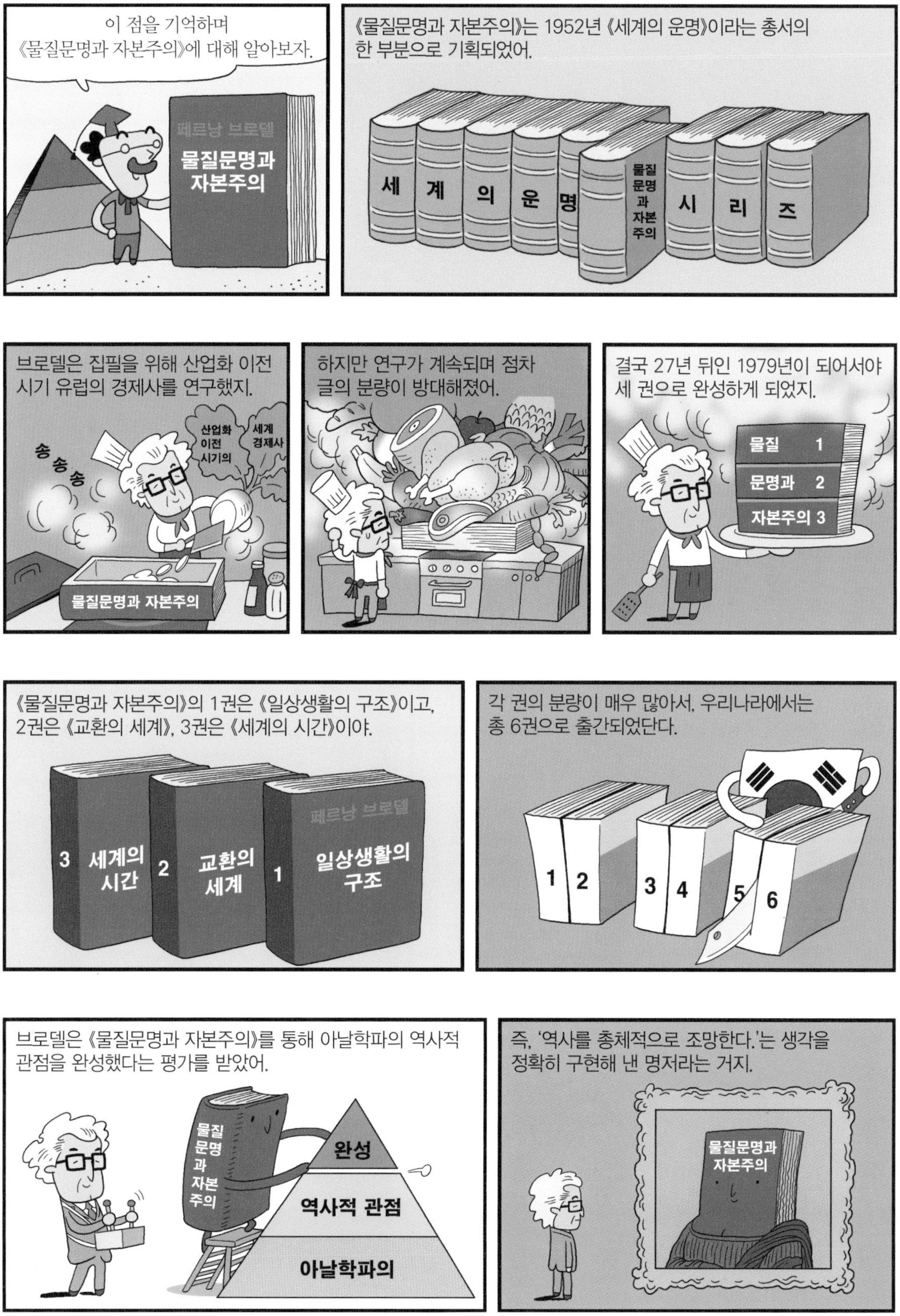

이 점을 기억하며
《물질문명과 자본주의》에 대해 알아보자.
페르낭 브로델
물질문명과 자본주의
《물질문명과 자본주의》는 1952년 《세계의 운명》이라는 총서의 한 부분으로 기획되었어.
세 계 의 운 명
물질 문명 과 자본 주의
시 리 즈
브로델은 집필을 위해 산업화 이전 시기 유럽의 경제사를 연구했지.
송 송 송
산업화 이전 시기의
세계 경제사
물질문명과 자본주의
하지만 연구가 계속되며 점차 글의 분량이 방대해졌어.
결국 27년 뒤인 1979년이 되어서야 세 권으로 완성하게 되었지.
물질 1
문명과 2
자본주의 3
《물질문명과 자본주의》의 1권은 《일상생활의 구조》이고, 2권은 《교환의 세계》, 3권은 《세계의 시간》이야.
3 세계의 시간
2 교환의 세계
페르낭 브로델
1 일상생활의 구조
각 권의 분량이 매우 많아서, 우리나라에서는 총 6권으로 출간되었단다.
1 2
3 4
5 6
브로델은 《물질문명과 자본주의》를 통해 아날학파의 역사적 관점을 완성했다는 평가를 받았어.
물질 문명 과 자본 주의
완성
역사적 관점
아날학파의
즉, '역사를 총체적으로 조망한다.'는 생각을 정확히 구현해 낸 명저라는 거지.
물질문명과 자본주의

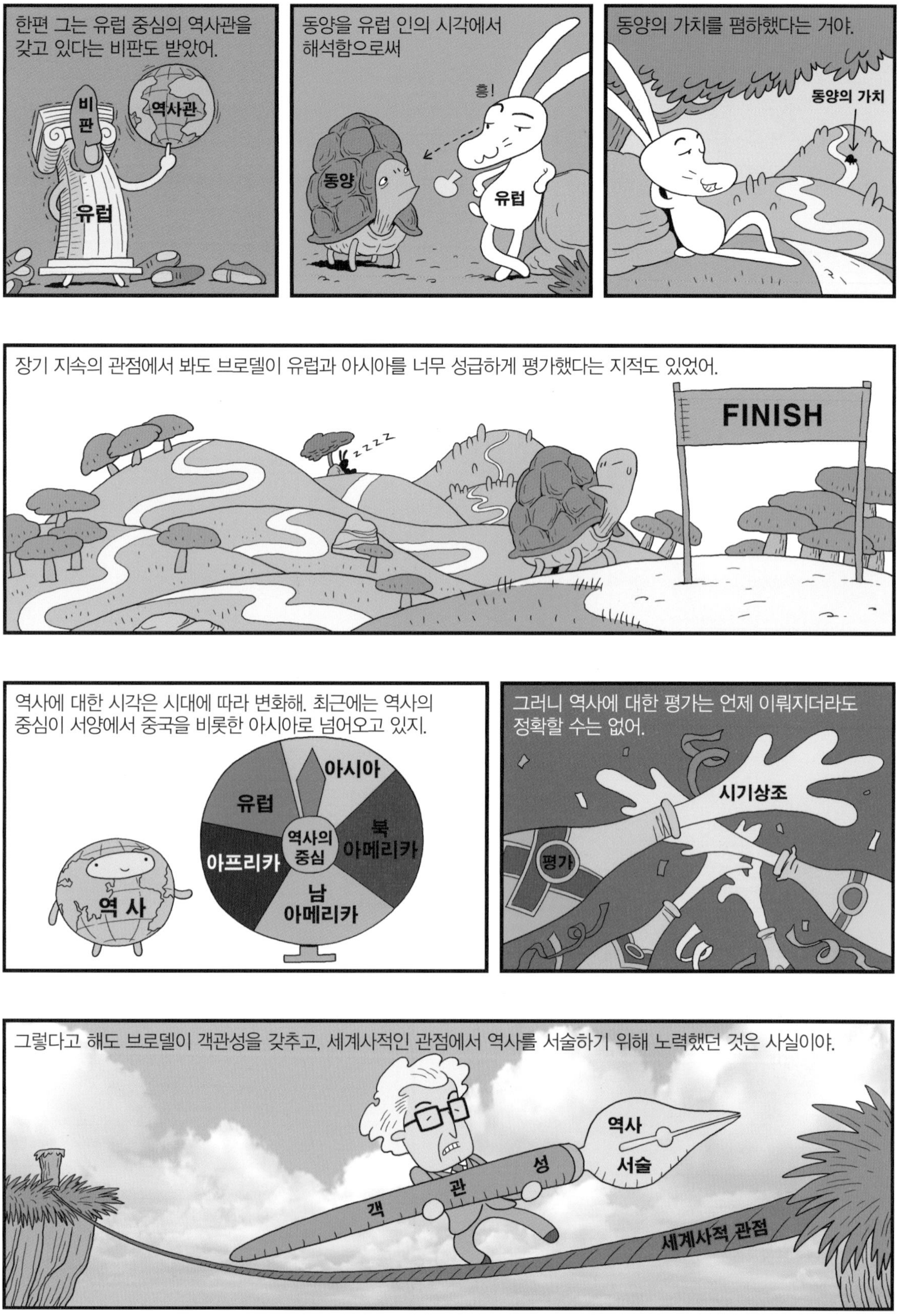
한편 그는 유럽 중심의 역사관을 갖고 있다는 비판도 받았어.
비판
역사관
유럽
동양을 유럽 인의 시각에서 해석함으로써
흥!
동양
유럽
동양의 가치를 폄하했다는 거야.
동양의 가치
장기 지속의 관점에서 봐도 브로델이 유럽과 아시아를 너무 성급하게 평가했다는 지적도 있었어.
FINISH
역사에 대한 시각은 시대에 따라 변화해. 최근에는 역사의 중심이 서양에서 중국을 비롯한 아시아로 넘어오고 있지.
아시아
유럽
북 아메리카
역사의 중심
아프리카
남 아메리카
역사
그러니 역사에 대한 평가는 언제 이뤄지더라도 정확할 수는 없어.
시기상조
평가
그렇다고 해도 브로델이 객관성을 갖추고, 세계사적인 관점에서 역사를 서술하기 위해 노력했던 것은 사실이야.
역사 서술
객관성
세계사적 관점

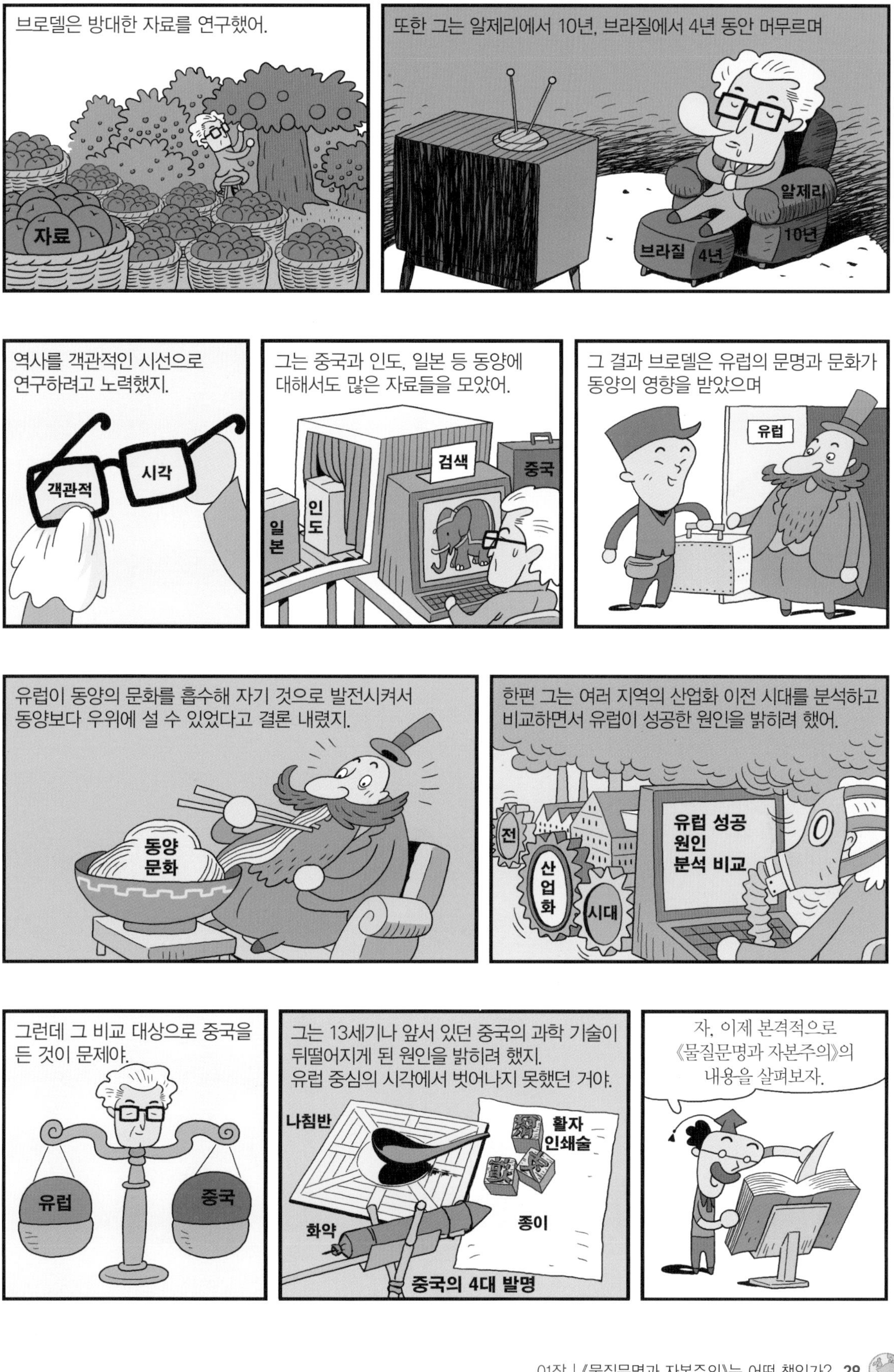
브로델은 방대한 자료를 연구했어.
자료
또한 그는 알제리에서 10년, 브라질에서 4년 동안 머무르며
알제리
10년
브라질
4년
역사를 객관적인 시선으로 연구하려고 노력했지.
객관적
시각
그는 중국과 인도, 일본 등 동양에 대해서도 많은 자료들을 모았어.
검색
중국
인도
일본
그 결과 브로델은 유럽의 문명과 문화가 동양의 영향을 받았으며
유럽
유럽이 동양의 문화를 흡수해 자기 것으로 발전시켜서 동양보다 우위에 설 수 있었다고 결론 내렸지.
동양 문화
한편 그는 여러 지역의 산업화 이전 시대를 분석하고 비교하면서 유럽이 성공한 원인을 밝히려 했어.
전
산업화
시대
유럽 성공 원인 분석 비교
그런데 그 비교 대상으로 중국을 든 것이 문제야.
유럽
중국
그는 13세기나 앞서 있던 중국의 과학 기술이 뒤떨어지게 된 원인을 밝히려 했지. 유럽 중심의 시각에서 벗어나지 못했던 거야.
나침반
활자 인쇄술
화약
종이
중국의 4대 발명
자, 이제 본격적으로 《물질문명과 자본주의》의 내용을 살펴보자.

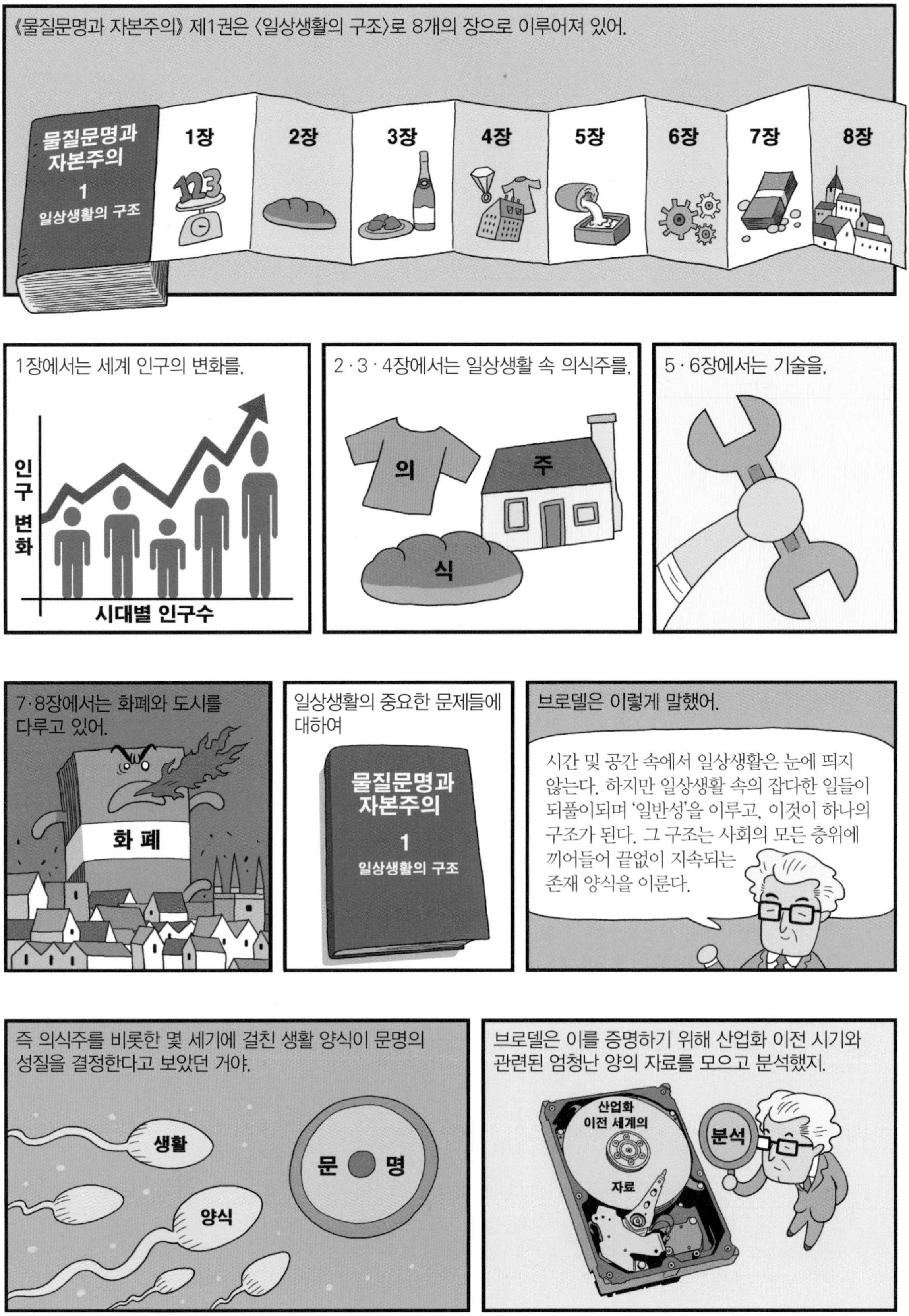
《물질문명과 자본주의》 제1권은 〈일상생활의 구조〉로 8개의 장으로 이루어져 있어.
물질문명과 자본주의 1 일상생활의 구조
1장
123
2장
3장
4장
5장
6장
7장
8장
1장에서는 세계 인구의 변화를,
인구 변화
시대별 인구수
2 · 3 · 4장에서는 일상생활 속 의식주를,
의
주
식
5 · 6장에서는 기술을,
7·8장에서는 화폐와 도시를 다루고 있어.
화 폐
일상생활의 중요한 문제들에 대하여
물질문명과 자본주의 1 일상생활의 구조
브로델은 이렇게 말했어.
시간 및 공간 속에서 일상생활은 눈에 띄지 않는다. 하지만 일상생활 속의 잡다한 일들이 되풀이되며 '일반성'을 이루고, 이것이 하나의 구조가 된다. 그 구조는 사회의 모든 층위에 끼어들어 끝없이 지속되는 존재 양식을 이룬다.
즉 의식주를 비롯한 몇 세기에 걸친 생활 양식이 문명의 성질을 결정한다고 보았던 거야.
생활
양식
문
명
브로델은 이를 증명하기 위해 산업화 이전 시기와 관련된 엄청난 양의 자료를 모으고 분석했지.
산업화 이전 세계의 자료
분석

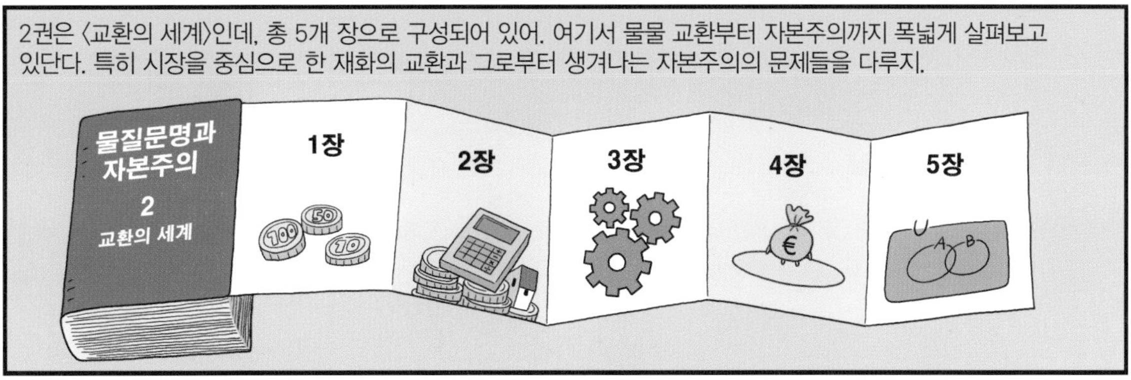
2권은 〈교환의 세계〉인데, 총 5개 장으로 구성되어 있어. 여기서 물물 교환부터 자본주의까지 폭넓게 살펴보고 있단다. 특히 시장을 중심으로 한 재화의 교환과 그로부터 생겨나는 자본주의의 문제들을 다루지.
물질문명과 자본주의
2
교환의 세계
1장
2장
3장
4장
5장

1권에서는 경제 활동의 바탕이 되는 일상생활에 대해 이야기했고, 2권에서부터는 본격적으로 경제에 대해 다뤄.
물물 교환
자본주의

2권에서는 스스로 생겨난 시장, 사회 경제 체제인 자본주의 등에 대해 분석하지.
비교
자생적 시장
€
자본주의

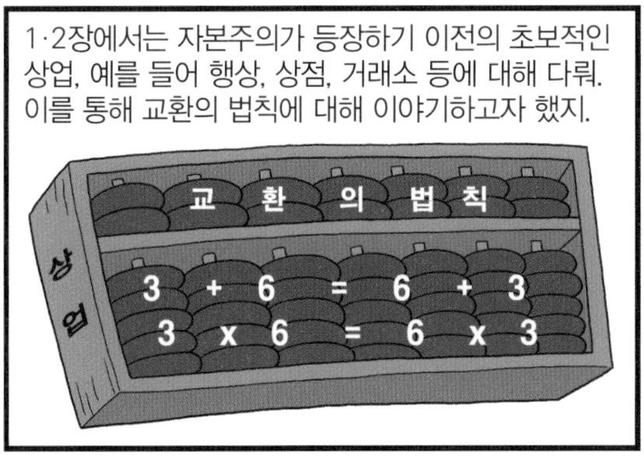
1·2장에서는 자본주의가 등장하기 이전의 초보적인 상업, 예를 들어 행상, 상점, 거래소 등에 대해 다뤄. 이를 통해 교환의 법칙에 대해 이야기하고자 했지.
교 환 의 법 칙
상업
3 + 6 = 6 + 3
3 x 6 = 6 x 3

3·4장에서는 생산과 자본주의에 대해 설명하고,
€
자본주의
생산

5장에서는 사회 테두리 속의 자본주의를 파악하려고 해.
자본
주의
사회의 테두리

한 가지 알아 둘 것이 있어. 우리는 흔히 '자본주의 체제'와 '시장 경제 체제'를 같은 의미로 쓰지만, 브로델에게 시장 경제 체제란 자본주의 이전의 초보적인 교환 경제 형태를 의미한단다.
교환
경제

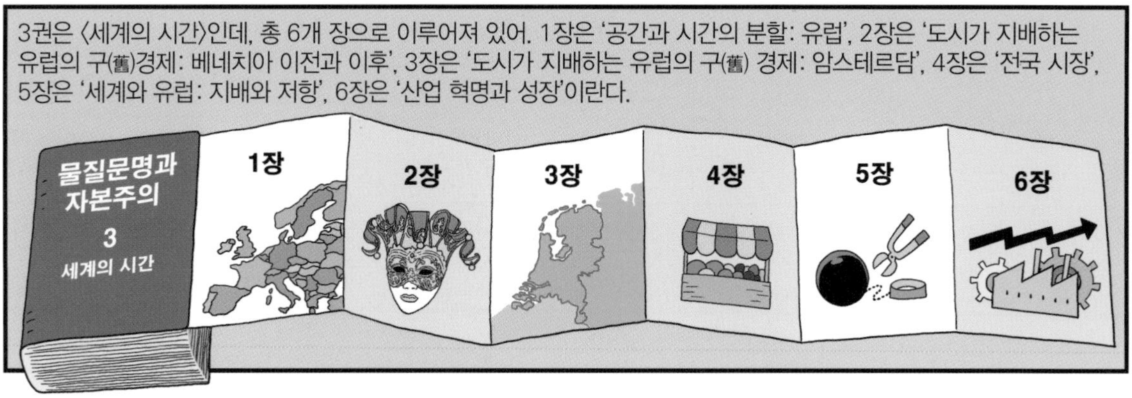
3권은 〈세계의 시간〉인데, 총 6개 장으로 이루어져 있어. 1장은 '공간과 시간의 분할: 유럽', 2장은 '도시가 지배하는 유럽의 구(舊)경제: 베네치아 이전과 이후', 3장은 '도시가 지배하는 유럽의 구(舊) 경제: 암스테르담', 4장은 '전국 시장', 5장은 '세계와 유럽: 지배와 저항', 6장은 '산업 혁명과 성장'이란다.
물질문명과 자본주의
3
세계의 시간
1장
2장
3장
4장
5장
6장

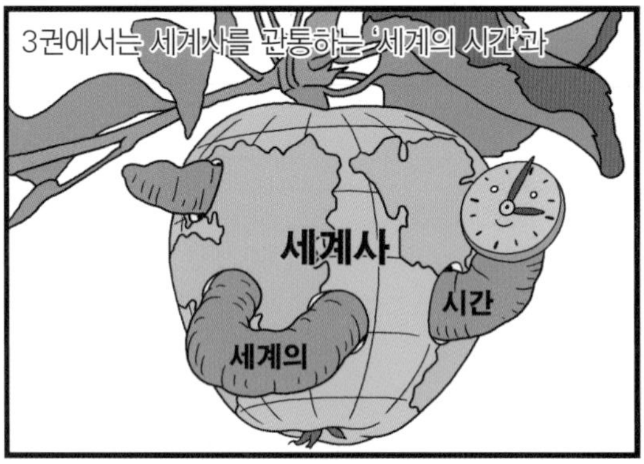
3권에서는 세계사를 관통하는 '세계의 시간'과
세계사
시간
세계의

지역 간의 교류에 의해 일어나는 '세계 경제'에 관해 말하고 있어.

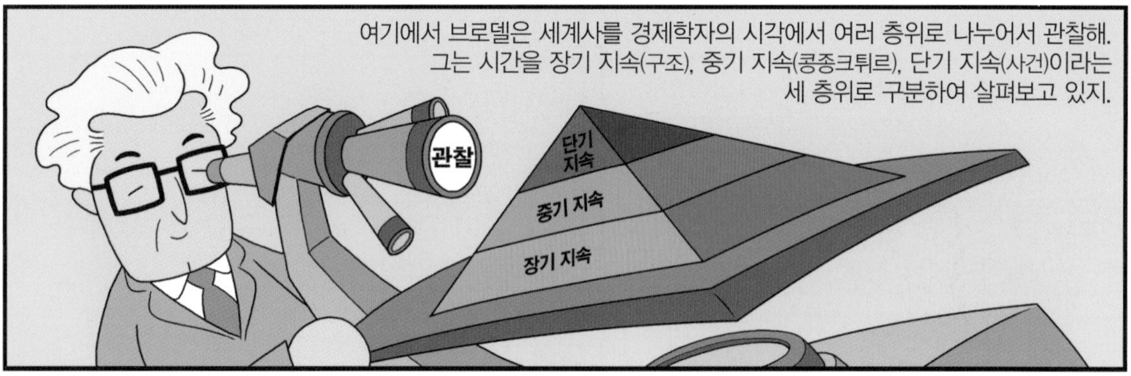
여기에서 브로델은 세계사를 경제학자의 시각에서 여러 층위로 나누어서 관찰해. 그는 시간을 장기 지속(구조), 중기 지속(콩종크튀르), 단기 지속(사건)이라는 세 층위로 구분하여 살펴보고 있지.
관찰
단기 지속
중기 지속
장기 지속

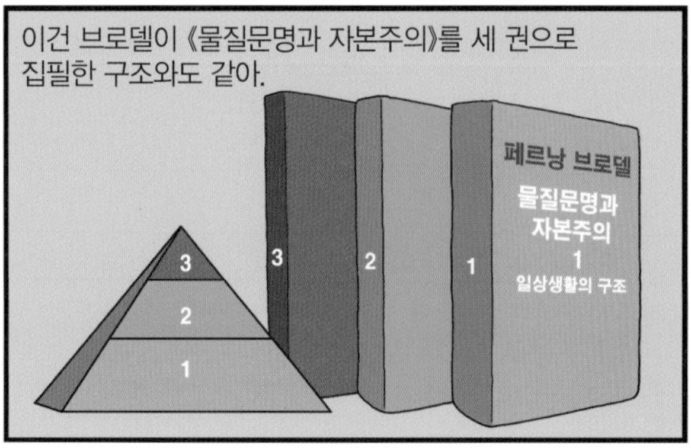
이건 브로델이 《물질문명과 자본주의》를 세 권으로 집필한 구조와도 같아.
3
2
1
3
2
1
페르낭 브로델
물질문명과 자본주의
1
일상생활의 구조

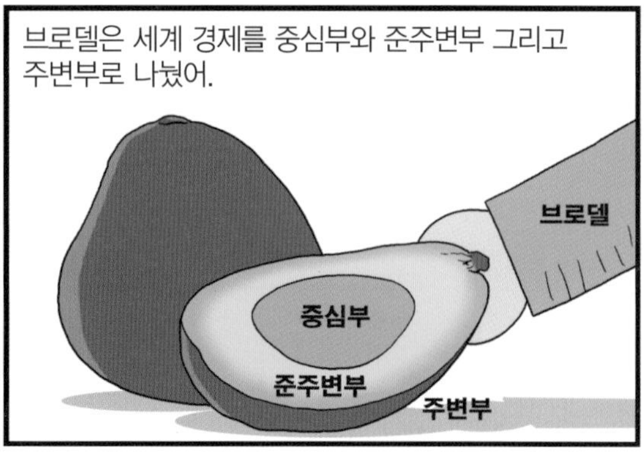
브로델은 세계 경제를 중심부와 준주변부 그리고 주변부로 나눴어.
브로델
중심부
준주변부
주변부

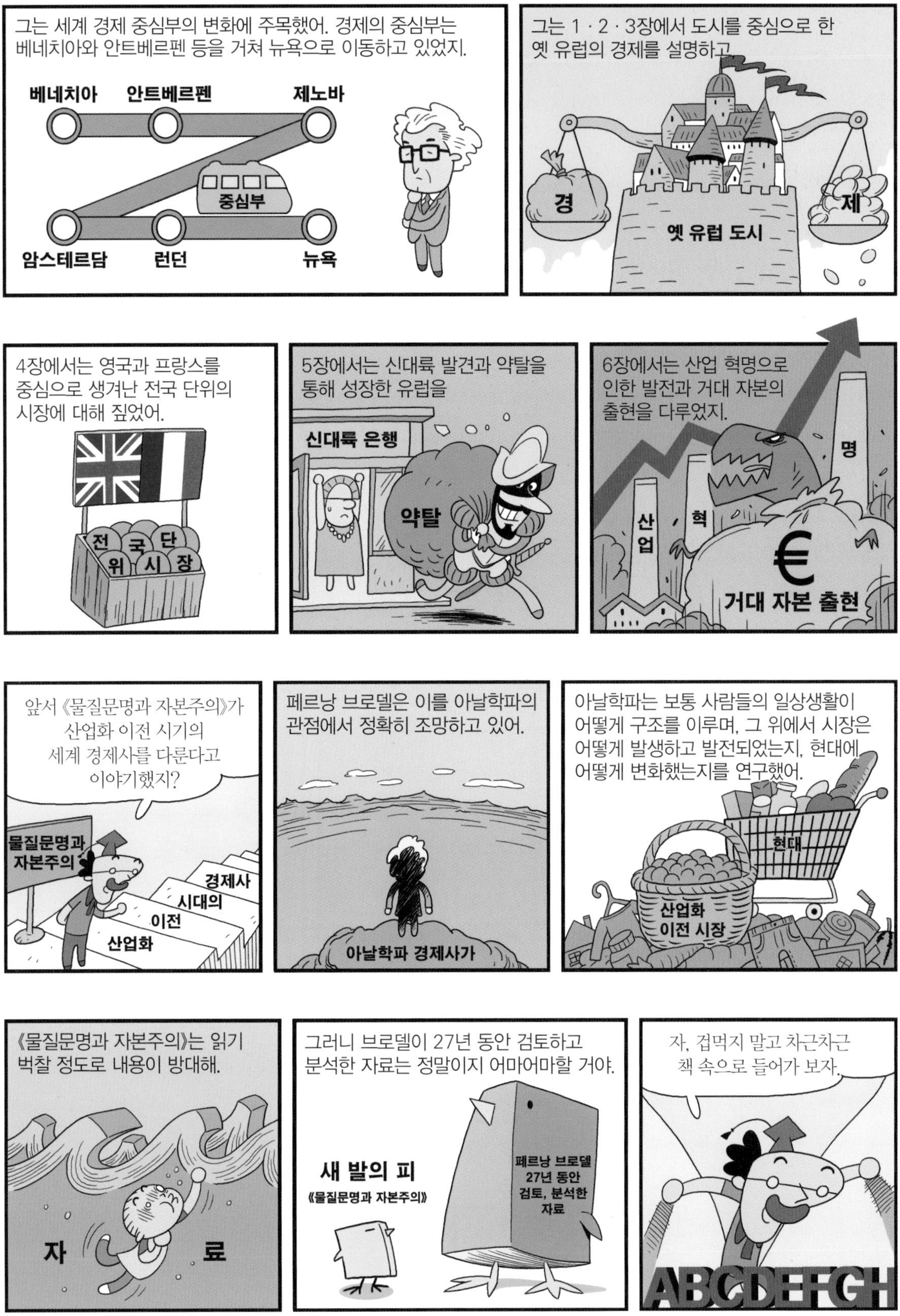

그는 세계 경제 중심부의 변화에 주목했어. 경제의 중심부는 베네치아와 안트베르펜 등을 거쳐 뉴욕으로 이동하고 있었지.
베네치아
안트베르펜
제노바
중심부
암스테르담
런던
뉴욕
그는 1 · 2 · 3장에서 도시를 중심으로 한 옛 유럽의 경제를 설명하고,
경
제
옛 유럽 도시
4장에서는 영국과 프랑스를 중심으로 생겨난 전국 단위의 시장에 대해 짚었어.
전 국 단 위 시 장
5장에서는 신대륙 발견과 약탈을 통해 성장한 유럽을
신대륙 은행
약탈
6장에서는 산업 혁명으로 인한 발전과 거대 자본의 출현을 다루었지.
산업
혁
명
€
거대 자본 출현
앞서 《물질문명과 자본주의》가 산업화 이전 시기의 세계 경제사를 다룬다고 이야기했지?
물질문명과 자본주의
경제사
시대의
이전
산업화
페르낭 브로델은 이를 아날학파의 관점에서 정확히 조망하고 있어.
아날학파 경제사가
아날학파는 보통 사람들의 일상생활이 어떻게 구조를 이루며, 그 위에서 시장은 어떻게 발생하고 발전되었는지, 현대에 어떻게 변화했는지를 연구했어.
현대
산업화 이전 시장
《물질문명과 자본주의》는 읽기 벅찰 정도로 내용이 방대해.
자
료
그러니 브로델이 27년 동안 검토하고 분석한 자료는 정말이지 어마어마할 거야.
새 발의 피
《물질문명과 자본주의》
페르낭 브로델 27년 동안 검토, 분석한 자료
자, 겁먹지 말고 차근차근 책 속으로 들어가 보자.
ABCDEFGH

2장

페르낭 브로델은 어떤 사람인가?

페르낭 브로델,
그는 프랑스의 역사가야.
페르낭
브로델
Fernad Braudel

그중에서도 경제사를 연구한 학자이지.
€
경 제
경제
사학자

'역사가(歷史家)'란 무엇일까?
역사가

사전적인 의미로 역사가는 '인류가 지나 온 길을 기록하는 사람'이야.
나 이런
사람이야.
인
류
가
지나
온
길
역사가
기록

기록이 있기 전을 선사 시대라 하고
기록이 시작된 뒤를 역사 시대라고 해.
선사 시대
기록
역사 시대
인 류 역 사

기록이 없는 선사 시대를 연구하려면 어떻게 해야 할까?
학자들은 당시 쓰이던 여러 물건이나 유적을 보고 선사 시대의 역사를 상상하고 유추해.
역사가
역사 시대부터는 기록을 통해 당시의 삶을 알 수 있어.
역사 시대
LIFE
헤로도토스와 사마천은 모두 기록을 통해 역사를 남겼지.
역사
사기
하지만 아무리 뛰어난 역사가라고 해도 모든 일을 기록할 수는 없어.
지구상의 모든 일
기 록
우리가 잠들기 전에 쓰는 일기를 생각해 봐.
일기는 나 개인의 역사야.
일기장
그때도 하루 동안 있었던 모든 일을 쓰지는 않잖아.
부비
부비
아침에 일어나서 눈을 몇 번 비비고 하품을 몇 번 했는지,
세수할 때 비누칠을 몇 번 했고
미
끌
아침밥은 몇 숟갈에 나눠 먹었는지,
등굣길에 자동차가 몇 대 지나갔고, 사람을 몇 명이나 만났는지…….

모든 사실을 다 쓰자면 끝도 없을 거야.
아직 다 못 썼는데.
아침이다.
보통 우리는 하루 동안 의미 있었던 사건을 중심으로 일기를 쓰지.
희
애
로
락
시간이 지난 뒤 일기를 다시 읽어 보고 자신의 변화를 살펴봐도 재미있단다.
일기장
그런데 역사가도 마찬가지야.
일기장
역사가
일기를 쓸 때 개인이 스스로의 역사를 기록하는 것처럼
얼른 던져! 기록하게.
특정 시대
기록
역사가
역사가는 특정 시대에 일어나는 일을 기록하고 정리하는 사람이야.
기
록
한 사람의 하루를 모두 담기도 어려운데, 사회의 모든 일을 기록할 수는 없어.
진작 말을 하지~ 괜히 힘 뺐네.
사실 그럴 필요도 없어. 역사가는 수많은 사건 중 의미 있는 일, 다시 말해 역사적 의미를 가지는 일을 골라야 해.
허 허 허
한 사회의 모든 일
역사적 의미를 가지는 일
역사가
그런데 의미 있는 일을 '고르는' 과정에서
역사가

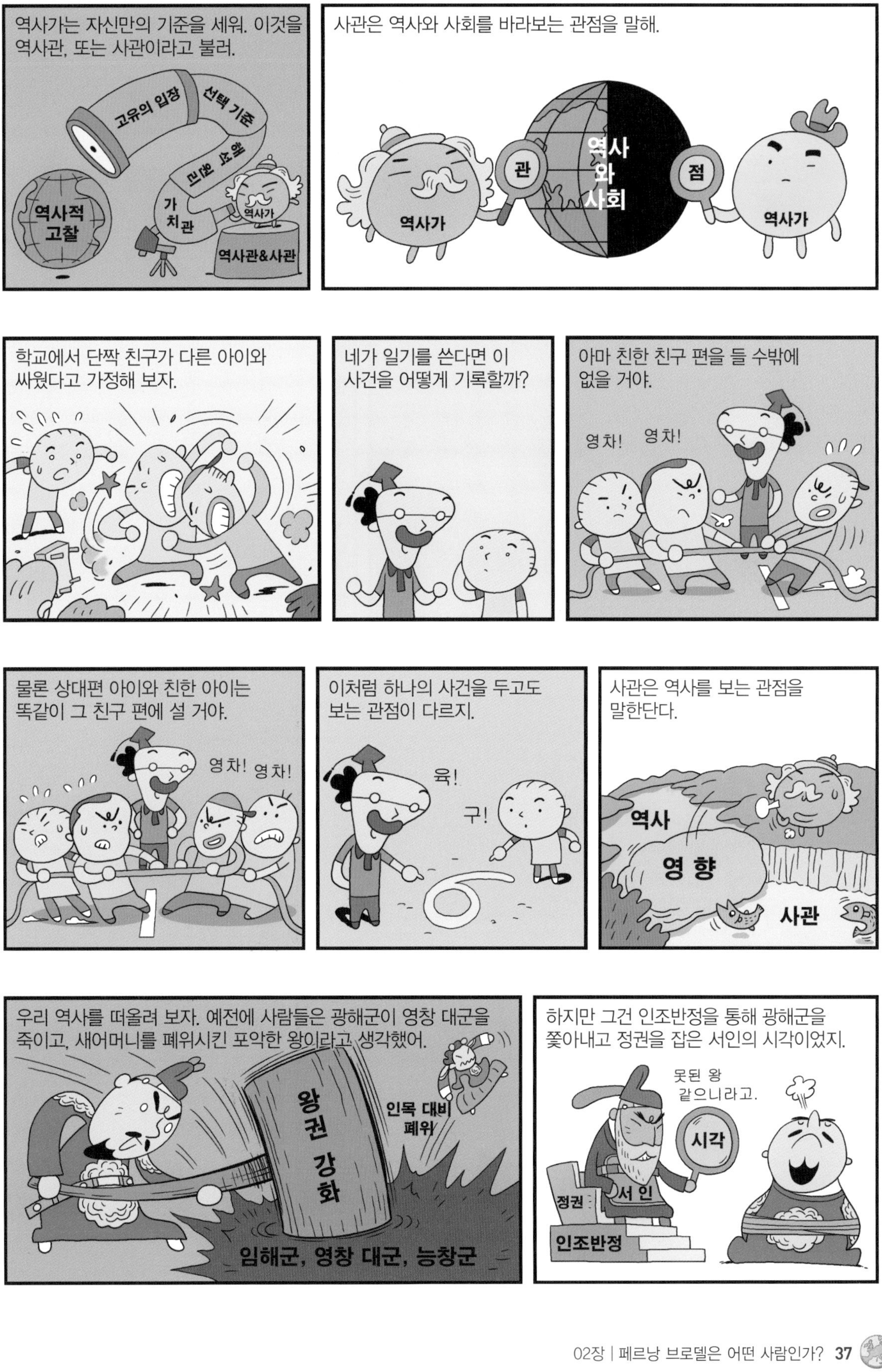

역사가는 자신만의 기준을 세워. 이것을 역사관, 또는 사관이라고 불러.
고유의 입장
선택 기준
해석 원리
가치관
역사가
역사적 고찰
역사관&사관
사관은 역사와 사회를 바라보는 관점을 말해.
역사가
관
역사와 사회
점
역사가
학교에서 단짝 친구가 다른 아이와 싸웠다고 가정해 보자.
네가 일기를 쓴다면 이 사건을 어떻게 기록할까?
아마 친한 친구 편을 들 수밖에 없을 거야.
영차! 영차!
물론 상대편 아이와 친한 아이는 똑같이 그 친구 편에 설 거야.
영차! 영차!
이처럼 하나의 사건을 두고도 보는 관점이 다르지.
육!
구!
사관은 역사를 보는 관점을 말한단다.
역사
영향
사관
우리 역사를 떠올려 보자. 예전에 사람들은 광해군이 영창 대군을 죽이고, 새어머니를 폐위시킨 포악한 왕이라고 생각했어.
왕권 강화
인목 대비 폐위
임해군, 영창 대군, 능창군
하지만 그건 인조반정을 통해 광해군을 쫓아내고 정권을 잡은 서인의 시각이었지.
못된 왕 같으니라고.
시각
정권
서인
인조반정

오늘날 영화나 드라마에 나오는 광해군의 모습은 좀 달라.
영화
드라마
광해 화정
광해군은 임진왜란 때 나라를 구하기 위해 힘썼으며
군수품
의병
군량미
임진
왜란
동분
서주
명과 청 사이에서 중립 외교를 펼쳤던 현명한 왕으로 그려지지.
중
립
명
청
광해
이처럼 어떠한 관점으로 보느냐에 따라 그 평가가 크게 달라져.
포즈 멋지다.
별로인걸.
그래서 역사가의 시각이 중요한 거야.
역사가
그런 탓에 사관은 종종 논란을 불러일으키지.
고등학교
한국사
친일 교과서 반대
역사 왜곡 반대
자, 이제 본격적으로 페르낭 브로델에 대해 알아볼까?
페르낭 브로델은 프랑스의 대표적인 경제 사학자로,
역사
경제
현대 프랑스의 역사학을 이끈 학술지 〈아날〉의 편집인이자 아날학파의 지도자이기도 해.
아날 편집인
페르낭 브로델
아날학파의 주요 인물인 루시앙 페브르의 후계자인 브로델은
루시앙 페브르
아날
후계자
학문적으로 엄청난 업적을 쌓았단다.
학업
업적

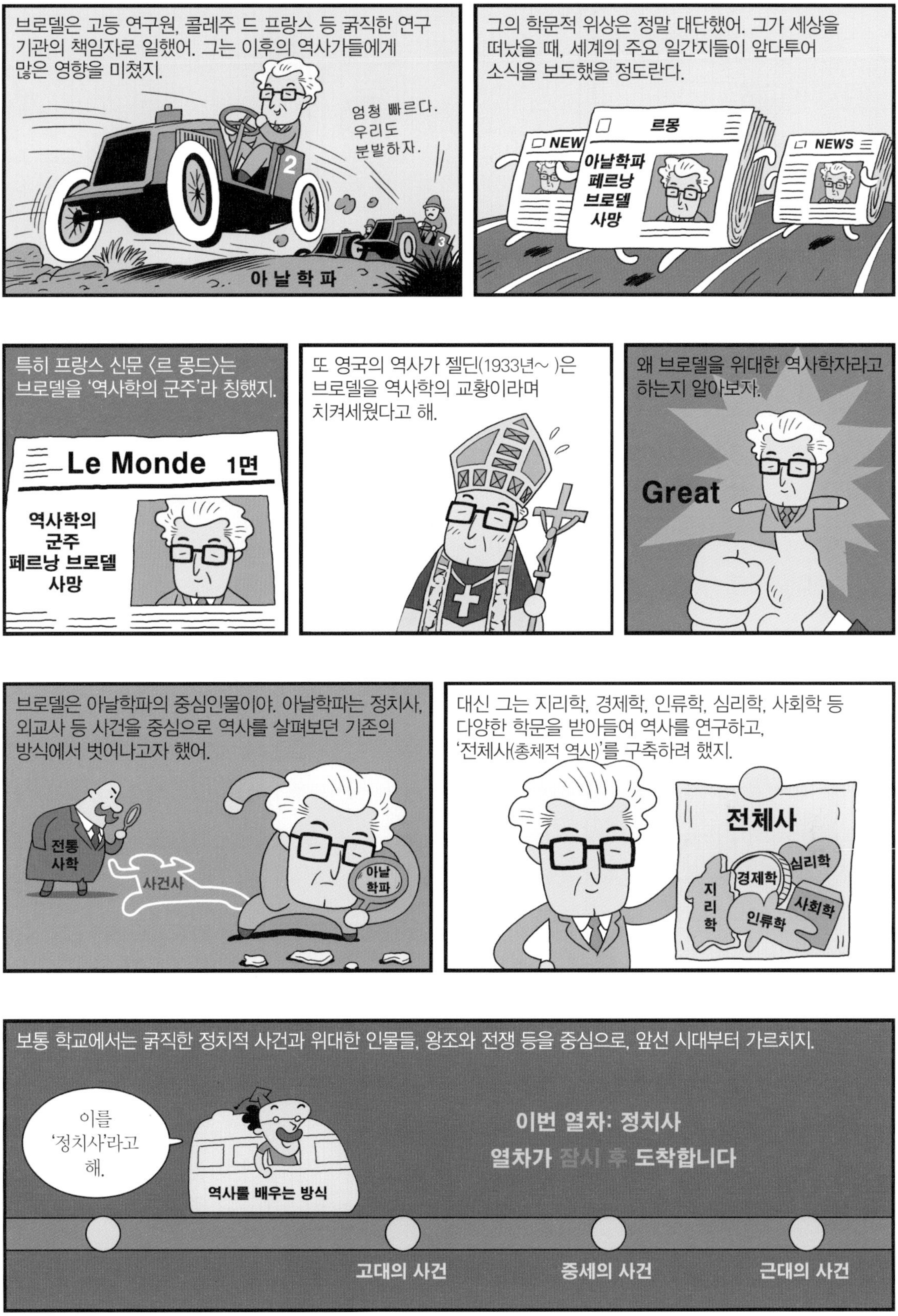
브로델은 고등 연구원, 콜레주 드 프랑스 등 굵직한 연구 기관의 책임자로 일했어. 그는 이후의 역사가들에게 많은 영향을 미쳤지.
엄청 빠르다. 우리도 분발하자.
아날학파
그의 학문적 위상은 정말 대단했어. 그가 세상을 떠났을 때, 세계의 주요 일간지들이 앞다투어 소식을 보도했을 정도란다.
NEWS
르몽
아날학파 페르낭 브로델 사망
NEWS
특히 프랑스 신문 〈르 몽드〉는 브로델을 '역사학의 군주'라 칭했지.
Le Monde 1면
역사학의 군주 페르낭 브로델 사망
또 영국의 역사가 젤딘(1933년~)은 브로델을 역사학의 교황이라며 치켜세웠다고 해.
왜 브로델을 위대한 역사학자라고 하는지 알아보자.
Great
브로델은 아날학파의 중심인물이야. 아날학파는 정치사, 외교사 등 사건을 중심으로 역사를 살펴보던 기존의 방식에서 벗어나고자 했어.
전통 사학
사건사
아날 학파
대신 그는 지리학, 경제학, 인류학, 심리학, 사회학 등 다양한 학문을 받아들여 역사를 연구하고, '전체사(총체적 역사)'를 구축하려 했지.
전체사
지리학
경제학
심리학
인류학
사회학
보통 학교에서는 굵직한 정치적 사건과 위대한 인물들, 왕조와 전쟁 등을 중심으로, 앞선 시대부터 가르치지.
이를 '정치사'라고 해.
역사를 배우는 방식
이번 열차: 정치사
열차가 잠시 후 도착합니다
고대의 사건
중세의 사건
근대의 사건

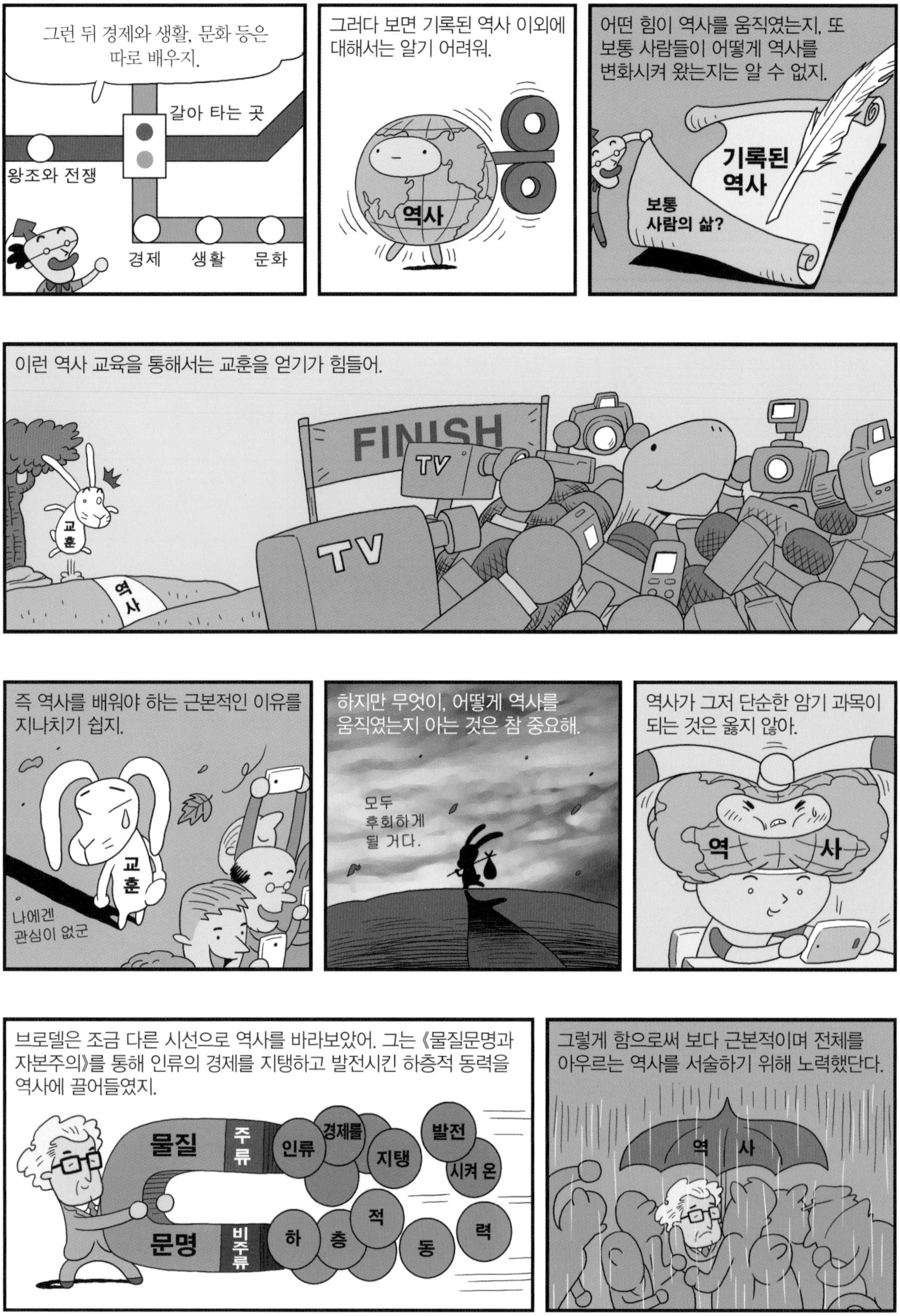
그런 뒤 경제와 생활, 문화 등은 따로 배우지.
갈아 타는 곳
왕조와 전쟁
경제
생활
문화
그러다 보면 기록된 역사 이외에 대해서는 알기 어려워.
역사
어떤 힘이 역사를 움직였는지, 또 보통 사람들이 어떻게 역사를 변화시켜 왔는지는 알 수 없지.
기록된 역사
보통 사람의 삶?
이런 역사 교육을 통해서는 교훈을 얻기가 힘들어.
FINISH
TV
TV
교훈
역사
즉 역사를 배워야 하는 근본적인 이유를 지나치기 쉽지.
교훈
나에겐 관심이 없군
하지만 무엇이, 어떻게 역사를 움직였는지 아는 것은 참 중요해.
모두 후회하게 될 거다.
역사가 그저 단순한 암기 과목이 되는 것은 옳지 않아.
역
사
브로델은 조금 다른 시선으로 역사를 바라보았어. 그는 《물질문명과 자본주의》를 통해 인류의 경제를 지탱하고 발전시킨 하층적 동력을 역사에 끌어들였지.
물질
주류
문명
비주류
인류
경제를
지탱
발전
시켜 온
하
층
적
동
력
그렇게 함으로써 보다 근본적이며 전체를 아우르는 역사를 서술하기 위해 노력했단다.
역
사

예를 들면 우리는 이순신 장군이 거북선을 만들어
임진왜란에서 승리했다고 배우지.
하지만 과연 이순신 혼자서 거북선을 만들었을까?
아마도 이전부터 배를 만드는 조선술이 계속해서 연구되어 왔고,
조선술
축적된
기술
실제로 그런 기술을 이용해 배가 만들어졌을 거야.
그러다 인구가 늘어나고 교역이 활발해지면서 많은 배가 필요해졌겠지.
인구 증가
쑥 쑥
생 산 량 증 가
이런 상황에서 일본이 호시탐탐 조선을 노리고 있던 거야.
Japan
Korea
일본은 내부의 불만들을 잠재우기 위해 조선으로 눈을 돌려야 했어.
일본 내
불 만
불평
세력
이런 위험 속에서 이순신 장군이 거북선에 대한 아이디어를 냈겠지.
아하!
?
그럼 기술자들은 철갑선을 어떻게 만들지 고민하고
설계도를 그려 연구한 끝에 배를 만들었을 거야.
조 선
기 술 자 들
배 하나를 만드는 데도 사회 각 분야의 힘이 모여야 했겠지.

누군가는 산에서 나무를 잘라 와야 하고,
누군가는 그 나무를 말려서 목재로 만들어야 해.
어떤 사람들은 기술자들을 먹여 살리기 위해 옷을 만들고, 어떤 사람들은 밥을 하고,
또 어떤 사람들은 집을 지어야 하겠지.
또한 이를 위해 누군가는 많은 비용을 대야 했을 거야.
팍팍 쓰시오.
신용 카드
CARD
주류 역사는 이순신 장군과 임진왜란만을 소개했지만
주류 역사
이순신 임진왜란
브로델이라면 그 이면에 바탕이 되는 사실들, 즉 당시 조선의 *인프라와 당대의 경제생활까지 살펴보았을 거야.
인프라
주류 역사
경제생활
이는 당대 프랑스 역사학의 중요한 세력이었던 아날학파의 역사 서술 방법이기도 했어.
지리학
경제학
인류학
심리학
전통 사학
기존 역사가
아날학파

* 인프라: 생산이나 생활의 기반을 형성하는 중요한 구조물. 도로, 항만, 철도, 발전소, 통신 시설 따위의 산업 기반과 학교, 병원, 상수·하수 처리 따위의 생활 기반을 뜻한다.

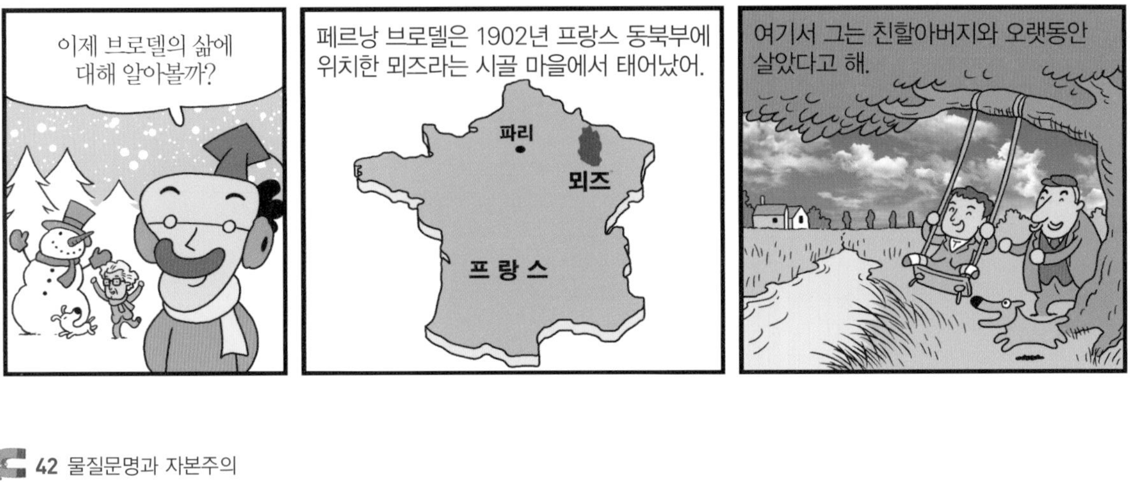
이제 브로델의 삶에 대해 알아볼까?
페르낭 브로델은 1902년 프랑스 동북부에 위치한 뫼즈라는 시골 마을에서 태어났어.
파리
뫼즈
프랑스
여기서 그는 친할아버지와 오랫동안 살았다고 해.

그의 아버지는 초등학교 교사였어.
1+1
1+2
1+3=
1+4=5
+5=
브로델은 원래 의사가 되려고 했지만 아버지의 반대에 부딪혀 포기했지.
NO
의사는 안 된다!
어쩌면 그 덕분에 우리가 위대한 역사학자를 만날 수 있었는지도 몰라.
구호품
아버지
페르낭 브로델
브로델은 소르본 대학교에 진학해 역사학과 인문 지리학에 빠져들며, 본격적으로 역사학자의 길을 걸었어.
소르본 대학
화학
수학
역사학, 인문 지리
물리학
의학
또한 라틴 어와 그리스 어를 배웠지.
라틴 어
그리스 어
가끔은 시도 썼다고 해.
시
스무 살에 역사학 교수 자격시험을 통과한 브로델은 1923년, 프랑스의 식민지였던 알제리에 가서 역사학을 가르쳤어.
역사학 교수 자격시험
역사학
프랑스
알제리
이때의 경험은 나중에 《펠리페 2세 시대의 지중해와 지중해 세계》(이하 《지중해》)를 쓰는 계기가 됐지.
경험
또한 프랑스 혁명사에도 관심이 있었다고 해.
브로델이 제일 처음 쓴 논문은 〈에스파냐 인과 북아프리카〉야.
논문
〈에스파냐 인과 북아프리카〉
이 논문을 시작으로 위대한 역사가로서의 첫 발을 내디뎠지.
탐험
문서

브로델은 1930년, 역사가 *앙리 베르와 만났어.
인간 과학의 역사적 종합을….
앙리 베르
그때까지만 해도 여전히 브로델은 전통적인 역사학을 따랐어.
알라뷰~♥
끈질긴 녀석이다.
전통적인 역사학
그도 다른 역사가들처럼 역사를 연대순으로 연구했지.
연
대
기
순
중세 시대의 정치 사회사
르네상스 시대의 정치 사회사
군주제 시대의 정치 사회사

* 앙리 베르(1863~1954년): 프랑스의 역사가·철학자. 파리에 여러 연구소를 설립하고 잡지를 발간하여 역사학과 과학을 통합하는 데 힘썼다.

1932년 프랑스로 돌아와 고등학교 선생님으로 일했는데,
이때 학술지 〈아날〉의 공동 설립자 중 한 명인 루시앙 페브르를 만났어.
반갑습니다.
저도요.
루시앙 페브르 (1878~1956년)
그와의 만남은 브로델의 학문과 인생을 바꿔 놓았단다.
브로델의 학문적 업적과 인생
루시앙
영향
브로델
브로델은 1935년 페브르와 함께 브라질로 건너가 상파울루 대학을 세웠어.
상파울루 대학
브라질
상파울루
브라질에서의 경험은 브로델에게 큰 영향을 끼쳤어.
학 문
브로델
영향
브라질
지중해를 떠나면서 비로소 지중해를 역사 연구의 주제로 삼을 수 있었지.
브라질 덕분에 내가 역사관을 세울 수 있었다. 언제까지나 지중해 연안에 머물렀다면 그럴 수 없었을 것이다.
브로델은 브라질로 가기 전인 1934년, 유고슬라비아의 두브로브니크 문서고에 갔어. 그곳에서 16세기 지중해 상업과 관련된 기록을 찾아낼 수 있었지.
16세기 지중해 상업 관련 기록
그는 지중해 연안의 문서고를 샅샅이 뒤져서 필요한 모든 자료들을 읽었어.
지중해 관련 기록들

1937년, 페브르와 브로델은 프랑스로 돌아오면서 20일 동안 배 위에서 함께 지내게 되었어.
이때부터 둘 사이는 스승과 제자 사이를 넘어 부자지간 같은 사이로 가까워졌지.
사제 지간
부자
지간
브로델은 페브르를 통해 〈아날〉이 추구하는 새로운 역사 체계를 만났을 뿐만 아니라
〈아날〉 새로운 역사 체계
학문적으로 자신이 가야 할 길을 명확하게 알게 되었어.
학문의 길
페브르를 만나 비로소 자신이 무엇을 연구하고 싶었는지 정확하게 깨달을 수 있었던 거지.
페브르와 함께 프랑스로 돌아온 브로델은 1년 뒤 고등 연구원의 제4부인 역사문헌학부에 자리를 잡았어.
나는 항구에 도달했다. 이때쯤 나의 모든 망설임은 사라졌다.
브로델
고등 연구원 제4부 역사문헌학부
그러고는 바로 학위 논문을 쓰기 시작했지.
하지만 안타깝게도 1939년 제2차 세계 대전이 일어나, 브로델은 잠시 연구를 멈출 수밖에 없었어.
제2차 세계 대전
브로델은 육군으로서 전쟁에 참전했어.

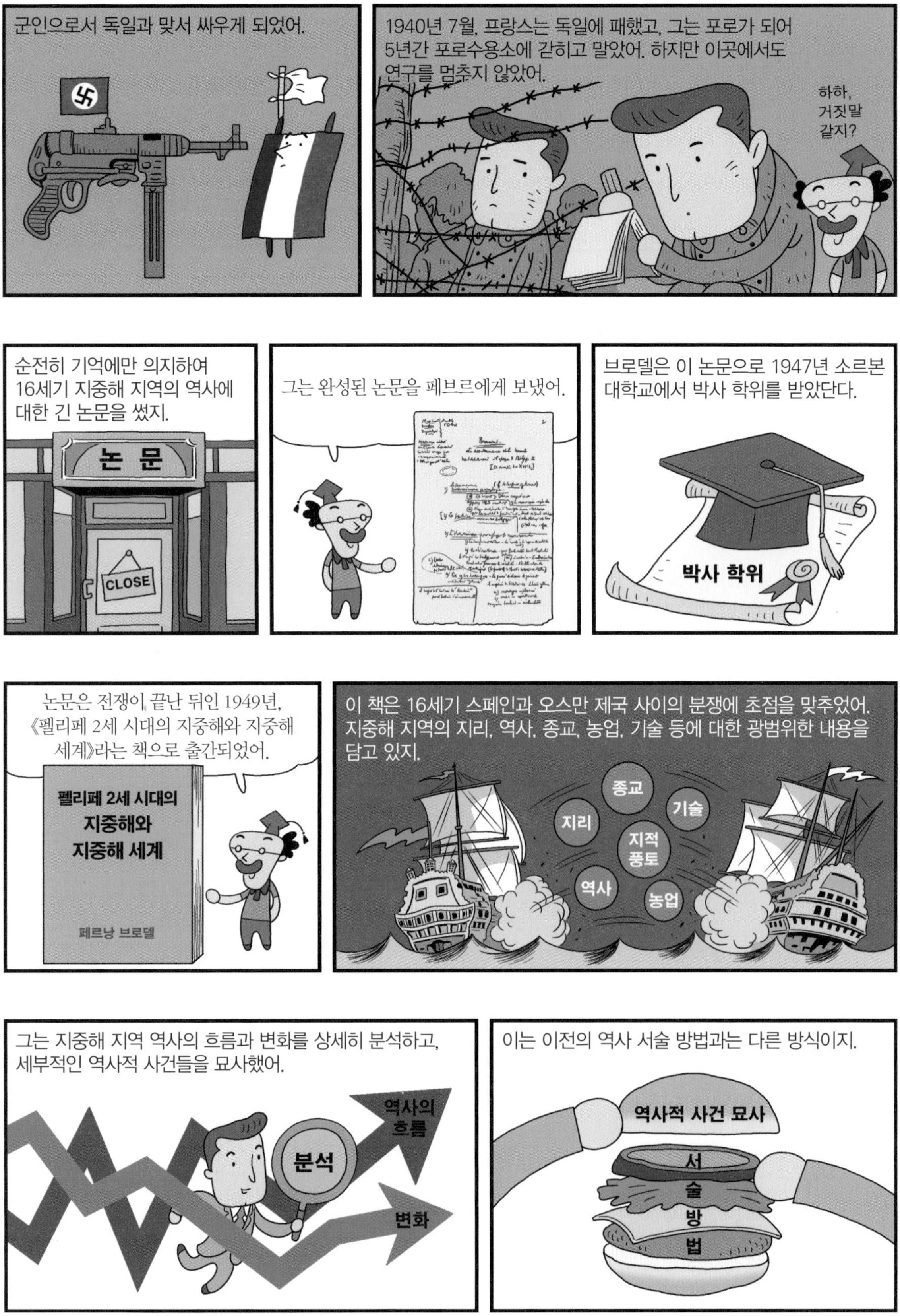
군인으로서 독일과 맞서 싸우게 되었어.
1940년 7월, 프랑스는 독일에 패했고, 그는 포로가 되어 5년간 포로수용소에 갇히고 말았어. 하지만 이곳에서도 연구를 멈추지 않았어.
하하, 거짓말 같지?
순전히 기억에만 의지하여 16세기 지중해 지역의 역사에 대한 긴 논문을 썼지.
논 문
CLOSE
그는 완성된 논문을 페브르에게 보냈어.
브로델은 이 논문으로 1947년 소르본 대학교에서 박사 학위를 받았단다.
박사 학위
논문은 전쟁이 끝난 뒤인 1949년, 《펠리페 2세 시대의 지중해와 지중해 세계》라는 책으로 출간되었어.
펠리페 2세 시대의 지중해와 지중해 세계
페르낭 브로델
이 책은 16세기 스페인과 오스만 제국 사이의 분쟁에 초점을 맞추었어. 지중해 지역의 지리, 역사, 종교, 농업, 기술 등에 대한 광범위한 내용을 담고 있지.
종교
지리
기술
지적 풍토
역사
농업
그는 지중해 지역 역사의 흐름과 변화를 상세히 분석하고, 세부적인 역사적 사건들을 묘사했어.
역사의 흐름
분석
변화
이는 이전의 역사 서술 방법과는 다른 방식이지.
역사적 사건 묘사
서
술
방
법

여기서 잠깐, 중국 역사학의 아버지인 사마천 이야기를 해 볼게. 그는 평생 자료를 모으고,
자 료
외장 하드
분석하고,
분석
때로는 직접 현장을 찾아가 연구했어.
찰칵! 찰칵!
현
장
답
사
그런 뒤에 《사기》를 쓰기 시작했지.
오랜 세월 연구하고 직접 경험한 뒤에 제대로 된 역사책을 썼던 거지.
사기
브로델 또한 오랜 연구와 다양한 경험을 통해 역사서를 집필했어.
전쟁이 끝난 뒤, 브로델은 소르본 대학에서 페브르와 함께 연구하게 되었어.
이때부터 역사학을 사회학 · 경제학적 입장에서 바라보기 시작했단다.
사회학적 경제학적 역사학
동시에 1956년부터 13년 동안 역사 잡지 〈아날: 경제·사회·문명〉의 편집인으로도 일했어. 〈아날〉은 프랑스 학자 루시앙 페브르와 마르크 블로크가 만든 영향력 있는 잡지였지.
아 날
편집인
페브르와 블로크, 브로델은 아날학파의 중심인물이야.
브로델 페브르 블로크
아
날
학
파
이들은 기존의 역사가 정치적·외교적 사건만 강조하는 것에 반대했어.
정치 외교 사건
기존 역사가
대신 그러한 사건들 밑에 깔려 있는 조건, 즉 기후나 지리, 인구, 통신, 교통 등에 더 관심을 가졌지.
사건
기후
지리
인구
통신
교통

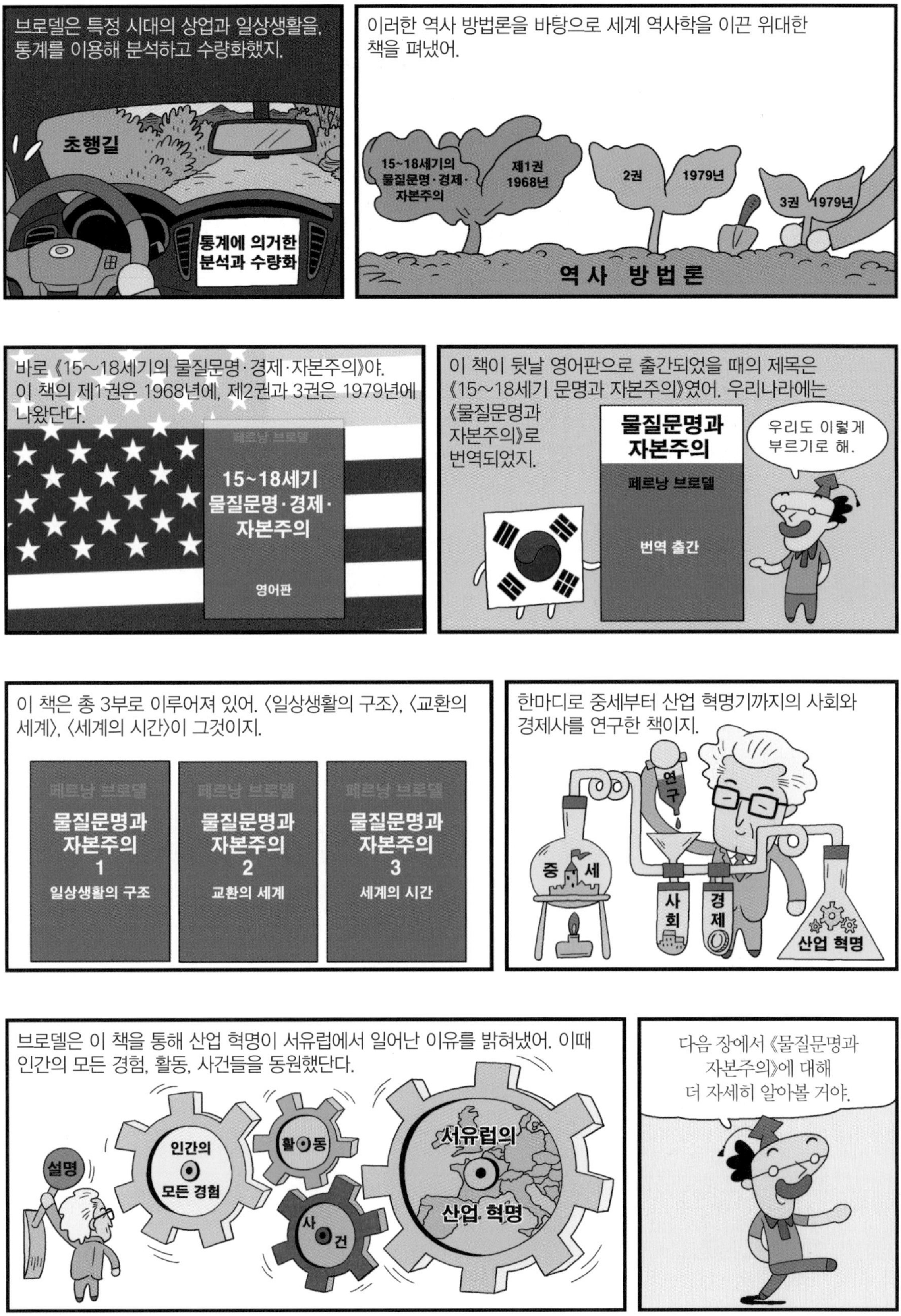
브로델은 특정 시대의 상업과 일상생활을, 통계를 이용해 분석하고 수량화했지.
초행길
통계에 의거한 분석과 수량화
이러한 역사 방법론을 바탕으로 세계 역사학을 이끈 위대한 책을 펴냈어.
15~18세기의 물질문명·경제·자본주의
제1권 1968년
2권
1979년
3권
1979년
역사 방법론
바로 《15~18세기의 물질문명·경제·자본주의》야. 이 책의 제1권은 1968년에, 제2권과 3권은 1979년에 나왔단다.
페르낭 브로델
15~18세기 물질문명·경제·자본주의
영어판
이 책이 훗날 영어판으로 출간되었을 때의 제목은 《15~18세기 문명과 자본주의》였어. 우리나라에는 《물질문명과 자본주의》로 번역되었지.
물질문명과 자본주의
페르낭 브로델
번역 출간
우리도 이렇게 부르기로 해.
이 책은 총 3부로 이루어져 있어. 〈일상생활의 구조〉, 〈교환의 세계〉, 〈세계의 시간〉이 그것이지.
페르낭 브로델
물질문명과 자본주의 1
일상생활의 구조
페르낭 브로델
물질문명과 자본주의 2
교환의 세계
페르낭 브로델
물질문명과 자본주의 3
세계의 시간
한마디로 중세부터 산업 혁명기까지의 사회와 경제사를 연구한 책이지.
연구
중세
사회
경제
산업 혁명
브로델은 이 책을 통해 산업 혁명이 서유럽에서 일어난 이유를 밝혀냈어. 이때 인간의 모든 경험, 활동, 사건들을 동원했단다.
설명
인간의 모든 경험
활동
사건
서유럽의 산업 혁명
다음 장에서 《물질문명과 자본주의》에 대해 더 자세히 알아볼 거야.

전쟁이 끝난 뒤 브로델은 고등 연구원 신분으로 돌아왔어.
*〈종전의 키스〉
그는 스승 페브르와 함께 역사와 사회 과학을 통합하고자 했지.
회
과
학
사
통합
사회 과학의 도움을 받아 필요한 자료를 발굴하고 분석하려던 거야.
선사학
역사학
논리
고고학
철학
인류학
언어학
인간 과학의 통합

* 〈종전의 키스〉: 제2차 세계 대전이 끝나고 기쁨의 키스를 나누는 뉴욕 시민을 찍은 사진.

브로델은 조직을 변화시키는 데에도 관심이 많았어.
학자
조직
그는 기존의 교육 제도와 연구 조직을 개편하려고 했지. 특히 교수 자격시험을 바꾸는 데 큰 역할을 했어.
기존의 교육 제도 및 연구 조직
개편
학문의 전문성과 독립성을 강조하던 기존의 방향에서 학문을 '통합'하는 방향으로 이끌었지.
기존의 전통
교수 자격시험 개편
통합

그러던 차에 브로델과 페브르에게 절호의 기회가 왔어.
절호의 기회
미국의 록펠러 재단이 그들을 돕겠다고 제안한 거야. 록펠러 재단은 고등 연구원 내에 제6부, 즉 사회경제과학부를 창설하는 것을 지원하기로 했어.
록펠러 재단
재정적 지원
사회
경제
과학부

록펠러 재단의 지원을 두고 저명한 학자들이 경쟁했는데,
브로델
인류학자 **레비 스트로스
사회학자 *조르주 귀르비치
브로델이 특유의 리더십으로 주도권을 따낸 거지.
제6부 창립 주도권
이후 그는 역사학을 중심으로 사회 과학을 통합하는 데 힘썼지.
질
끈
사회 과학
통합
개편

* 조르주 귀르비치(1894~1965년): 프랑스의 사회학자이자 법학자.

** 레비 스트로스(1908~2009년): 프랑스의 사회 인류학자이며 구조주의의 선구자.

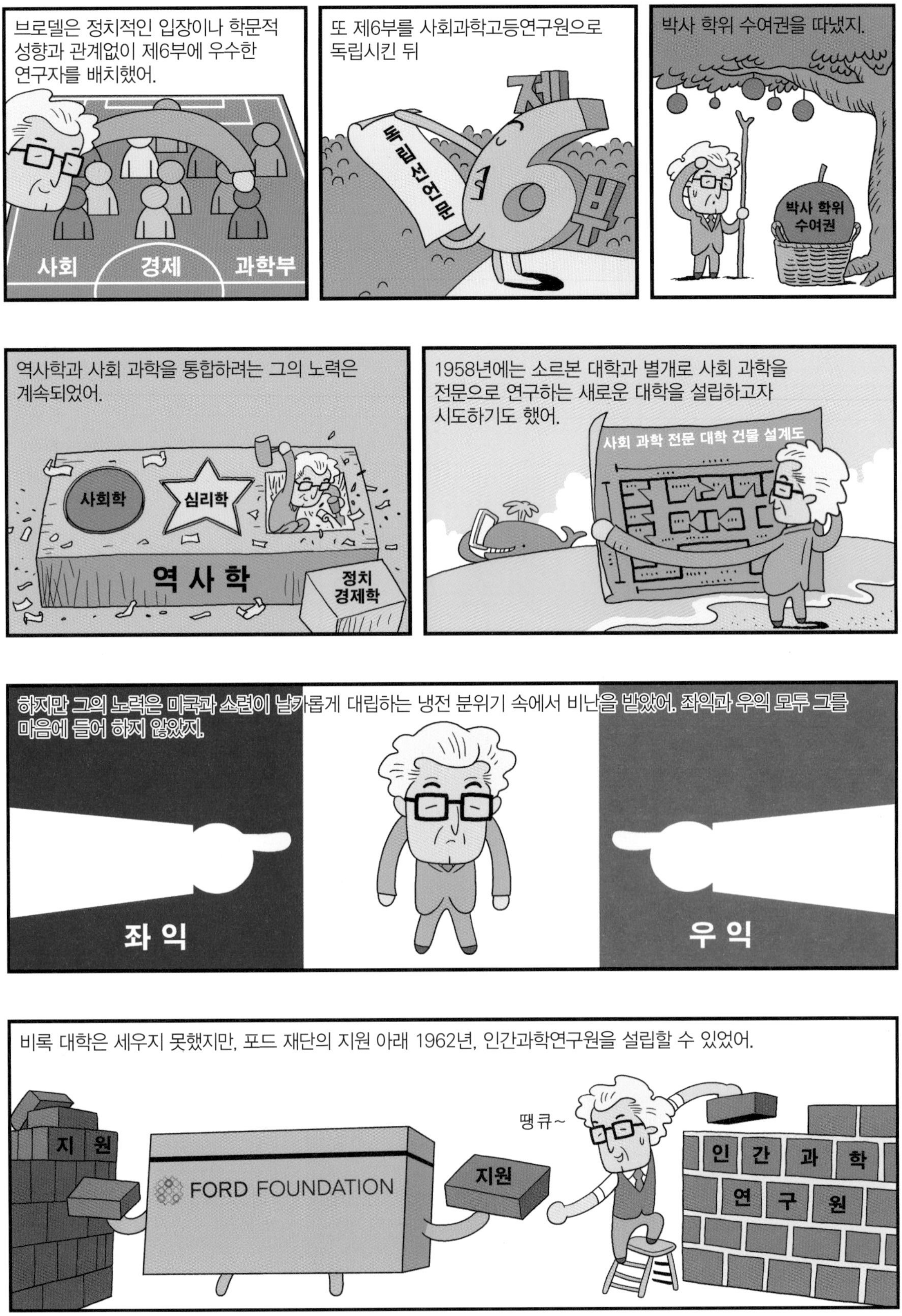
브로델은 정치적인 입장이나 학문적 성향과 관계없이 제6부에 우수한 연구자를 배치했어.
사회
경제
과학부
또 제6부를 사회과학고등연구원으로 독립시킨 뒤
독립선언문
제
6
부
박사 학위 수여권을 따냈지.
박사 학위 수여권
역사학과 사회 과학을 통합하려는 그의 노력은 계속되었어.
사회학
심리학
역사학
정치 경제학
1958년에는 소르본 대학과 별개로 사회 과학을 전문으로 연구하는 새로운 대학을 설립하고자 시도하기도 했어.
사회 과학 전문 대학 건물 설계도
하지만 그의 노력은 미국과 소련이 날카롭게 대립하는 냉전 분위기 속에서 비난을 받았어. 좌익과 우익 모두 그를 마음에 들어 하지 않았지.
좌 익
우 익
비록 대학은 세우지 못했지만, 포드 재단의 지원 아래 1962년, 인간과학연구원을 설립할 수 있었어.
지 원
FORD FOUNDATION
지원
땡큐~
인 간 과 학
연 구 원

이때 그는 자유주의 연구자는 물론, 마르크스주의 연구자들까지도 포용했단다.
포 용
마치 프랑스의 군인이자 정치가인 샤를 드골이 소련도, 미국도 아닌 제3의 길을 택한 것처럼 말이야.
공산주의 이데올로기
독립적인 외교 정책
물질적인 합의 지배
소 련
제3의 길
미 국
브로델은 학문을 할 때는 정치나 이념에 좌우되지 않으려고 했어.
현실 정치
하지만 이 때문에 많은 비판을 받기도 했지.
쾅
비판
다른 학자들의 눈에는 브로델이 정치에 관심 없는 방관자로 보였거든.
현실 정치
현실 정치
당시 사회는 미국과 소련의 대립, 좌익과 우익의 갈등,
좌익
갈등
우익
자본가와 노동자의 갈등 등으로 매우 혼란스러웠지.
자본가
갈등
노동자
하지만 '장기 지속'적인 시간을 다루는 브로델에게 현실의 갈등은 어찌 보면 아주 작은 현상에 지나지 않았을 거야.
장기 지속
현실 정치
브로델은 그 스스로도 일생에 걸쳐 한두 번 정도만 현실 문제에 직접적으로 참여했다고 말했지.
한 번!
두 번!
현실 정치
그는 "사르트르가 늘 옳진 않지만, 그가 언제나 현실 문제에 참여하는 것에 대해 감명받았다."고 고백했어.
그렇지 못한 자신에 대해 "솔직히 인정하건데 그건 잘못이었다."라고 말하기도 했지.

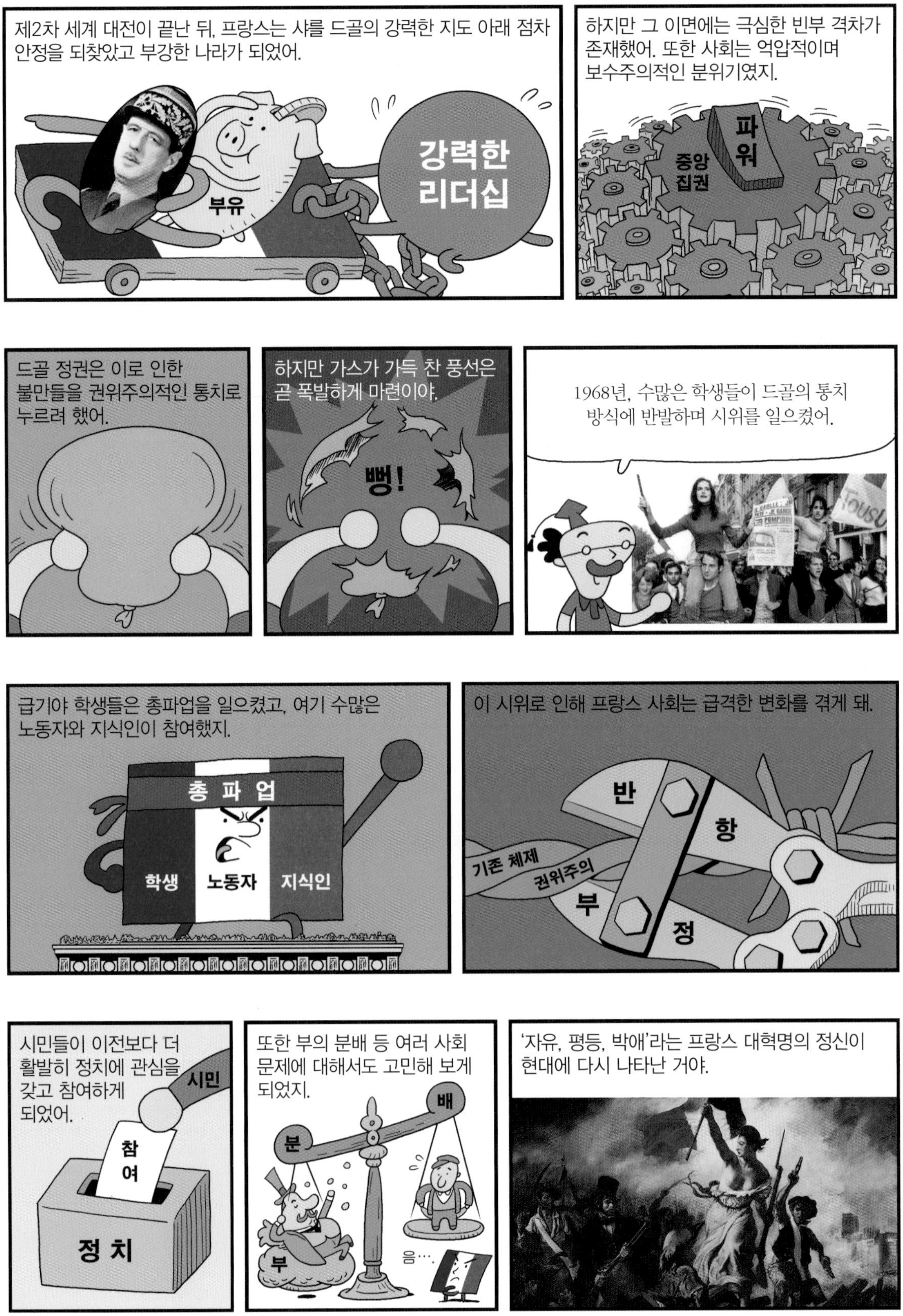
제2차 세계 대전이 끝난 뒤, 프랑스는 샤를 드골의 강력한 지도 아래 점차 안정을 되찾았고 부강한 나라가 되었어.
부유
강력한 리더십
하지만 그 이면에는 극심한 빈부 격차가 존재했어. 또한 사회는 억압적이며 보수주의적인 분위기였지.
중앙 집권
파워
드골 정권은 이로 인한 불만들을 권위주의적인 통치로 누르려 했어.
하지만 가스가 가득 찬 풍선은 곧 폭발하게 마련이야.
뻥!
1968년, 수많은 학생들이 드골의 통치 방식에 반발하며 시위를 일으켰어.
급기야 학생들은 총파업을 일으켰고, 여기 수많은 노동자와 지식인이 참여했지.
총파업
학생
노동자
지식인
이 시위로 인해 프랑스 사회는 급격한 변화를 겪게 돼.
반
항
기존 체제
권위주의
부
정
시민들이 이전보다 더 활발히 정치에 관심을 갖고 참여하게 되었어.
시민
참여
정치
또한 부의 분배 등 여러 사회 문제에 대해서도 고민해 보게 되었지.
분
배
부
음….
'자유, 평등, 박애'라는 프랑스 대혁명의 정신이 현대에 다시 나타난 거야.

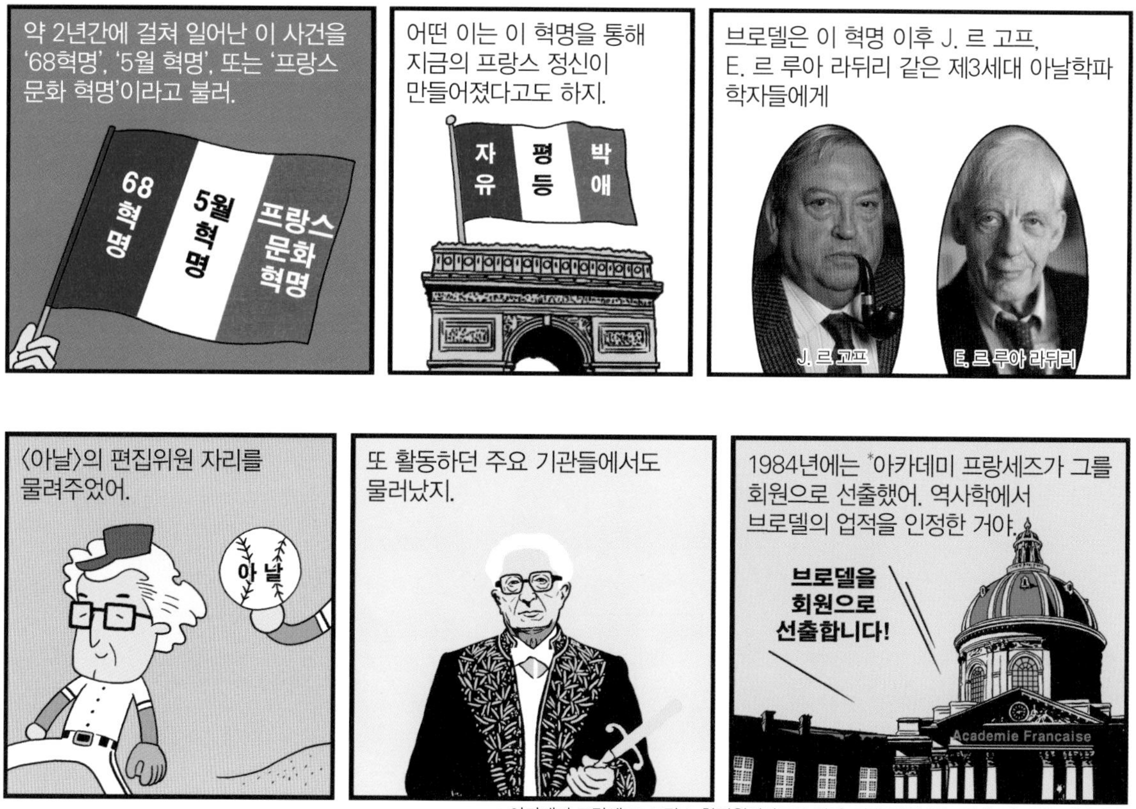
약 2년간에 걸쳐 일어난 이 사건을 '68혁명', '5월 혁명', 또는 '프랑스 문화 혁명'이라고 불러.
68 혁명
5월 혁명
프랑스 문화 혁명
어떤 이는 이 혁명을 통해 지금의 프랑스 정신이 만들어졌다고도 하지.
자유
평등
박애
브로델은 이 혁명 이후 J. 르 고프, E. 르 루아 라뒤리 같은 제3세대 아날학파 학자들에게
J. 르 고프
E. 르 루아 라뒤리
〈아날〉의 편집위원 자리를 물려주었어.
아날
또 활동하던 주요 기관들에서도 물러났지.
1984년에는 *아카데미 프랑세즈가 그를 회원으로 선출했어. 역사학에서 브로델의 업적을 인정한 거야.
브로델을 회원으로 선출합니다!
Academie Francaise

* 아카데미 프랑세즈: 프랑스 한림원이라고도 하며, 가장 권위 있는 명예로운 학술 기관이다.

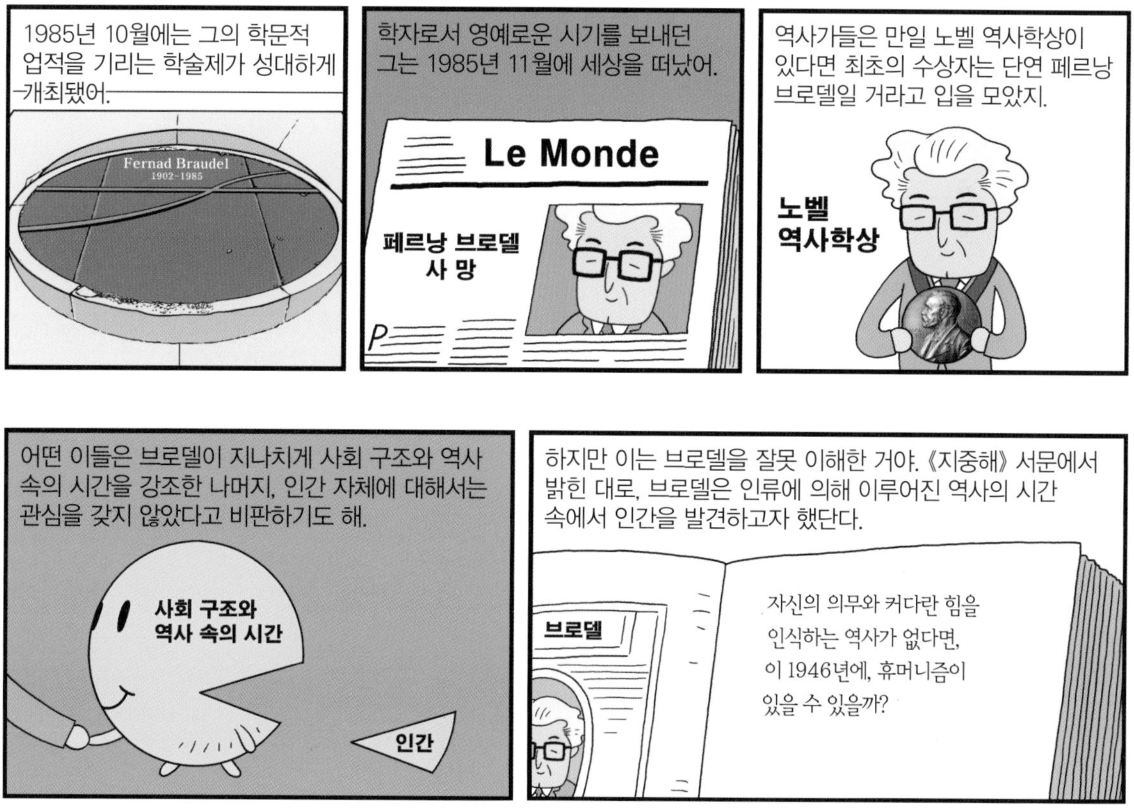
1985년 10월에는 그의 학문적 업적을 기리는 학술제가 성대하게 개최됐어.
Fernad Braudel
1902-1985
학자로서 영예로운 시기를 보내던 그는 1985년 11월에 세상을 떠났어.
Le Monde
페르낭 브로델 사망
역사가들은 만일 노벨 역사학상이 있다면 최초의 수상자는 단연 페르낭 브로델일 거라고 입을 모았지.
노벨 역사학상
어떤 이들은 브로델이 지나치게 사회 구조와 역사 속의 시간을 강조한 나머지, 인간 자체에 대해서는 관심을 갖지 않았다고 비판하기도 해.
사회 구조와 역사 속의 시간
인간
하지만 이는 브로델을 잘못 이해한 거야. 《지중해》 서문에서 밝힌 대로, 브로델은 인류에 의해 이루어진 역사의 시간 속에서 인간을 발견하고자 했단다.
브로델
자신의 의무와 커다란 힘을 인식하는 역사가 없다면, 이 1946년에, 휴머니즘이 있을 수 있을까?

3장

일상생활의 구조 1 – 수의 무게와 일상의 양식

밀
일상
의
쌀
양식

페르낭 브로델은 일상생활을 '시간 및 공간 속에 끼어들어 거의 눈에 띄지 않는 사소한 사실'이라고 정의했어.

그는 일상생활 중에서도 가장 기본적인 인구와 의식주의 다양한 특성을 연구하고 분석했어.
인구
의
식
주
분석

여러 세기에 걸친 '장기 지속적 시간' 속 인간의 생활 모습이 문명의 성질을 결정하는 요소가 된다는 사실을 밝히려 했지.
문명의 성질 결정
일상생활
심층적 파악
장기 지속적
시간

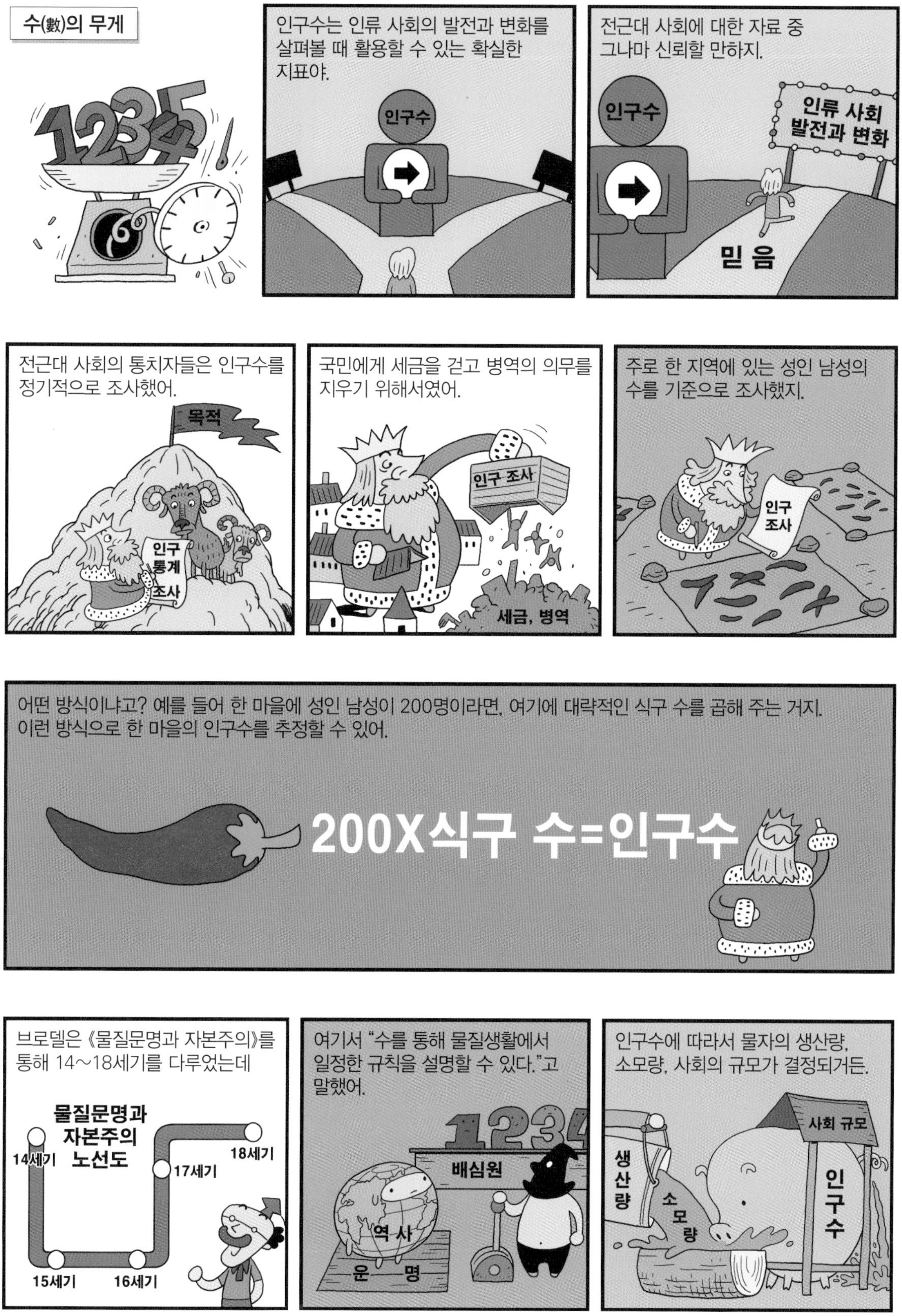
수(數)의 무게
12345
인구수는 인류 사회의 발전과 변화를 살펴볼 때 활용할 수 있는 확실한 지표야.
인구수
전근대 사회에 대한 자료 중 그나마 신뢰할 만하지.
인구수
인류 사회 발전과 변화
믿음
전근대 사회의 통치자들은 인구수를 정기적으로 조사했어.
목적
인구 통계 조사
국민에게 세금을 걷고 병역의 의무를 지우기 위해서였어.
인구 조사
세금, 병역
주로 한 지역에 있는 성인 남성의 수를 기준으로 조사했지.
인구 조사
어떤 방식이냐고? 예를 들어 한 마을에 성인 남성이 200명이라면, 여기에 대략적인 식구 수를 곱해 주는 거지. 이런 방식으로 한 마을의 인구수를 추정할 수 있어.
200X식구 수=인구수
브로델은 《물질문명과 자본주의》를 통해 14~18세기를 다루었는데
물질문명과 자본주의 노선도
14세기
15세기
16세기
17세기
18세기
여기서 "수를 통해 물질생활에서 일정한 규칙을 설명할 수 있다."고 말했어.
1234
배심원
역사
운명
인구수에 따라서 물자의 생산량, 소모량, 사회의 규모가 결정되거든.
사회 규모
생산량
소모량
인구수

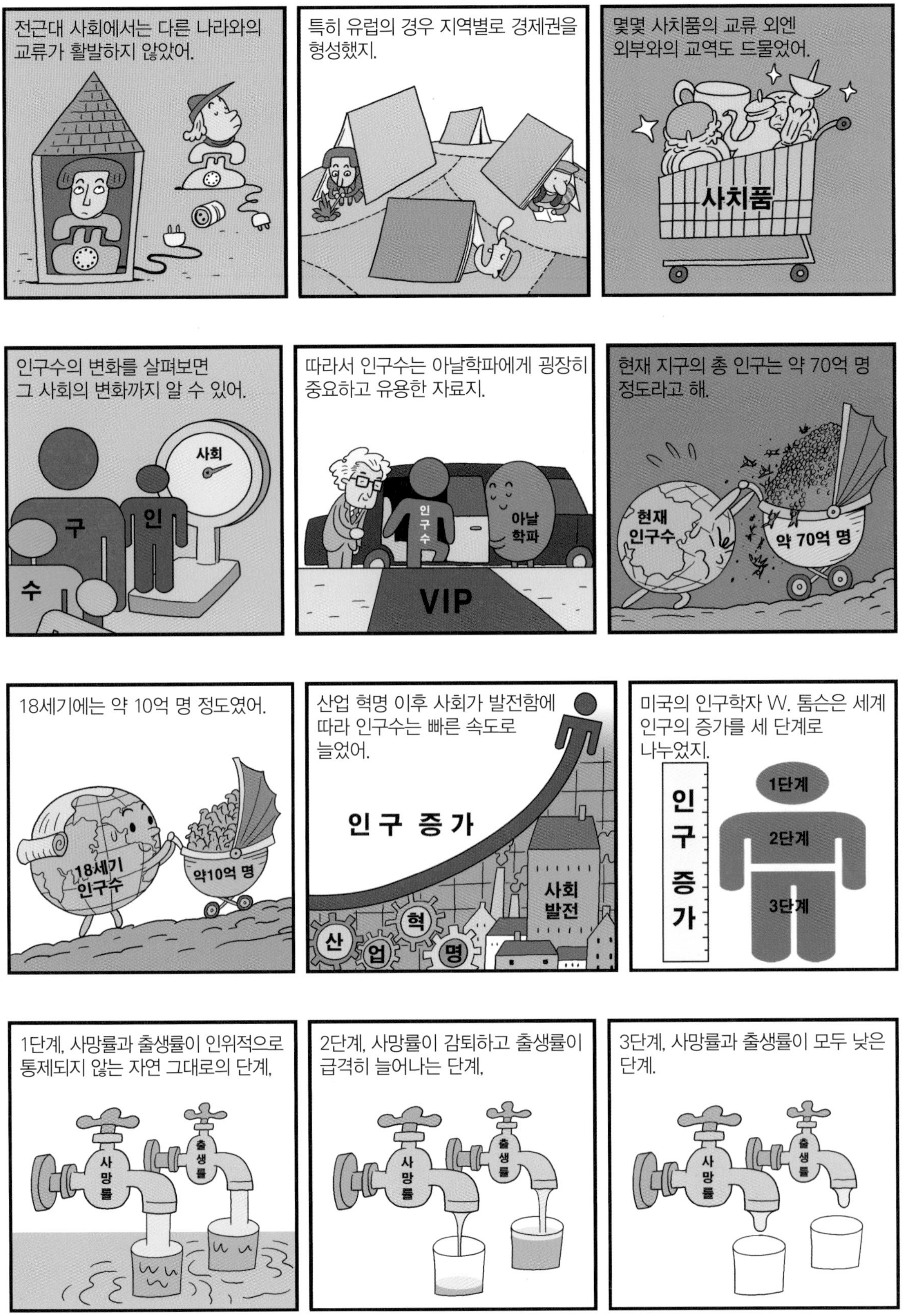
전근대 사회에서는 다른 나라와의 교류가 활발하지 않았어.
특히 유럽의 경우 지역별로 경제권을 형성했지.
몇몇 사치품의 교류 외엔 외부와의 교역도 드물었어.
사치품
인구수의 변화를 살펴보면 그 사회의 변화까지 알 수 있어.
사회
구
인
수
따라서 인구수는 아날학파에게 굉장히 중요하고 유용한 자료지.
인구수
아날학파
VIP
현재 지구의 총 인구는 약 70억 명 정도라고 해.
현재 인구수
약 70억 명
18세기에는 약 10억 명 정도였어.
18세기 인구수
약10억 명
산업 혁명 이후 사회가 발전함에 따라 인구수는 빠른 속도로 늘었어.
인 구 증 가
사회 발전
산 업 혁 명
미국의 인구학자 W. 톰슨은 세계 인구의 증가를 세 단계로 나누었지.
인구증가
1단계
2단계
3단계
1단계, 사망률과 출생률이 인위적으로 통제되지 않는 자연 그대로의 단계,
사망률
출생률
2단계, 사망률이 감퇴하고 출생률이 급격히 늘어나는 단계,
사망률
출생률
3단계, 사망률과 출생률이 모두 낮은 단계.
사망률
출생률

이 분류에 따르면 제일 먼저 산업 혁명이 시작된 영국을 비롯해서 서유럽의 선진국과 북아메리카, 오스트레일리아, 일본, 대한민국 등은 이미 제3의 단계에 들어서 있어. 반면에 아시아와 아프리카의 많은 나라들이 여전히 1단계에 머물러 있지.
서유럽 선진국
북아메리카
3단계
2단계
1단계
아시아
아프리카

인구수의 변화를 이끄는 요인에는 무엇이 있을까?
인구

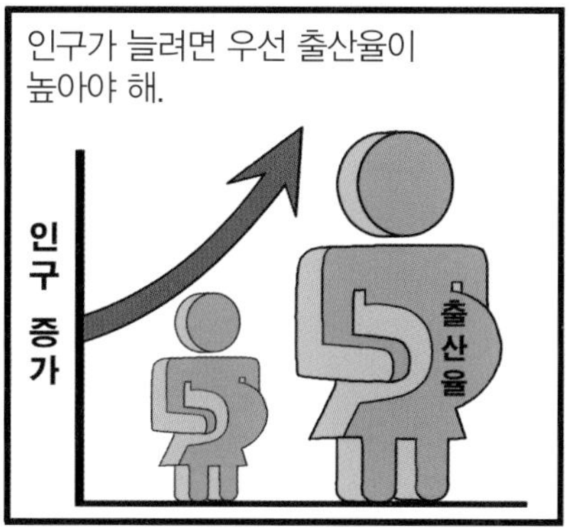
인구가 늘려면 우선 출산율이 높아야 해.
인구 증가
출산율

반대로 사람들이 많이 죽으면 인구가 줄어들겠지.
콜록
콜록
인구 감소

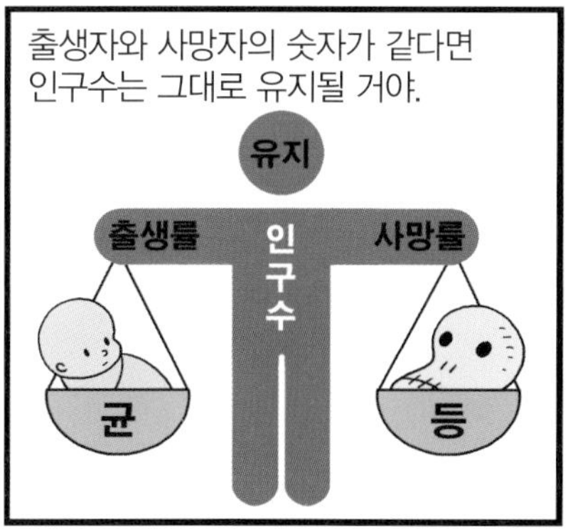
출생자와 사망자의 숫자가 같다면 인구수는 그대로 유지될 거야.
유지
출생률
사망률
인구수
균
등

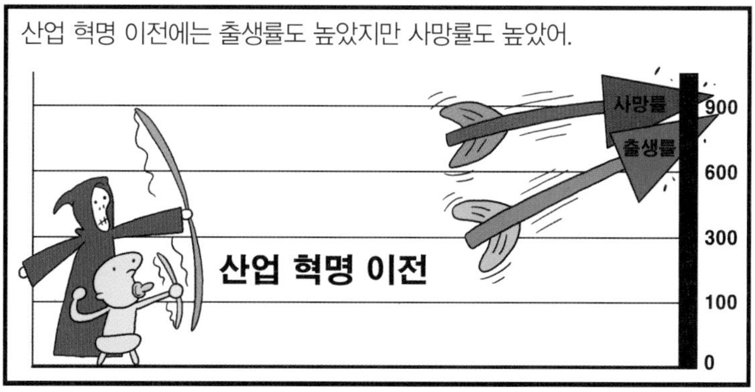
산업 혁명 이전에는 출생률도 높았지만 사망률도 높았어.
사망률
출생률
900
600
300
100
0
산업 혁명 이전

나이 들어서 자연스럽게 죽는 경우도 많았지만
자연사

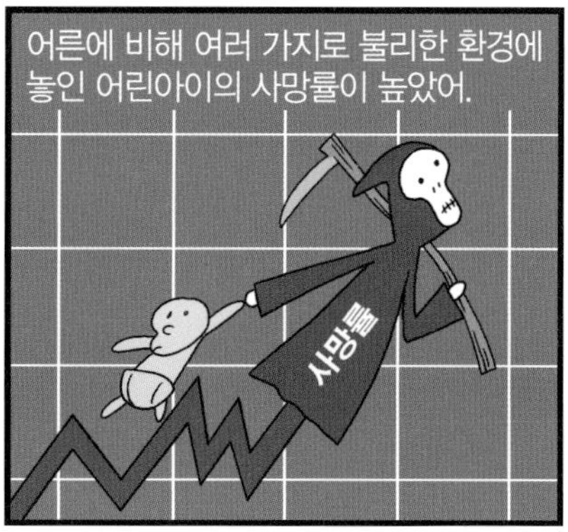
어른에 비해 여러 가지로 불리한 환경에 놓인 어린아이의 사망률이 높았어.
사망률

그러다 보니 사람들은 아이를 많이 낳으려고 했어.

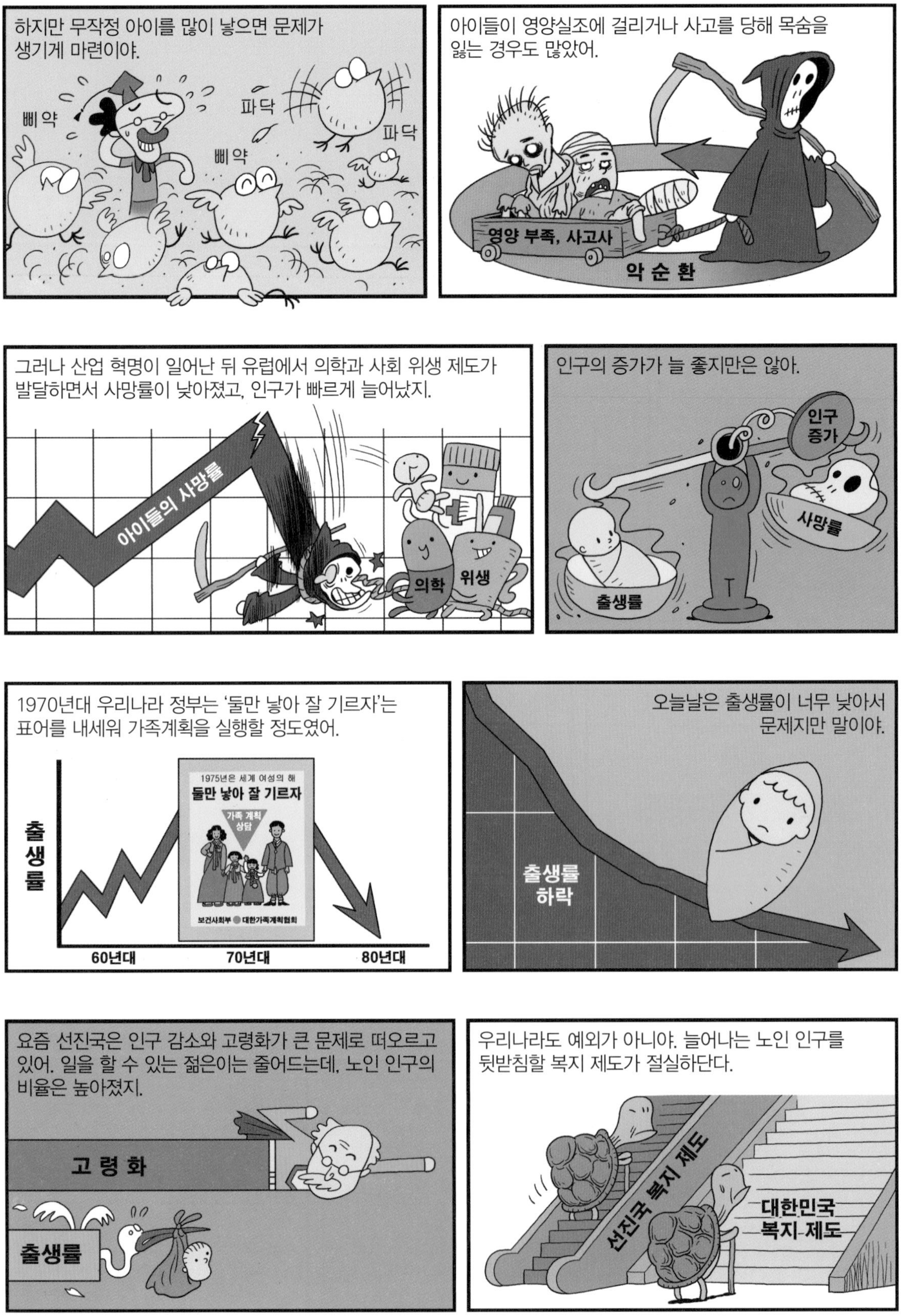
하지만 무작정 아이를 많이 낳으면 문제가 생기게 마련이야.
삐약
파닥
삐약
파닥
아이들이 영양실조에 걸리거나 사고를 당해 목숨을 잃는 경우도 많았어.
영양 부족, 사고사
악 순 환
그러나 산업 혁명이 일어난 뒤 유럽에서 의학과 사회 위생 제도가 발달하면서 사망률이 낮아졌고, 인구가 빠르게 늘어났지.
아이들의 사망률
의학
위생
인구의 증가가 늘 좋지만은 않아.
인구 증가
사망률
출생률
1970년대 우리나라 정부는 '둘만 낳아 잘 기르자'는 표어를 내세워 가족계획을 실행할 정도였어.
1975년은 세계 여성의 해
둘만 낳아 잘 기르자
가족 계획 상담
보건사회부 대한가족계획협회
출생률
60년대
70년대
80년대
오늘날은 출생률이 너무 낮아서 문제지만 말이야.
출생률 하락
요즘 선진국은 인구 감소와 고령화가 큰 문제로 떠오르고 있어. 일을 할 수 있는 젊은이는 줄어드는데, 노인 인구의 비율은 높아졌지.
고 령 화
출생률
우리나라도 예외가 아니야. 늘어나는 노인 인구를 뒷받침할 복지 제도가 절실하단다.
선진국 복지 제도
대한민국 복지 제도

한편 인구 변화의 가장 큰 이유 중 하나로 거주지 이동을 들 수 있어.
인구 변화

물론 지구 전체로 보면 인구수는 그대로일 거야.
몸무게가
그대로네?

하지만 사회적 인구 이동은 특정 지역의 인구를 급격히 변화시키지.

어느 한 도시에 인구가 몰리면 도시의 크기가 확대되거나 심지어 새로운 나라가 만들어지기도 해.

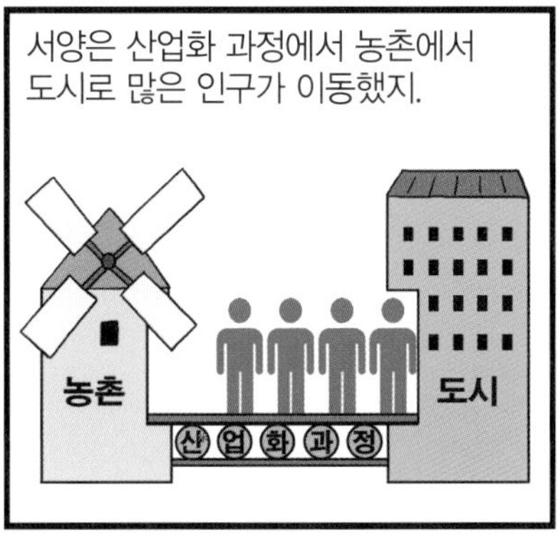
서양은 산업화 과정에서 농촌에서 도시로 많은 인구가 이동했지.
농촌
도시
산업화과정

우리나라도 1960~1970년대에 많은 사람들이 도시로 몰렸어.
도시화
산업
화
농
촌
*이촌향도

* 이촌향도: 농촌을 떠나 도시로 향한다는 뜻.

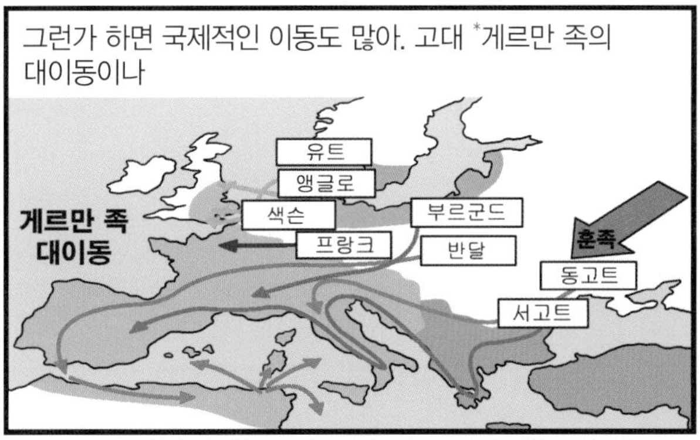
그런가 하면 국제적인 이동도 많아. 고대 *게르만 족의 대이동이나
게르만 족 대이동
유트
앵글로
색슨
프랑크
부르군드
반달
훈족
동고트
서고트

19세기 초부터 이루어진 **신대륙으로의 이주가 그런 경우지.
영국
신 대 륙
청교도의 신대륙 이주

* 게르만 족의 대이동: 로마 제국 말기 훈족에 쫓긴 게르만 족은 유럽의 서쪽으로 대이동을 시작했는데, 이는 결과적으로 로마를 멸망케 하는 원인이 되었다.

** 신대륙으로의 이주: 콜럼버스의 신대륙 발견 이후 19세기 초부터 제2차 세계 대전 때까지 모국을 떠나 해외로 이주한 유럽 인의 수는 6천만 명에 달하는 것으로 추정되고 있다.

인류사의 슬픈 단면을 보여 주는 인구 이동도 있어. 아프리카 대륙의 흑인들이 유럽이나 신대륙으로 끌려간 일이지. ***정확한 숫자는 알 수 없지만 당시 한 국가의 인구에 맞먹는 엄청난 수의 흑인들이 이동했다고 해.
북아메리카
대 서 양
유럽
아프리카
남아메리카
노예 무역
(16~19세기)

*** 아메리카로 끌려간 노예의 수만 약 900만에서 1200만 정도로 추산되고 있다.

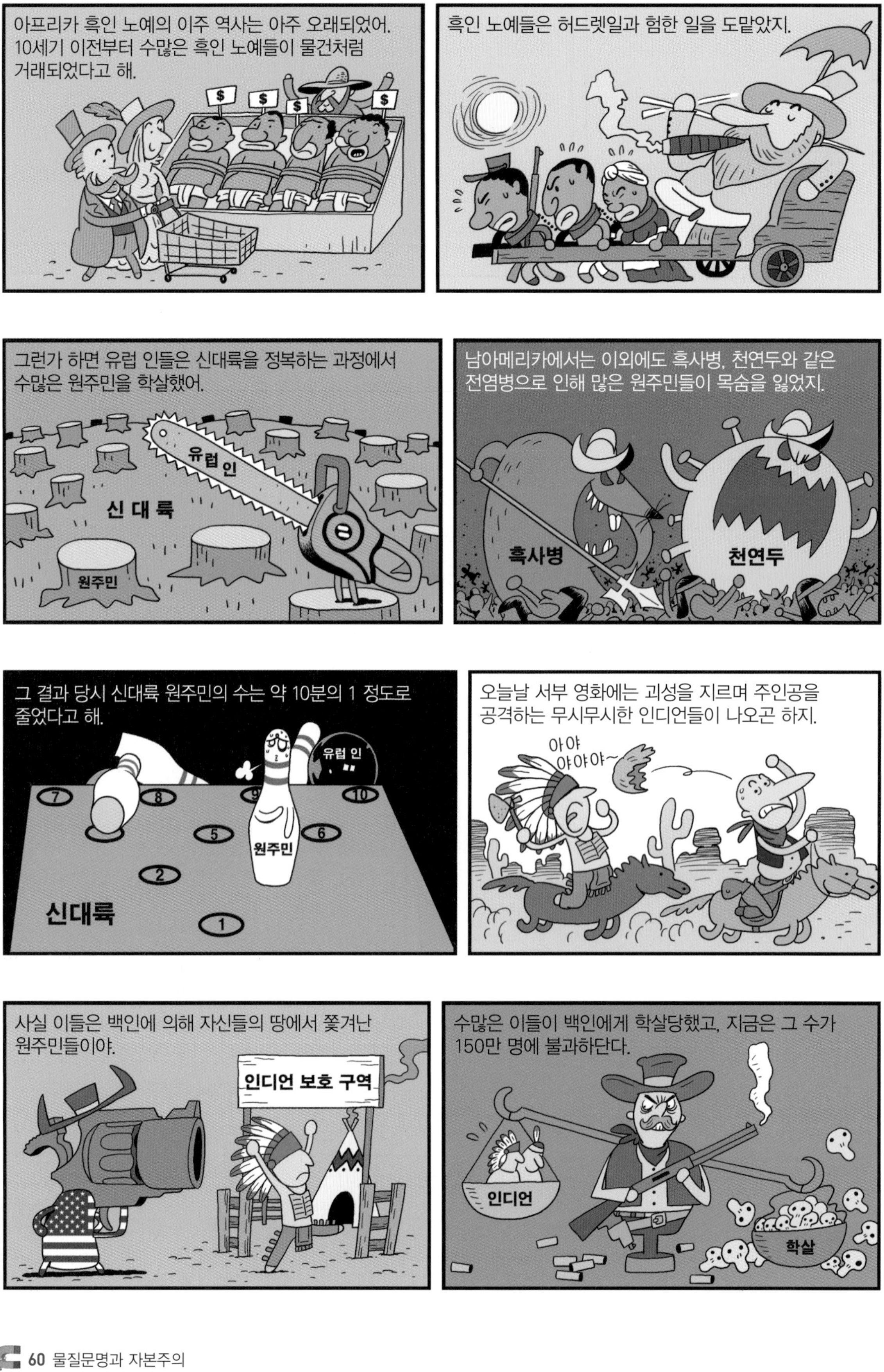
아프리카 흑인 노예의 이주 역사는 아주 오래되었어. 10세기 이전부터 수많은 흑인 노예들이 물건처럼 거래되었다고 해.
$
흑인 노예들은 허드렛일과 험한 일을 도맡았지.
그런가 하면 유럽 인들은 신대륙을 정복하는 과정에서 수많은 원주민을 학살했어.
유럽 인
신 대 륙
원주민
남아메리카에서는 이외에도 흑사병, 천연두와 같은 전염병으로 인해 많은 원주민들이 목숨을 잃었지.
흑사병
천연두
그 결과 당시 신대륙 원주민의 수는 약 10분의 1 정도로 줄었다고 해.
유럽 인
원주민
신대륙
오늘날 서부 영화에는 괴성을 지르며 주인공을 공격하는 무시무시한 인디언들이 나오곤 하지.
아야 야야야~
사실 이들은 백인에 의해 자신들의 땅에서 쫓겨난 원주민들이야.
인디언 보호 구역
수많은 이들이 백인에게 학살당했고, 지금은 그 수가 150만 명에 불과하단다.
인디언
학살

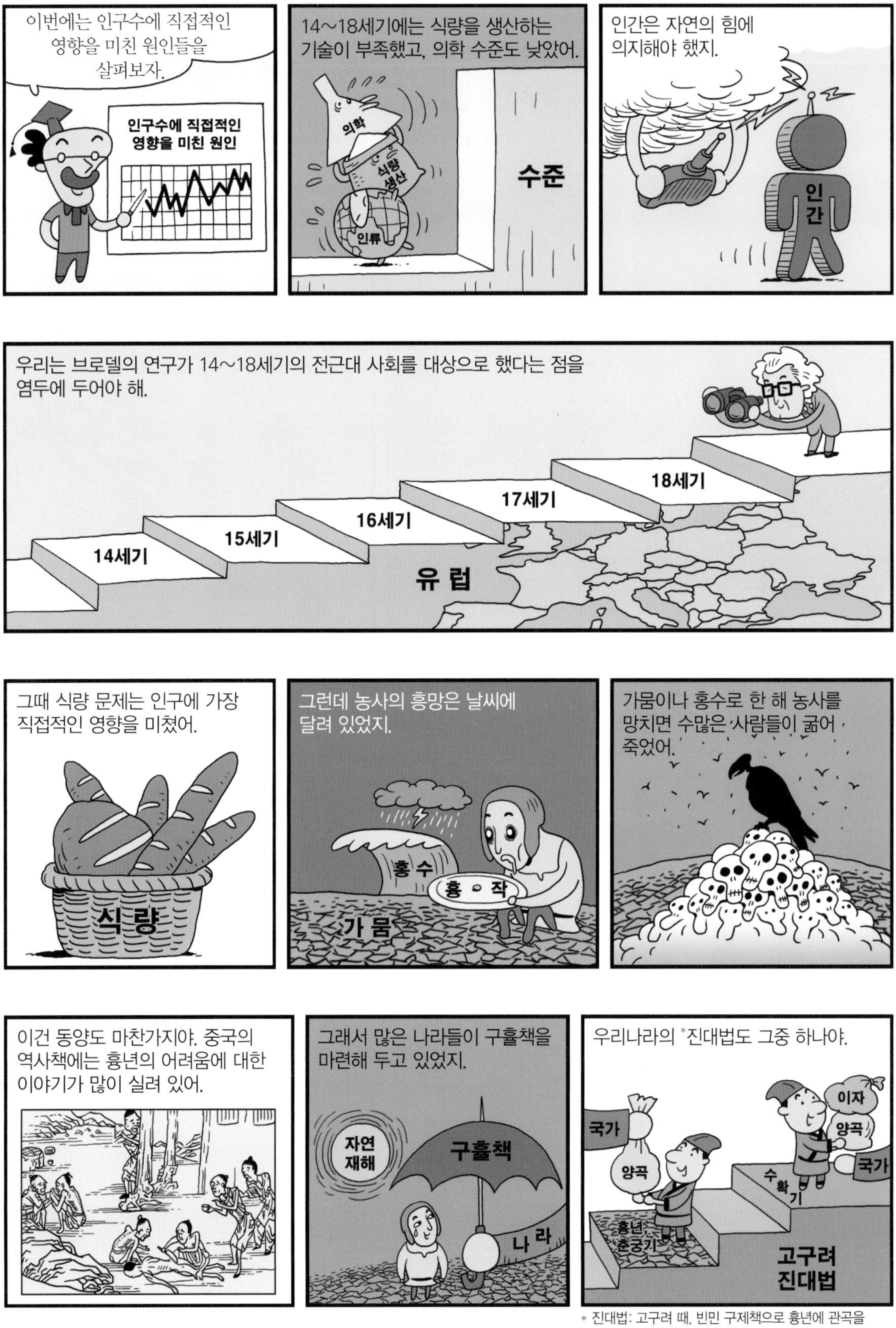

이번에는 인구수에 직접적인 영향을 미친 원인들을 살펴보자.
인구수에 직접적인 영향을 미친 원인
14~18세기에는 식량을 생산하는 기술이 부족했고, 의학 수준도 낮았어.
의학
식량 생산
인류
수준
인간은 자연의 힘에 의지해야 했지.
인간
우리는 브로델의 연구가 14~18세기의 전근대 사회를 대상으로 했다는 점을 염두에 두어야 해.
14세기
15세기
16세기
17세기
18세기
유 럽
그때 식량 문제는 인구에 가장 직접적인 영향을 미쳤어.
식량
그런데 농사의 흥망은 날씨에 달려 있었지.
홍수
흉 작
가 뭄
가뭄이나 홍수로 한 해 농사를 망치면 수많은 사람들이 굶어 죽었어.
이건 동양도 마찬가지야. 중국의 역사책에는 흉년의 어려움에 대한 이야기가 많이 실려 있어.
그래서 많은 나라들이 구휼책을 마련해 두고 있었지.
자연 재해
구휼책
나 라
우리나라의 *진대법도 그중 하나야.
국가
양곡
흉년, 춘궁기
이자
양곡
수확기
국가
고구려 진대법

* 진대법: 고구려 때, 빈민 구제책으로 흉년에 관곡을 어려운 백성에게 꾸어 주던 제도.

다음으로 인구 변화에 가장 큰 영향을 끼친 것은 전염병이야.
전
염
병

수많은 남아메리카 원주민이 유럽 인에게서 옮은 병으로 사망했지.
천연두
유럽
바이러스

의학이 발달하지 않은 전근대 사회의 사람들은 질병이 신이 내린 벌이라고 생각했어.
징벌
질 병

14세기 유럽을 휩쓴 엄청난 전염병이 있는데, 바로 흑사병이야. 이 병으로 인한 희생자만 약 7,500만 명에서 2억여 명에 달하는 것으로 추정돼.
14세기 흑사병 희생자 수
7,500만~2억여 명

이는 당시 유럽 인구의 절반에 해당하는 숫자야.
유
인
럽
구

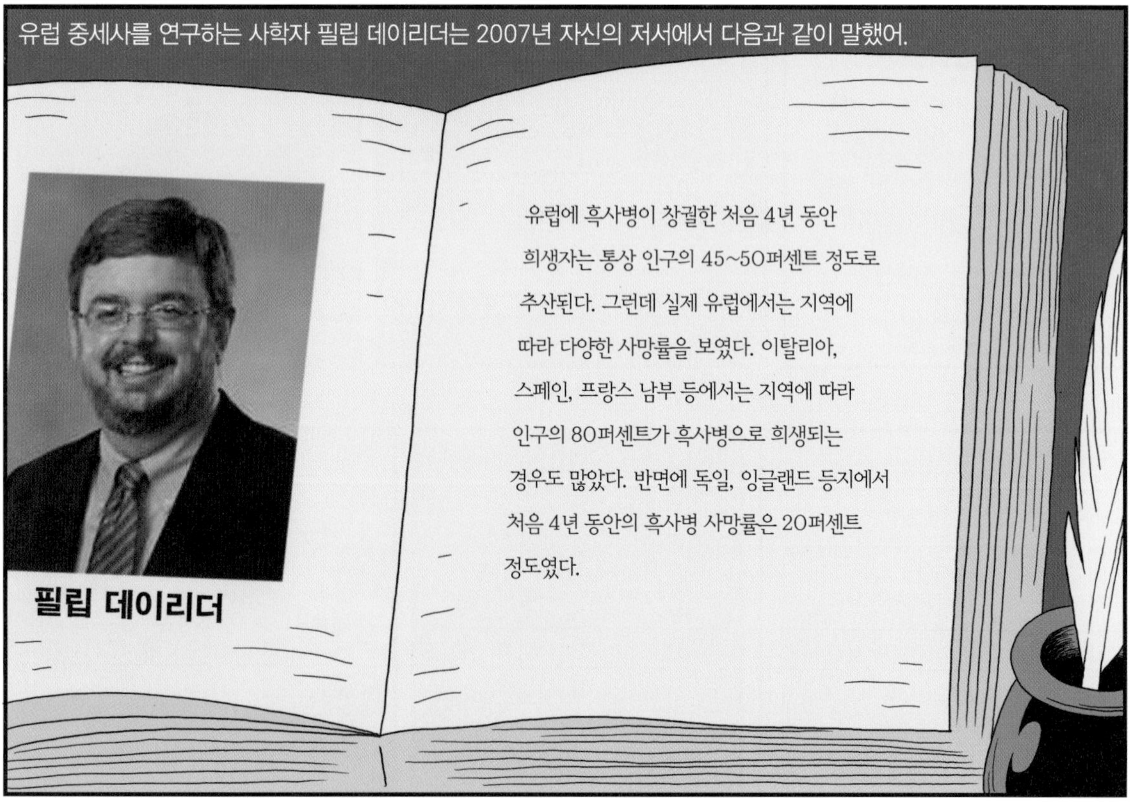
유럽 중세사를 연구하는 사학자 필립 데이리더는 2007년 자신의 저서에서 다음과 같이 말했어.
필립 데이리더
유럽에 흑사병이 창궐한 처음 4년 동안 희생자는 통상 인구의 45~50퍼센트 정도로 추산된다. 그런데 실제 유럽에서는 지역에 따라 다양한 사망률을 보였다. 이탈리아, 스페인, 프랑스 남부 등에서는 지역에 따라 인구의 80퍼센트가 흑사병으로 희생되는 경우도 많았다. 반면에 독일, 잉글랜드 등지에서 처음 4년 동안의 흑사병 사망률은 20퍼센트 정도였다.

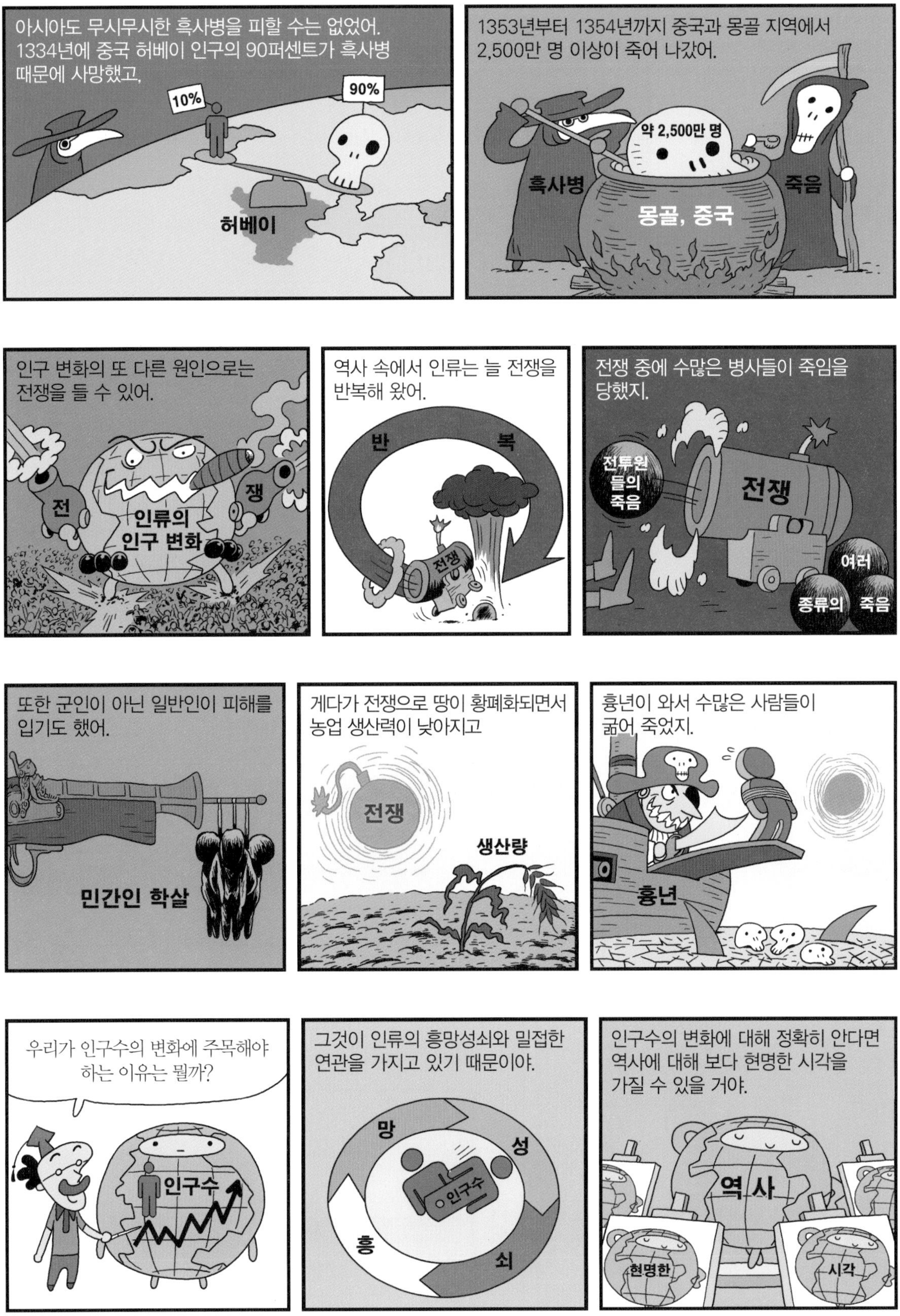

아시아도 무시무시한 흑사병을 피할 수는 없었어. 1334년에 중국 허베이 인구의 90퍼센트가 흑사병 때문에 사망했고,
10%
90%
허베이
1353년부터 1354년까지 중국과 몽골 지역에서 2,500만 명 이상이 죽어 나갔어.
약 2,500만 명
흑사병
죽음
몽골, 중국
인구 변화의 또 다른 원인으로는 전쟁을 들 수 있어.
전
쟁
인류의 인구 변화
역사 속에서 인류는 늘 전쟁을 반복해 왔어.
반
복
전쟁
전쟁 중에 수많은 병사들이 죽임을 당했지.
전투원들의 죽음
전쟁
여러
종류의
죽음
또한 군인이 아닌 일반인이 피해를 입기도 했어.
민간인 학살
게다가 전쟁으로 땅이 황폐화되면서 농업 생산력이 낮아지고
전쟁
생산량
흉년이 와서 수많은 사람들이 굶어 죽었지.
흉년
우리가 인구수의 변화에 주목해야 하는 이유는 뭘까?
인구수
그것이 인류의 흥망성쇠와 밀접한 연관을 가지고 있기 때문이야.
망
성
흥
쇠
인구수
인구수의 변화에 대해 정확히 안다면 역사에 대해 보다 현명한 시각을 가질 수 있을 거야.
역사
현명한
시각

일상의 양식: 빵

15~18세기 사람들의 주식은 기본적으로 식물성 음식이었어. 당시 사람들이 먹는 동물성 음식은 식물성 음식보다 훨씬 귀했기 때문이야.

식물성 음식은 동물성 음식보다 10~20배 많은 사람들을 먹일 수 있어.
너 내가 먹여 살릴게.
아~
포 기

인구수가 늘어나면 동물성 음식만으로는 모든 사람들을 먹여 살릴 수 없어.
난 아직도 배고파.
배부르다.
인구수
꼬르륵…
인구수

중국 등 아시아에서 인구가 크게 늘어난 이유는 예전부터 식물성 음식을 주식으로 삼았기 때문이기도 해.
배부른 게 최고다해.
식물성 음식

어떤 음식을 주영양원으로 선택하느냐의 문제는 물질문명의 중요한 기준이 돼.
뭐가 좋을까?
동물성
식물성
물질 문명
주영양원

어떤 음식을 먹는가는 곧 그 사람의 사회적 지위와 그를 둘러싼 문명과 문화의 수준을 가늠하게 해 주거든.
갑부인 척하자.
내 눈엔 다 보여.
사회적 지위와 문명과 문화의 수준

해외여행을 하면 각 나라마다 음식 문화가 많이 다르다는 것을 실감하게 돼.

한 나라의 음식 문화는 그 지역의 인구 밀도와도 관련이 깊어. 인구 밀도가 높은 곳일수록 동물성 음식보다 식물성 음식이 발달해 있지.
인구 밀도

예전에 유럽 인들은 동물성 음식을 선호했어.
조기 품절
식물성 음식
동물성 음식
지중해 연안 너머 넓은 땅에서 가축을 풀어놓고 기르기 수월했기 때문이야.
지 중 해
야호~!
그러나 17세기 이후 유럽의 인구가 크게 늘면서 사람들은 주로 식물성 음식을 먹기 시작했어.
유 럽
이러한 경향은 19세기 이후 과학의 발달로 목축업이 발전하기 전까지 계속되었어.
19세기 이후
←유지
19세기
한편 해외 식민지로 나간 유럽 인들은 그곳에서 여전히 동물성 음식을 즐길 수 있었지.
이주
식민지
어떤 학자는 '오래전에 일어난 두 혁명이 인간이 어떤 음식을 먹을지 결정했다.'고 말했어.
그가 말하는 첫 번째 혁명이란 구석기 말에 인간이 큰 동물을 사냥하기 시작한 것을 말해.
이때부터 육식에 대한 탐욕이 시작되었어.
단백질
두 번째 혁명은 신석기 때 일어난 농업 혁명이야.
나는야~ 농사짓는 신석기 인이라네~.
이때부터 인류는 동물성 음식을 먹는 사람들과 식물성 음식을 먹는 사람들로 나뉘었어.
동서양을 막론하고, 지배 계급이 값에 비해 열량이 적은 동물성 음식을 차지했어.
냠냠.
지배 계급
피지배 계급
이런 분위기 속에서 고기를 먹는 사람들이 더 투쟁적이고, 용기 있다는 믿음이 굳어졌어.
나 고기 먹는 사람이야.

이번에는 15~18세기 주요 식량원은 무엇인지 생각해 보자. 당시 인류의 주식은 밀, 쌀, 옥수수였어. 이것은 오늘날에도 마찬가지지.
같은 걸로.
넵.
15~18세기
현 재
밀과 쌀, 옥수수는 인간의 물질생활과 정신생활을 이끈 '문명의 작물'이야.
밀
쌀
옥수수
유럽 문명
아시아 문명
아프리카 문명
우선 밀부터 살펴볼까?
〈밀〉
밀은 주로 서유럽에서 재배되었던 곡물이야.
뒷날 밀은 아프리카, 러시아에 이르기까지 아주 넓은 지역에서 재배돼.
물론 조, 보리, 귀리, 호밀 등을 재배하기도 했지만, 이는 어디까지나 보조적인 작물이었어.
밀
조
호밀
보리
귀리
지금까지도 유럽 인들의 식탁을 차지하고 있는 작물은 역시 밀이야.
반면에 쌀은 이탈리아 등 유럽 일부 지역에서만 재배되었어.
쌀은 유럽에서 매우 싼 가격으로 거래된 일종의 *구황 작물이었지.
쌀
쌀 이외에 메밀이나 밤, 검정콩, 흰콩, 이집트 콩 등 다양한 작물들을 재배하기도 했어.
메밀
밤
잠두
검정콩
흰콩
갈색콩
이집트콩
유럽
1570년 무렵 아프리카 스페인 점령지에서 발행된 신문에 의하면, 그곳 군인들은 밀보다 이집트 콩을 더 좋아했다고 해.
○○신문
스페인 군인들에게 인기 최고 이집트 콩!

* 구황: 흉년 따위로 기근이 심할 때 빈민들을 굶주림에서 벗어나도록 도움.

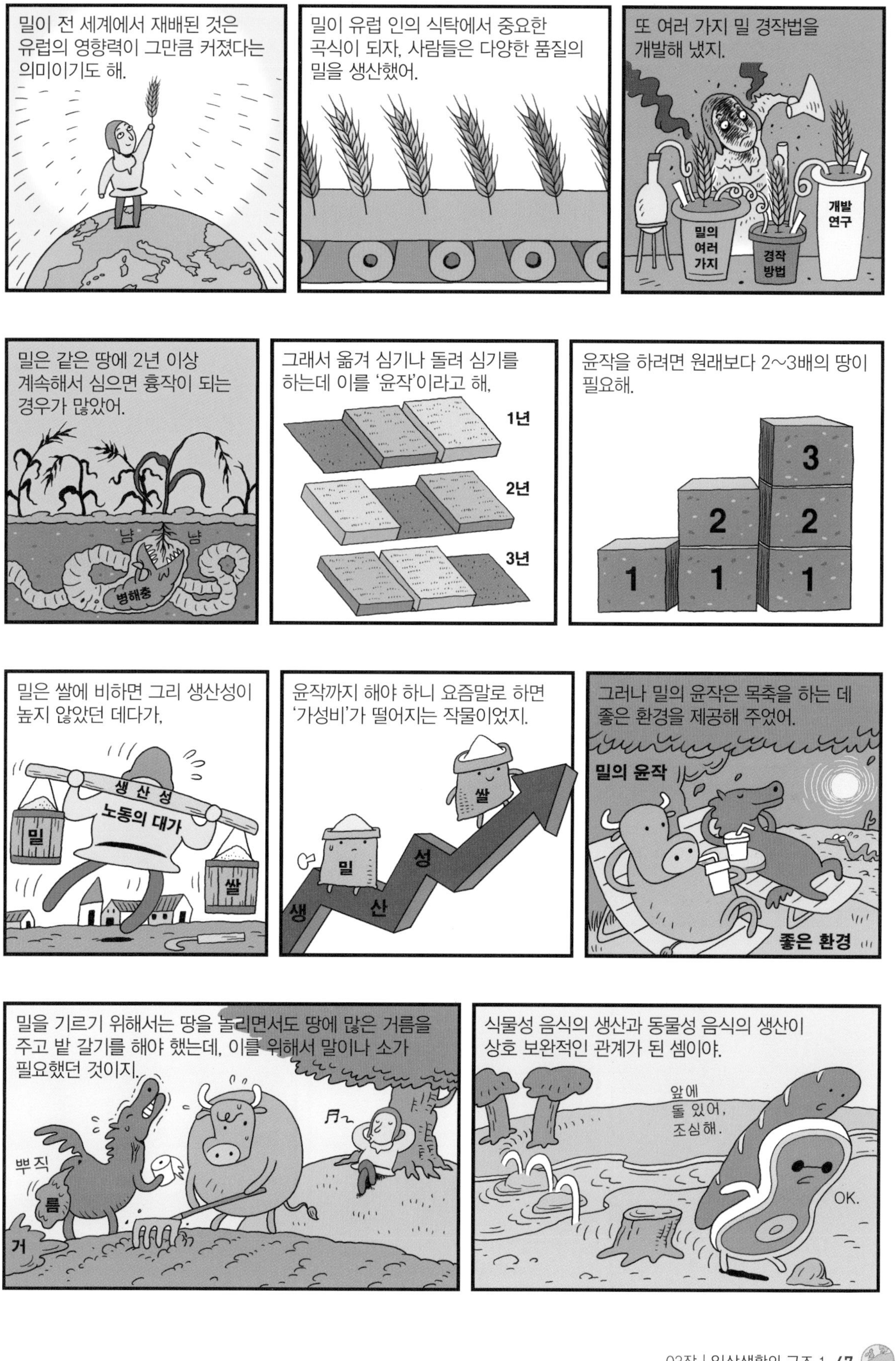

밀이 전 세계에서 재배된 것은 유럽의 영향력이 그만큼 커졌다는 의미이기도 해.
밀이 유럽 인의 식탁에서 중요한 곡식이 되자, 사람들은 다양한 품질의 밀을 생산했어.
또 여러 가지 밀 경작법을 개발해 냈지.
밀의 여러 가지
경작 방법
개발 연구
밀은 같은 땅에 2년 이상 계속해서 심으면 흉작이 되는 경우가 많았어.
냠 냠
병해충
그래서 옮겨 심기나 돌려 심기를 하는데 이를 '윤작'이라고 해.
1년
2년
3년
윤작을 하려면 원래보다 2~3배의 땅이 필요해.
3
2 2
1 1 1
밀은 쌀에 비하면 그리 생산성이 높지 않았던 데다가,
생산성
노동의 대가
밀
쌀
윤작까지 해야 하니 요즘말로 하면 '가성비'가 떨어지는 작물이었지.
쌀
밀
생 산 성
그러나 밀의 윤작은 목축을 하는 데 좋은 환경을 제공해 주었어.
밀의 윤작
좋은 환경
밀을 기르기 위해서는 땅을 놀리면서도 땅에 많은 거름을 주고 밭 갈기를 해야 했는데, 이를 위해서 말이나 소가 필요했던 것이지.
뿌직
거
름
식물성 음식의 생산과 동물성 음식의 생산이 상호 보완적인 관계가 된 셈이야.
앞에 돌 있어, 조심해.
OK.

유럽 인들은 목축을 통해 고기와 노동을 제공해 주는 가축을 얻게 되었어.
육식성 음식
활
유럽
기
가축
그러니 윤작으로 휴식을 하는 땅은 결코 가치 없는 게 아니었어.
가축이라는 또 다른 생산을 가능하게 해 주었던 거야.
또
다
른
생
산
한편 사람들은 수확량이 많지 않다는 밀의 최대 단점을 극복하기 위해 다양한 연구를 했어.
밀
연구
이 덕분에 농업 기술이 조금씩 발전하게 되었지.
농업
진보
주요 작물의 수확량 증가와 인구의 증가 사이에는 확실히 관계가 있어.
수확량 증가
인구 증가
상관관계
농촌 지역의 잉여 생산물로 살아가던 도시는, 밀의 수확량이 증가함에 따라 인구가 빠른 속도로 늘었어.
증가
증가
인구
수확량
농민들은 밀의 잉여 생산물을 가까운 도시에 팔고 이윤을 남겼지.
먹고 남은 밀은 시장에 내다 팔아야겠다.
밀의 교역은 가까운 곳에서부터 점차 먼 지역으로 확대되었어.
밀
교역
나중에는 국제 교역 시장까지 생겼단다.
국제 교역 시장
밀
16세기에는 북유럽의 밀이 국제 곡물 교역의 주요 물품이 되었어.
북유럽 밀
1
2
3
국제 곡물 교역 주요 물품
18세기에 곡물 무역이 활발해지자 사람들은 밀을 더 많이 생산했어.
밀 생산량
18세기 국제 곡물 무역

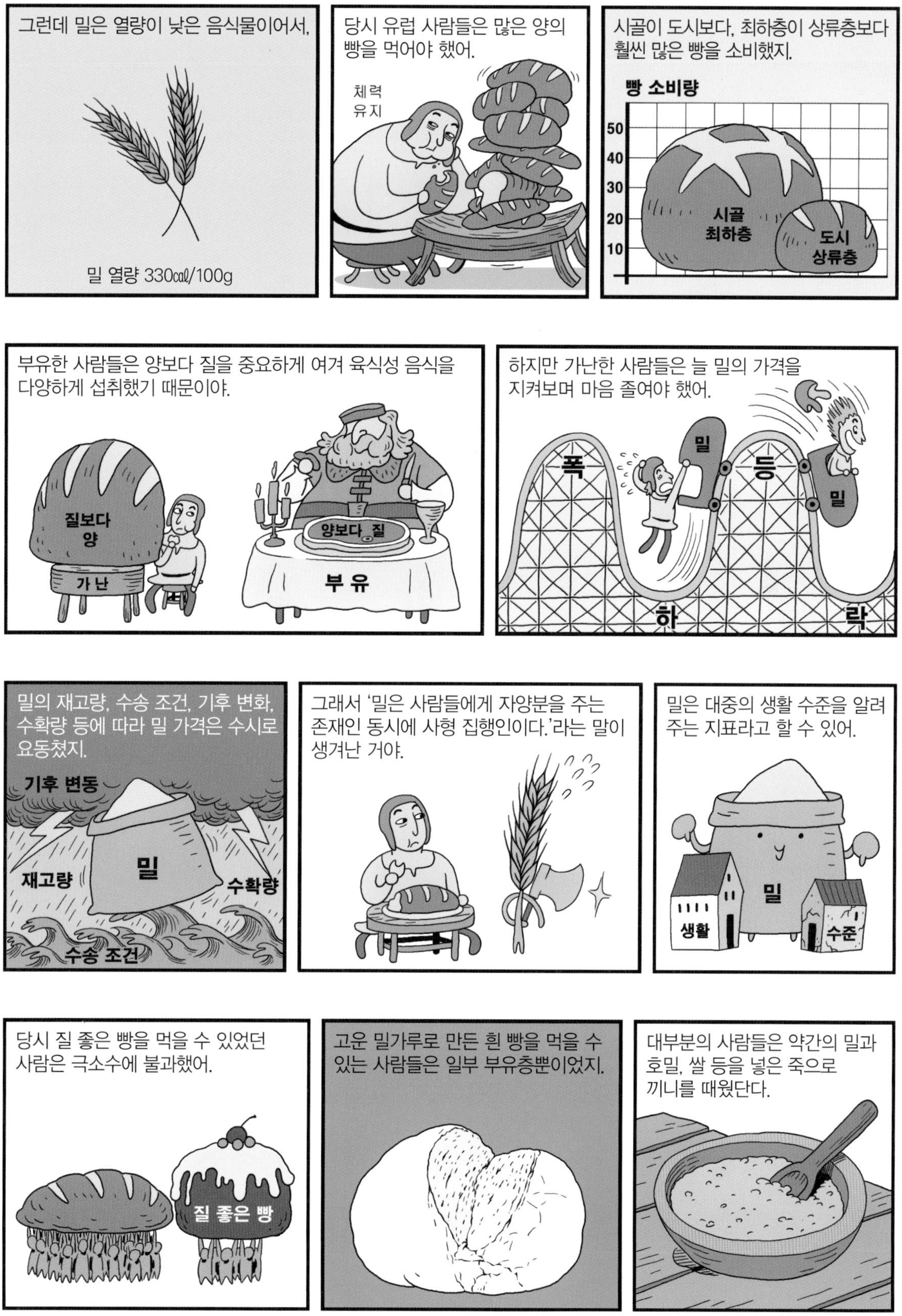
그런데 밀은 열량이 낮은 음식물이어서,
밀 열량 330㎈/100g
당시 유럽 사람들은 많은 양의 빵을 먹어야 했어.
체력 유지
시골이 도시보다, 최하층이 상류층보다 훨씬 많은 빵을 소비했지.
빵 소비량
50
40
30
20
10
시골 최하층
도시 상류층
부유한 사람들은 양보다 질을 중요하게 여겨 육식성 음식을 다양하게 섭취했기 때문이야.
질보다 양
가난
양보다 질
부유
하지만 가난한 사람들은 늘 밀의 가격을 지켜보며 마음 졸여야 했어.
밀
밀
폭
등
하
락
밀의 재고량, 수송 조건, 기후 변화, 수확량 등에 따라 밀 가격은 수시로 요동쳤지.
기후 변동
밀
재고량
수확량
수송 조건
그래서 '밀은 사람들에게 자양분을 주는 존재인 동시에 사형 집행인이다.'라는 말이 생겨난 거야.
밀은 대중의 생활 수준을 알려 주는 지표라고 할 수 있어.
밀
생활
수준
당시 질 좋은 빵을 먹을 수 있었던 사람은 극소수에 불과했어.
질 좋은 빵
고운 밀가루로 만든 흰 빵을 먹을 수 있는 사람들은 일부 부유층뿐이었지.
대부분의 사람들은 약간의 밀과 호밀, 쌀 등을 넣은 죽으로 끼니를 때웠단다.

〈쌀〉
쌀은 밀보다도 더욱 '지배적인' 작물이야.
쌀
인류의 역사에서 쌀은 '문명의 작물'로 자리 잡았지.
문명의
밀
쌀
옥수수
작물

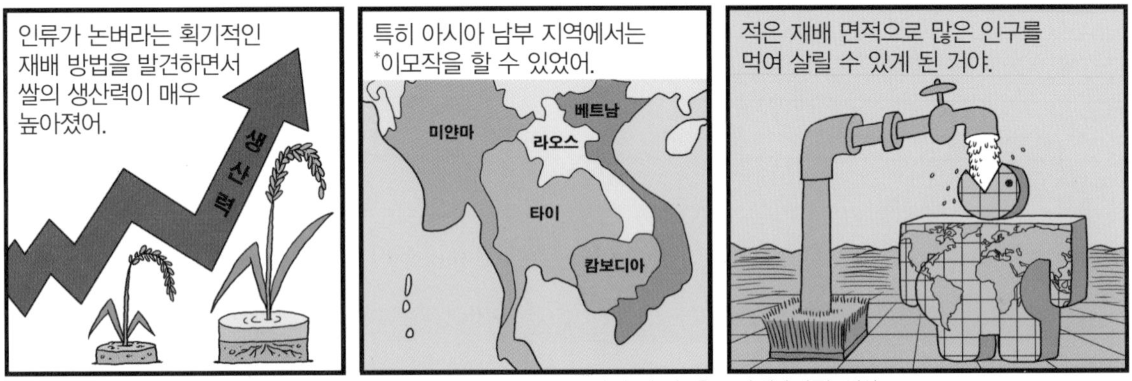
인류가 논벼라는 획기적인 재배 방법을 발견하면서 쌀의 생산력이 매우 높아졌어.
생산력
특히 아시아 남부 지역에서는 *이모작을 할 수 있었어.
미얀마
라오스
베트남
타이
캄보디아
적은 재배 면적으로 많은 인구를 먹여 살릴 수 있게 된 거야.

* 이모작: 같은 땅에서 1년에 종류가 다른 농작물을 두 번 심어 거두는 방식.

사람들은 논밭에 물을 대는 관개 기술을 연구했지.
관개 기술
논벼를 기르는 과정은 만만치 않아. 모내기를 하고, 거름을 주어야 하고, 수확한 뒤에도 손쓸 일이 많지.
모내기
거름 주기
수확
탈곡
건조
쌀
이렇듯 논벼 경작에는 엄청나게 많은 노동력이 필요했어.
노동력
그래서 논이 발달한 곳에는 자연스레 농사를 지을 인구가 밀집되고 강한 사회적 규율이 생겨나.
규
율
논
이러한 논농사의 특징이 규율에 갇힌 농민 사회를 만들었어.
논농사
그래서 쌀을 두고 '지배적이고 전제적인 작물'이라고 하는 거야.
쌀
절대
권력
지배적

〈옥수수〉

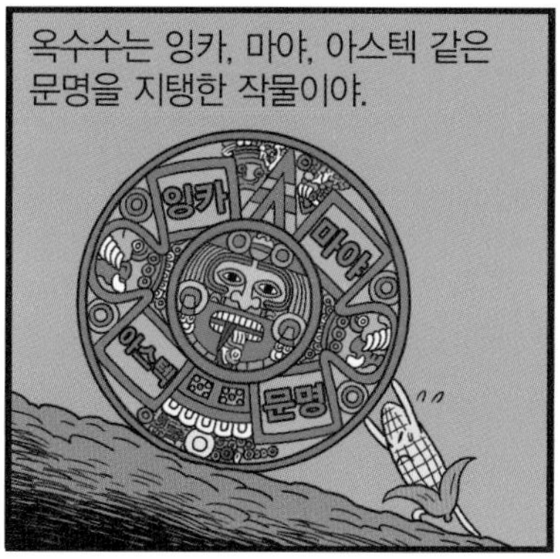
옥수수는 잉카, 마야, 아스텍 같은 문명을 지탱한 작물이야.
잉카
마야
아스텍
문명

옥수수의 원산지가 아프리카라는 설도 있지만, 오늘날에는 아메리카라는 설이 널리 인정받고 있어.
아프리카
옥수수 원산지
아메리카

옥수수는 수천 년 전부터 재배된 곡물로 생산 효율이 매우 높아. 어떤 학자는 옥수수가 남아메리카를 *신정 국가로 만들었다고 주장했지.
신정
국가
절대
권력

옥수수를 재배하는 데는 1년에 50일 정도의 노동밖에 필요하지 않기 때문에 비교적 여유로웠어. 그래서 남아도는 노동력을 큰 종교 행사를 치르거나 거대한 건축물을 만드는 데 썼다는 거야.
50일

* 신정 국가: 신의 대변자인 사제가 지배권을 가지고 종교적 원리에 의하여 통치하는 국가.

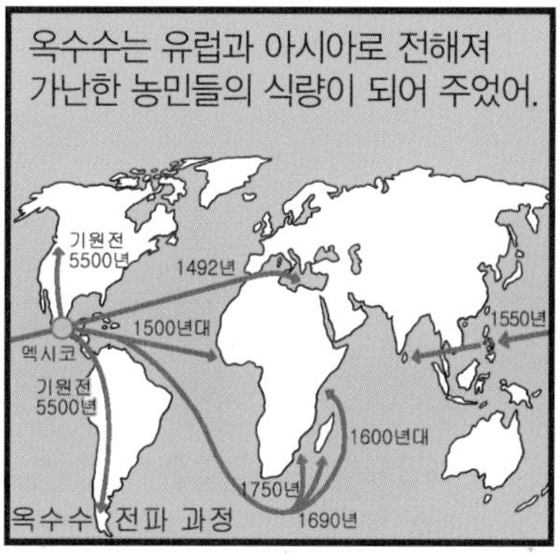
옥수수는 유럽과 아시아로 전해져 가난한 농민들의 식량이 되어 주었어.
기원전 5500년
1492년
1500년대
1550년
멕시코
기원전 5500년
1600년대
1750년
1690년
옥수수 전파 과정

농민들은 옥수수보다 두 배나 비싼 밀은 내다 팔고 옥수수를 먹었지.
밀

옥수수 때문에 많은 유럽 인들이 굶주림에서 벗어나게 되었어.
땡큐
기근
유럽 농가

밀, 쌀, 옥수수는 문명을 지탱하는 데 꼭 필요한 작물이야.
세계 3대 식량 자원

이 곡물들은 한 문명을 성립시키고 인류의 생활 양식을 만들었어.
옥수수
쌀
밀
메소아메리카 문명
아시아 문명
유럽 문명

우리는 곡물들의 역사와 변화를 살펴봄으로써 역사의 이면을 바라볼 수 있단다.
역사의 이면

4장

일상생활의 구조 2 – 사치품과 일상 용품

〈사치품과 일상용품: 음식과 음료〉

사람들은 누구나 밀, 쌀, 옥수수 같은 양식을 필요로 해. 이것은 모든 사람에게 필요한 일상 용품이지.

균일

하지만 육류나 옷, 집 같은 경우는 '사치'와 연관 지어 생각해 볼 수 있어.

일상 속에서 일상용품과 사치품은 늘 함께 존재하고, 또 서로 대립해.

사치
물질 생활

그런데 '사치'라는 개념은 변화하기 쉽고 매우 다양하며 모순적이야.

사치
좋고
나쁨

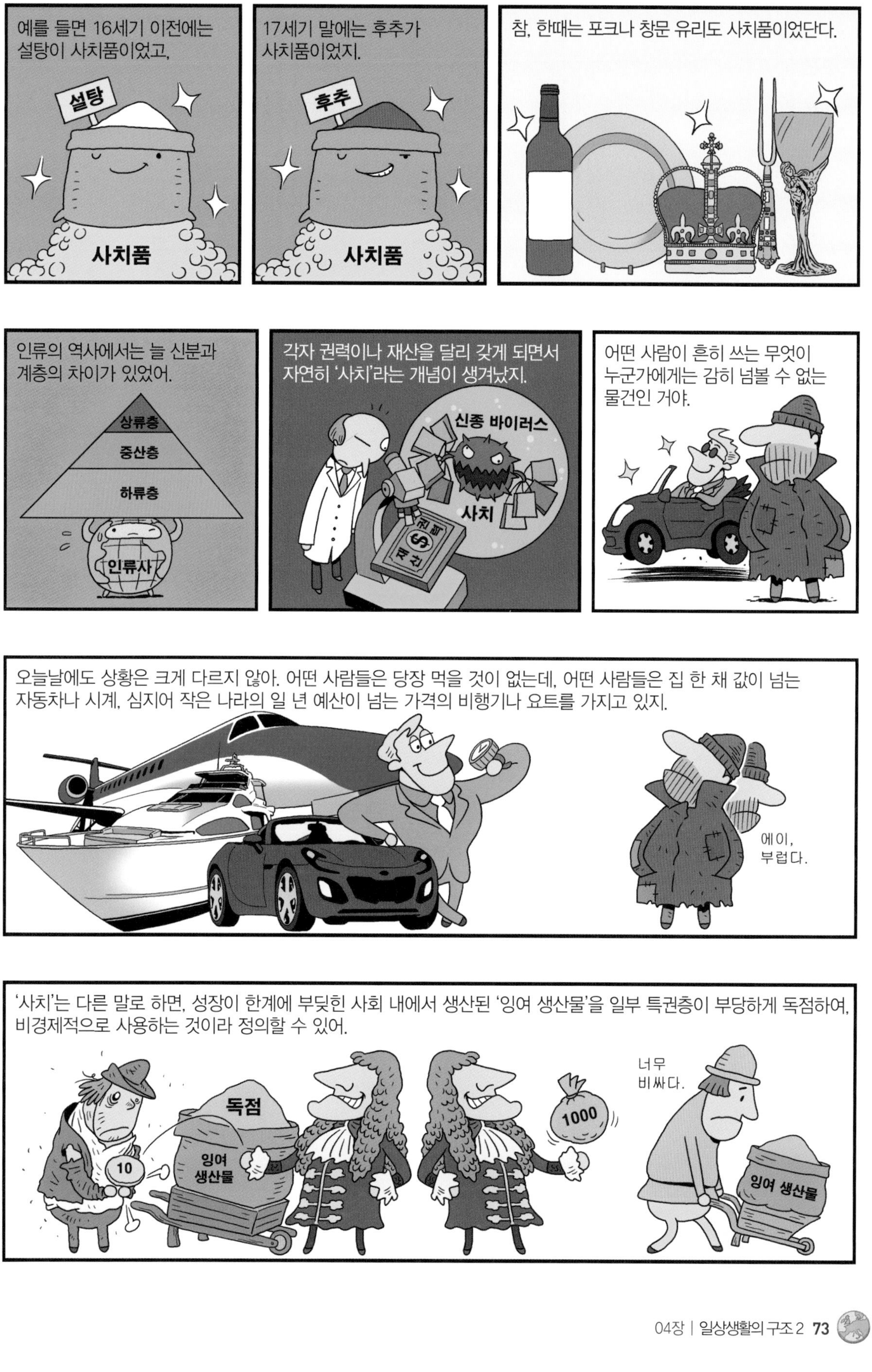
예를 들면 16세기 이전에는 설탕이 사치품이었고,
설탕
사치품
17세기 말에는 후추가 사치품이었지.
후추
사치품
참, 한때는 포크나 창문 유리도 사치품이었단다.
인류의 역사에서는 늘 신분과 계층의 차이가 있었어.
상류층
중산층
하류층
인류사
각자 권력이나 재산을 달리 갖게 되면서 자연히 '사치'라는 개념이 생겨났지.
신종 바이러스
사치
어떤 사람이 흔히 쓰는 무엇이 누군가에게는 감히 넘볼 수 없는 물건인 거야.
오늘날에도 상황은 크게 다르지 않아. 어떤 사람들은 당장 먹을 것이 없는데, 어떤 사람들은 집 한 채 값이 넘는 자동차나 시계, 심지어 작은 나라의 일 년 예산이 넘는 가격의 비행기나 요트를 가지고 있지.
에이, 부럽다.
'사치'는 다른 말로 하면, 성장이 한계에 부딪힌 사회 내에서 생산된 '잉여 생산물'을 일부 특권층이 부당하게 독점하여, 비경제적으로 사용하는 것이라 정의할 수 있어.
독점
10
잉여 생산물
1000
너무 비싸다.
잉여 생산물

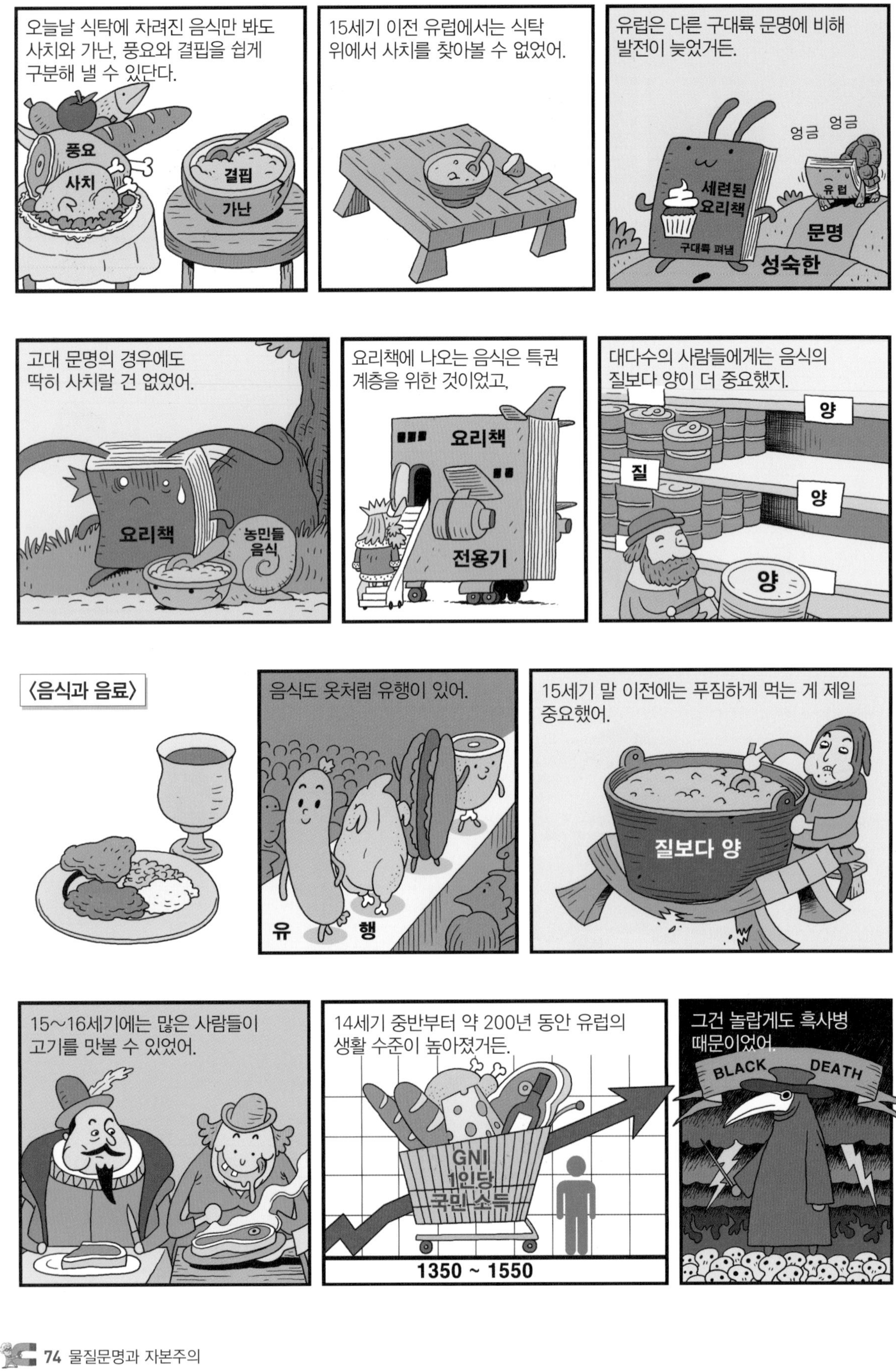
오늘날 식탁에 차려진 음식만 봐도 사치와 가난, 풍요와 결핍을 쉽게 구분해 낼 수 있단다.
풍요
사치
결핍
가난
15세기 이전 유럽에서는 식탁 위에서 사치를 찾아볼 수 없었어.
유럽은 다른 구대륙 문명에 비해 발전이 늦었거든.
엉금 엉금
세련된 요리책
구대륙 펴냄
유럽
문명
성숙한
고대 문명의 경우에도 딱히 사치랄 건 없었어.
요리책
농민들 음식
요리책에 나오는 음식은 특권 계층을 위한 것이었고,
요리책
전용기
대다수의 사람들에게는 음식의 질보다 양이 더 중요했지.
양
질
양
양
〈음식과 음료〉
음식도 옷처럼 유행이 있어.
유
행
15세기 말 이전에는 푸짐하게 먹는 게 제일 중요했어.
질보다 양
15~16세기에는 많은 사람들이 고기를 맛볼 수 있었어.
14세기 중반부터 약 200년 동안 유럽의 생활 수준이 높아졌거든.
GNI
1인당
국민소득
1350 ~ 1550
그건 놀랍게도 흑사병 때문이었어.
BLACK
DEATH

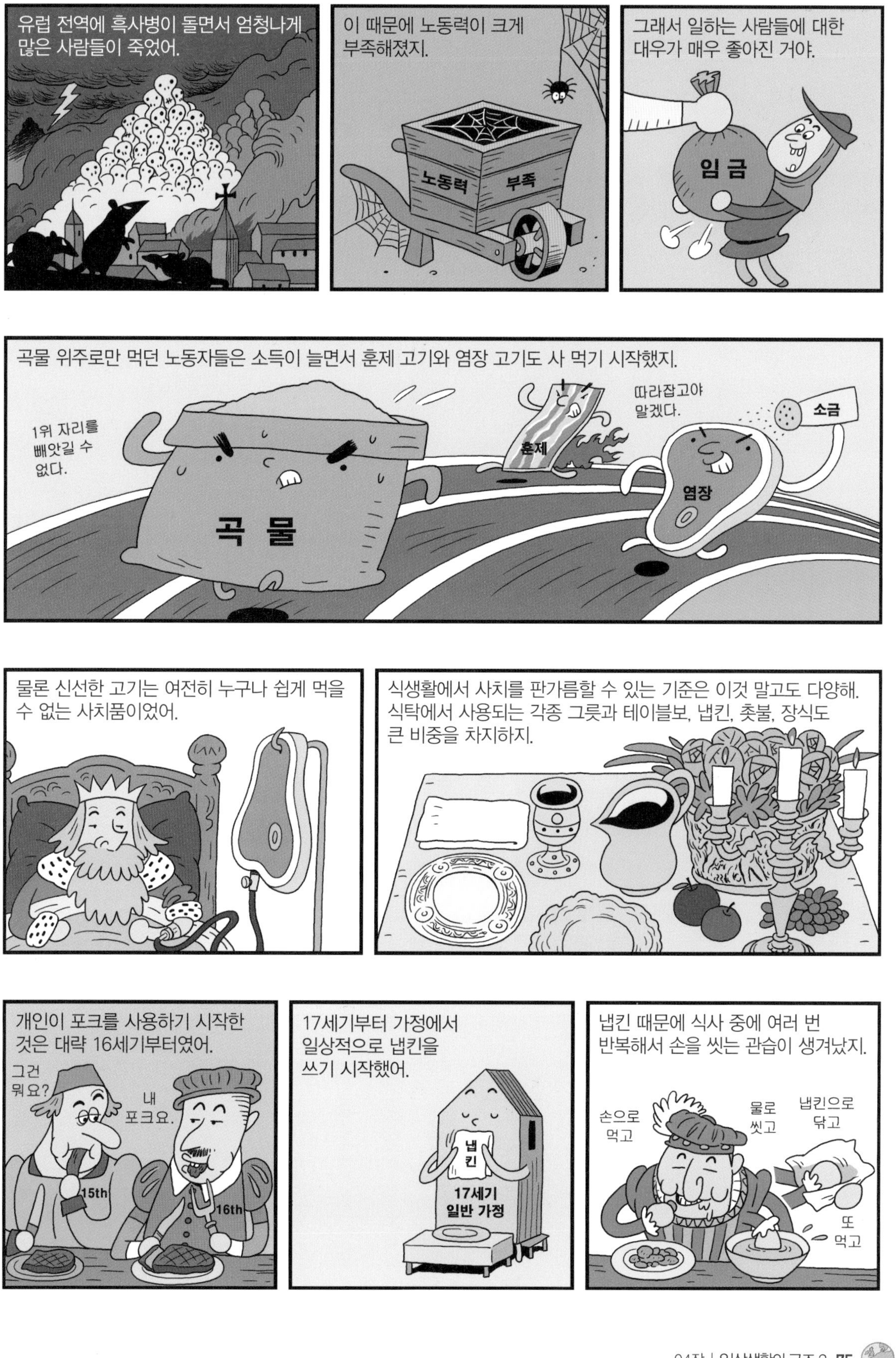
유럽 전역에 흑사병이 돌면서 엄청나게 많은 사람들이 죽었어.
이 때문에 노동력이 크게 부족해졌지.
노동력 부족
그래서 일하는 사람들에 대한 대우가 매우 좋아진 거야.
임금
곡물 위주로만 먹던 노동자들은 소득이 늘면서 훈제 고기와 염장 고기도 사 먹기 시작했지.
1위 자리를 빼앗길 수 없다.
곡물
훈제
따라잡고야 말겠다.
소금
염장
물론 신선한 고기는 여전히 누구나 쉽게 먹을 수 없는 사치품이었어.
식생활에서 사치를 판가름할 수 있는 기준은 이것 말고도 다양해. 식탁에서 사용되는 각종 그릇과 테이블보, 냅킨, 촛불, 장식도 큰 비중을 차지하지.
개인이 포크를 사용하기 시작한 것은 대략 16세기부터였어.
그건 뭐요?
내 포크요.
15th
16th
17세기부터 가정에서 일상적으로 냅킨을 쓰기 시작했어.
냅킨
17세기 일반 가정
냅킨 때문에 식사 중에 여러 번 반복해서 손을 씻는 관습이 생겨났지.
손으로 먹고
물로 씻고
냅킨으로 닦고
또 먹고

소금은 중요하면서도 일상적인 음식이야.
소금
내 몸속에 있는 나트륨은
인간에게 꼭 필요한 영양소라고.
중요한 음식
일상의 음식
치즈, 계란, 우유도 마찬가지야.
치즈
milk
계란
버터
일상적인 음식
특히 서유럽의 도시에서는 우유가 많이 소비되었어. 그래서 우유를 원활하게 공급하는 일이 매우 중요했지.
원활한 공급
생선도 일상적인 음식이었지만,
소금이나 우유보다는 구하기 힘든 편이었어.
북유럽의 작은 지중해라고 할 수 있는 영불 해협, 북해, 대서양에 생선이 풍부했단다.
북해
영불 해협
대서양
이곳에서 생선을 두고 교역이 이루어졌어.
교역
어
업
그런가 하면 감자와 고기를 주식으로 삼던 유럽 인에게는 후추, 계피, 육두구, 정양, 생강 같은 향신료가 반드시 필요했어.
나를 믿느냐?
믿~습니다!
후추
계피
정향
육두구
생강
서유럽 나라들이 바닷길을 통해 새로운 나라를 찾았던 것도 향신료를 선점하기 위한 목적이 컸을 정도지.
내가 먼저다.
선점
어림없다!
대항해 시대
향신료
후추
정향
계피
생강
육두구
신대륙

향신료는 중요하면서 사치품에
속하는 음식이었지.
중요
향신료
하지만 중세 유럽의 가난한 사람들은 비싼 향신료를 살 수 없었어.
대신 그들은 백리향, 월계수잎, 마늘 등을 사용했지.
백리향
월계수잎
사리에트
아니스
마늘
점차 해상 무역이 발달하면서
향신료의 값이 떨어졌어.
값이 떨어진다!
향신료
해상 무역
값
드디어 모든 사람의 식탁에
향신료가 오르게 되었지.
향신료
모든 사람
이제 향신료는 사치품이 아닌,
일상 용품이 된 거야.
일
상
용
품
향신료
설탕은 10세기에 약으로 사용되었어.
여기 만병통치약 설탕!
해열제 주세요.
바그다드 약국
인도와 중국에서는 그보다 이른 8세기
쯤부터 설탕을 음식으로 사용하기
시작했지.
8세기 중국, 인도
하지만 18세기까지도
설탕은 사치품이었어.
설탕의 원료인 사탕수수의
재배가 쉽지 않거든.
설탕
사 치 품
사탕수수는 열대 기후 지역에서만
재배할 수 있는 데다가, 많은 노동력을
필요로 하지.
노동력
그래서 19세기 초까지도 설탕이 널리
보급되지 못했어.
설탕 보급
18세기
19세기 초

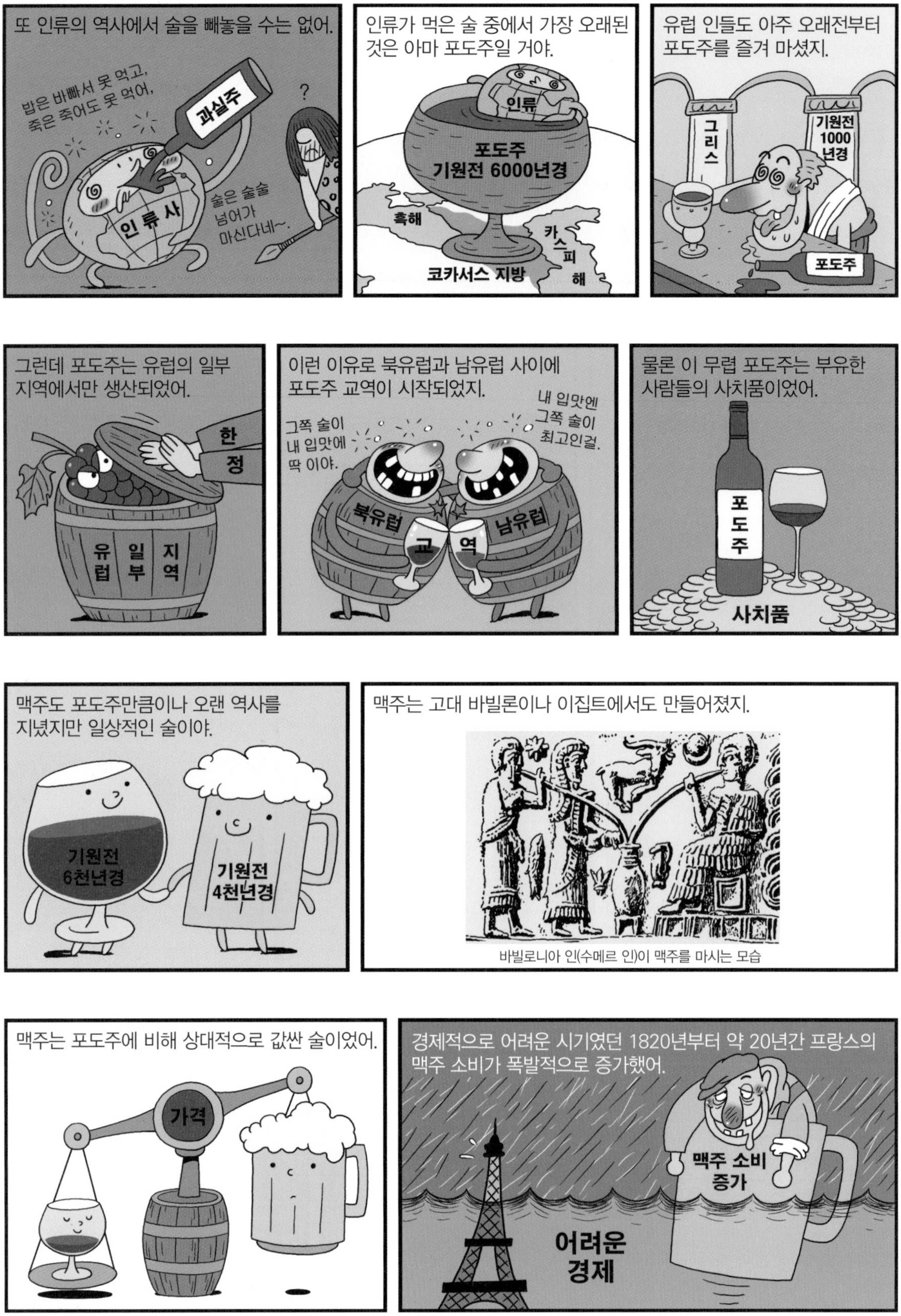
또 인류의 역사에서 술을 빼놓을 수는 없어.
밥은 바빠서 못 먹고, 죽은 죽어도 못 먹어,
과실주
인류사
?
술은 술술 넘어가 마신다네~.
인류가 먹은 술 중에서 가장 오래된 것은 아마 포도주일 거야.
인류
포도주
기원전 6000년경
흑해
카스피해
코카서스 지방
유럽 인들도 아주 오래전부터 포도주를 즐겨 마셨지.
그리스
기원전 1000년경
포도주
그런데 포도주는 유럽의 일부 지역에서만 생산되었어.
한정
유럽 일부 지역
이런 이유로 북유럽과 남유럽 사이에 포도주 교역이 시작되었지.
그쪽 술이 내 입맛에 딱 이야.
내 입맛엔 그쪽 술이 최고인걸.
북유럽
남유럽
교역
물론 이 무렵 포도주는 부유한 사람들의 사치품이었어.
포도주
사치품
맥주도 포도주만큼이나 오랜 역사를 지녔지만 일상적인 술이야.
기원전 6천년경
기원전 4천년경
맥주는 고대 바빌론이나 이집트에서도 만들어졌지.
바빌로니아 인(수메르 인)이 맥주를 마시는 모습
맥주는 포도주에 비해 상대적으로 값싼 술이었어.
가격
경제적으로 어려운 시기였던 1820년부터 약 20년간 프랑스의 맥주 소비가 폭발적으로 증가했어.
맥주 소비 증가
어려운 경제

한편 브랜디, 위스키 같은 *증류주는 포도주나 맥주보다 훨씬 늦게 나왔어.
위스키
브랜디
맥주
포도주
브로델은 증류주를 두고 "16세기가 창조했고, 17세기가 확대시켰으며, 18세기가 대중화했다."고 말했어.
양조주
16세기
17세기
18세기
대중화
창조
확대
증
류
주

* 증류주: 일단 만든 술을 다시 증류하여 알코올 성분을 많이 함유하게 한 술.

증류주는 맥주에 비하면 아주 '치명적인 사치품'이야. 그래서 오늘날에도 증류주의 생산을 제한하기도 해.
증류주
금주법
조선 시대 영조는 금주령을 내리면서 이렇게 말했어. "쌀 한 가마로 밥을 하면 백 명이 먹을 수 있는데,
100명
막걸리로 만들면 열 명이 먹고,
막걸리
소주로 만들면 한 명밖에 먹을 수 없다."
소주
사실 모든 문명은 사치스러운 음식과 기호 식품을 필요로 했어.
꼭 먹고 말 테다.
사치 음식
기호 식품
모든 문명
12~13세기 사람들은 향신료와 후추에 푹 빠졌고
와~
후추
향신료
12~13세기
16세기는 증류주에, 그다음에는 차, 커피, 담배에 열광했어.
와~
차
담배
증류주
와~
커피
16세기
그럼 오늘날의 사치품은 무엇일까? 어쩌면 새로운 사치품은 마약일지도 몰라.
사치품
마약

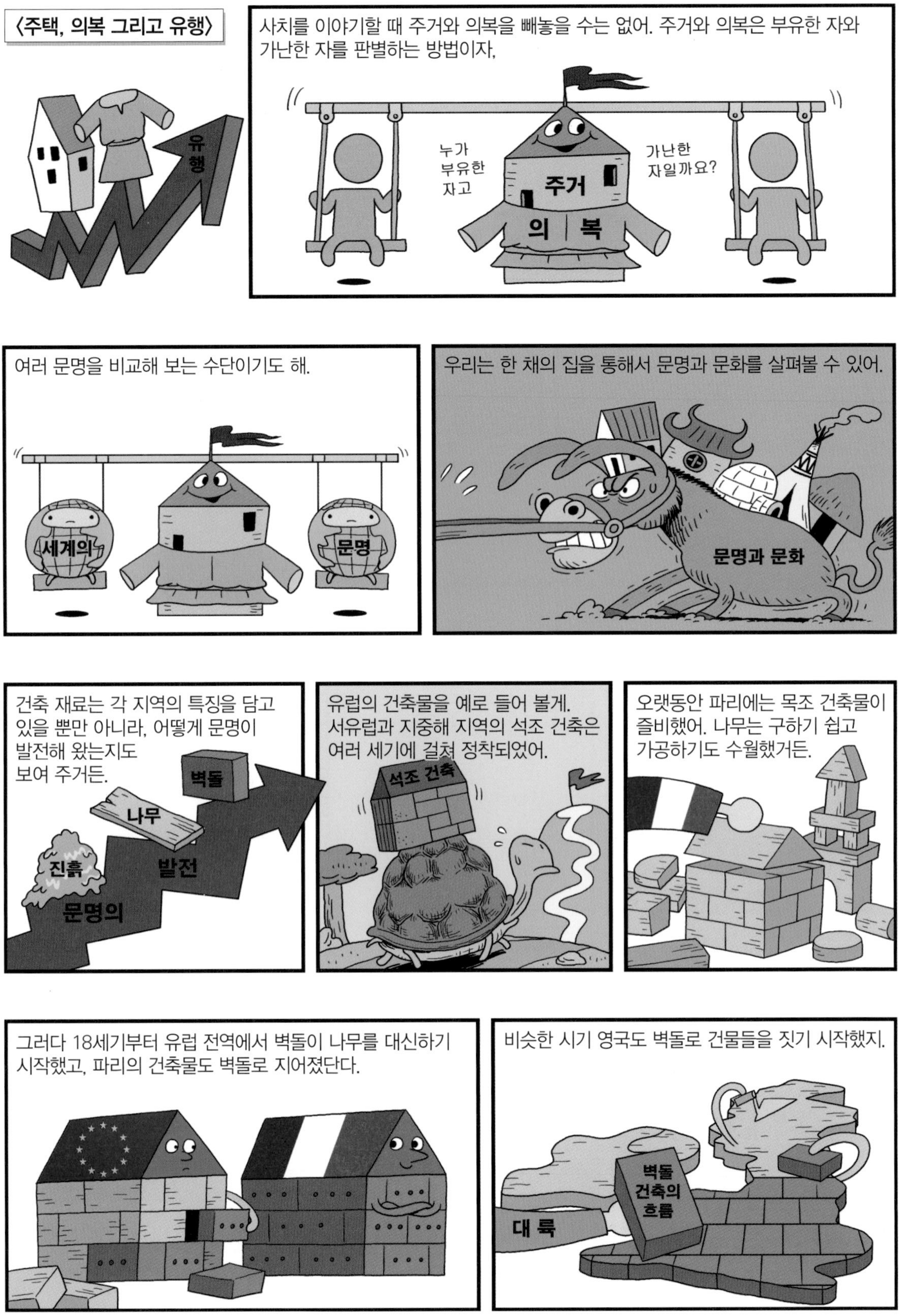

〈주택, 의복 그리고 유행〉
유행
사치를 이야기할 때 주거와 의복을 빼놓을 수는 없어. 주거와 의복은 부유한 자와 가난한 자를 판별하는 방법이자,
누가 부유한 자고
가난한 자일까요?
주거
의 복
여러 문명을 비교해 보는 수단이기도 해.
세계의
문명
우리는 한 채의 집을 통해서 문명과 문화를 살펴볼 수 있어.
문명과 문화
건축 재료는 각 지역의 특징을 담고 있을 뿐만 아니라, 어떻게 문명이 발전해 왔는지도 보여 주거든.
벽돌
나무
진흙
발전
문명의
유럽의 건축물을 예로 들어 볼게. 서유럽과 지중해 지역의 석조 건축은 여러 세기에 걸쳐 정착되었어.
석조 건축
오랫동안 파리에는 목조 건축물이 즐비했어. 나무는 구하기 쉽고 가공하기도 수월했거든.
그러다 18세기부터 유럽 전역에서 벽돌이 나무를 대신하기 시작했고, 파리의 건축물도 벽돌로 지어졌단다.
비슷한 시기 영국도 벽돌로 건물들을 짓기 시작했지.
벽돌 건축의 흐름
대 륙

건축 기술이 발전하고 사람들이
부유해지면 건축 재료도 바뀌어.
나무
건축 기술
부의 축적
벽돌
각 지역의 지리적 조건과 전통, 문화에
따라 사용하는 건축 재료도 다 달라.
맞춤 건축 재료 박람회
EXPO
목재가 풍부하지 않은 지역은
오히려 목재가 사치품에 속해.
그래서 목재를 구하기 힘든
몽골 같은 초원 지대에서는
가죽이나 천을 이용하지.
중국의 건축물은 유럽에 비해
견고해. 이를 보면 중국 농민의 삶의
수준이 유럽 농민보다 한결 더
나았음을 짐작할 수 있어.
중국인들의 삶
농촌
경제
유럽의 농민들은 한 칸짜리 방에
침실과 부엌 등이 함께 있는 열악한
집에 살았어. 게다가 집을 수리할 때는
영주의 허락을 받아야 했지.
수리
영주
수리 허가증
영주는 농민들이 돌이나 찰흙을
캐거나 목재를 구할 권한을
통제했지.
통제 구역
관계자 외 출입금지
경고
벌목 금지
시골에 비해 부유한 도시에는 좀 더
규모가 큰 집들이 들어섰어.
시골
도시
19세기부터 부자들은 집과 일터를
완벽히 분리했어. 가난한 농민은
상상할 수 없는 사치였지.
집
일터
한편 이 시기 서유럽의 부유한
자들은 시골에 별장을
지었어.
도시 주변 지역은 점차 귀족과
부르주아의 재산으로 잠식되었어.
자본가
도시 주변
18세기에는 도시 저택과 궁전보다
오히려 시골 별장의 가치가 높아졌지.
전원 주택 가격
도시 주택 가격

가난한 사람들이 사는 집은 시간이 지나도 그다지 변하지 않아.
한결같은걸.
서유럽의 가난한 이들의 집에는 가구랄 게 없었어.
집
18세기에 들어서야 기본적인 일용품들이 널리 퍼졌고, 그들이 사는 모습도 변화하기 시작했어.
18세기 집
하지만 이마저도 중국인의 삶에 비할 수는 없었어. 그들은 서유럽에 비해 비교적 다양한 가구를 쓰고 있었지.
그들이 쓰는 가구의 문양은 정교하고 장식적이었는데, 그 문양은 오래도록 변함이 없었어.
반면에 상대적으로 빠르게 발전한 서유럽에서는 가구나 실내 장식 역시 자주 변화했어.
중국 가구
서유럽 가구
이를 통해 유럽의 경제적, 문화적인 흐름이 크게 바뀌었음을 알 수 있지.
계몽, 진보
증거
가구, 실내 장식
다음으로 집 내부 구조를 살펴보자.
부유한 유럽 인이 사는 집의 거실에는 대체로 4개의 커다란 벽과 마루, 천장, 창문과 문이 있었어.
처음에는 흙을 다진 상태 그대로 1층 바닥을 이용했는데, 점차 그 위에 타일이나 포석을 깔기 시작했지.
그런가 하면 근대적인 의미의 마루는 14세기에 등장했고, 18세기에는 깨끗한 천장이 유행했단다.
18세기
14세기

이번에는 실내 장식을 살펴보자. 16세기까지 1층과 각 방의 바닥을 겨울에는 짚으로, 여름에는 싱싱한 풀과 꽃으로 덮었어.
겨울
여름
17세기까지 현관문은 한 번에 겨우 한 사람만 통과할 수 있을 정도로 좁았지.
두 쪽 대문은 훨씬 뒤에야 나타났어.
12세기 이전까지 벽난로는 없었고, 대신 둥그런 화덕을 방 가운데에 두고 요리할 때 썼어.
그러다 1720년경에 난로가 만들어져, 난방 체계에 혁명이 일어났어.
난로는 독일 너머 헝가리, 폴란드, 러시아, 시베리아까지 전파되었어.
이런 실내 장식이나 가구의 유행은 아주 느리게 바뀌었어.
당시에는 가구가 매우 적게 생산되고, 비싼 편이었단다.
가 구
천 장
벽
옷장은 18세기 프랑스에서 처음 등장했는데, 19세기에 가서야 널리 쓰였지.
18세기 초
의복의 역사는 문화, 경제, 사회 등과 연관이 깊어.
문 화
경제
정신적
원료, 제조 과정, 원가, 문화, 유행, 사회 계층 등 모든 문제와 관련되어 있지.
의 복
사회 계층들의 문제
원료
유행
제조 과정
원가
문화
옷은 신체를 보호하려는 목적에서 점차 자신을 표현하고 과시하는 방향으로 발전했어.
과시

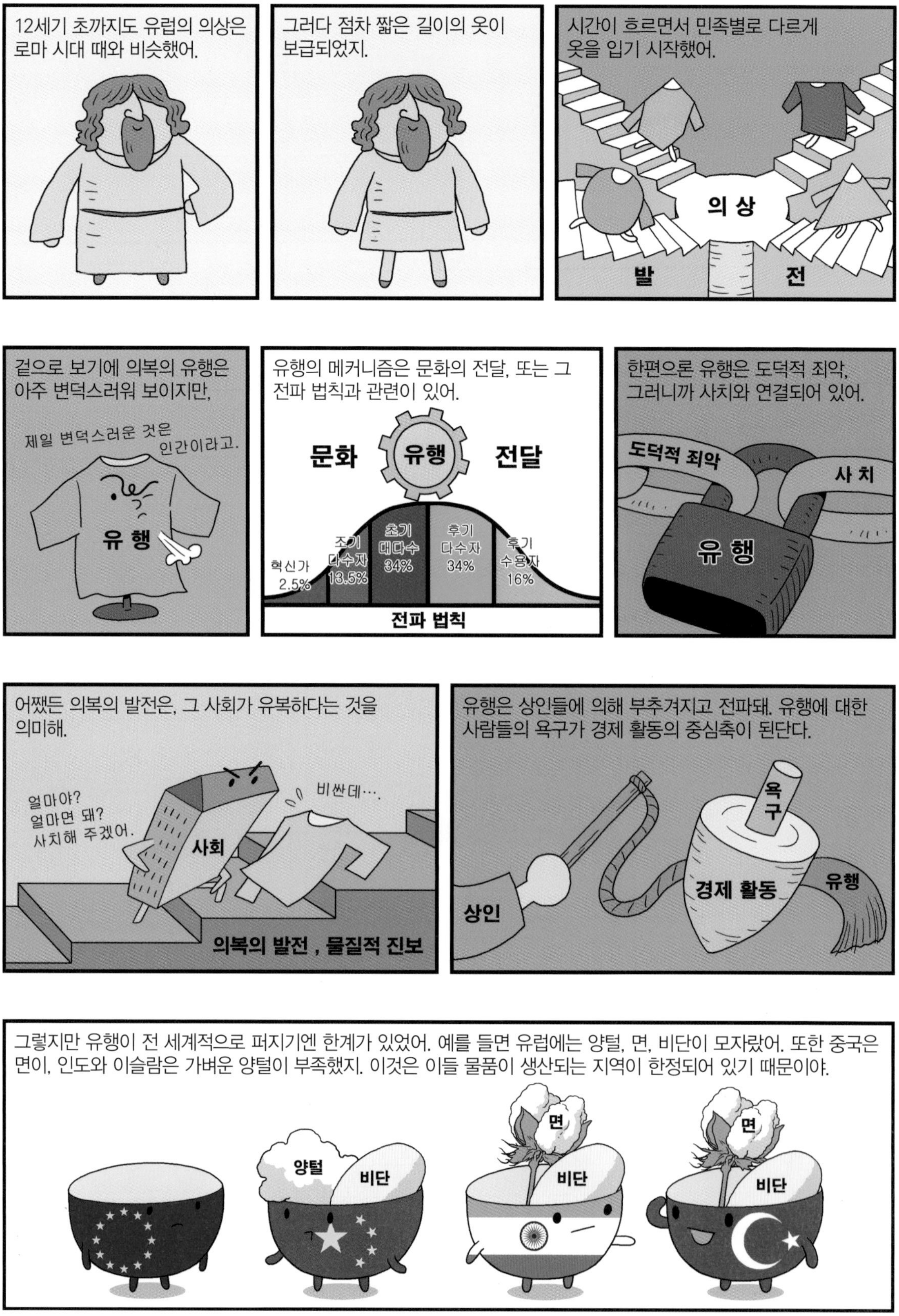
12세기 초까지도 유럽의 의상은 로마 시대 때와 비슷했어.
그러다 점차 짧은 길이의 옷이 보급되었지.
시간이 흐르면서 민족별로 다르게 옷을 입기 시작했어.
의 상
발
전
겉으로 보기에 의복의 유행은 아주 변덕스러워 보이지만,
제일 변덕스러운 것은 인간이라고.
유 행
유행의 메커니즘은 문화의 전달, 또는 그 전파 법칙과 관련이 있어.
문화
유행
전달
혁신가 2.5%
조기 다수자 13.5%
초기 대다수 34%
후기 다수자 34%
후기 수용자 16%
전파 법칙
한편으론 유행은 도덕적 죄악, 그러니까 사치와 연결되어 있어.
도덕적 죄악
사 치
유 행
어쨌든 의복의 발전은, 그 사회가 유복하다는 것을 의미해.
얼마야? 얼마면 돼? 사치해 주겠어.
비싼데….
사회
의복의 발전 , 물질적 진보
유행은 상인들에 의해 부추겨지고 전파돼. 유행에 대한 사람들의 욕구가 경제 활동의 중심축이 된단다.
욕구
상인
경제 활동
유행
그렇지만 유행이 전 세계적으로 퍼지기엔 한계가 있었어. 예를 들면 유럽에는 양털, 면, 비단이 모자랐어. 또한 중국은 면이, 인도와 이슬람은 가벼운 양털이 부족했지. 이것은 이들 물품이 생산되는 지역이 한정되어 있기 때문이야.
양털
비단
면
비단
면
비단

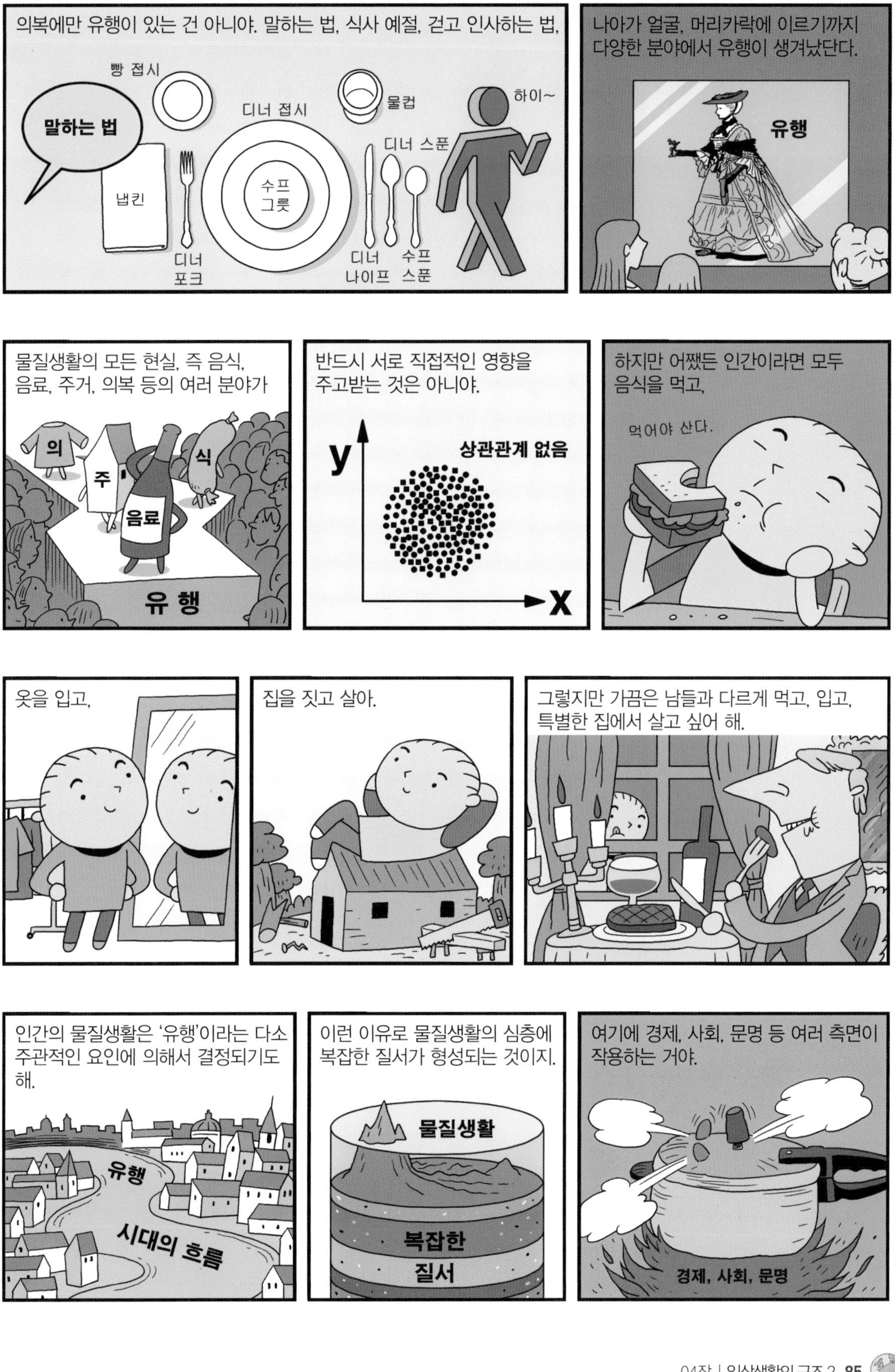
의복에만 유행이 있는 건 아니야. 말하는 법, 식사 예절, 걷고 인사하는 법,
빵 접시
말하는 법
냅킨
디너 포크
디너 접시
수프 그릇
물컵
디너 스푼
디너 나이프
수프 스푼
하이~
나아가 얼굴, 머리카락에 이르기까지 다양한 분야에서 유행이 생겨났단다.
유행
물질생활의 모든 현실, 즉 음식, 음료, 주거, 의복 등의 여러 분야가
의
주
식
음료
유 행
반드시 서로 직접적인 영향을 주고받는 것은 아니야.
상관관계 없음
y
x
하지만 어쨌든 인간이라면 모두 음식을 먹고,
먹어야 산다.
옷을 입고,
집을 짓고 살아.
그렇지만 가끔은 남들과 다르게 먹고, 입고, 특별한 집에서 살고 싶어 해.
인간의 물질생활은 '유행'이라는 다소 주관적인 요인에 의해서 결정되기도 해.
유행
시대의 흐름
이런 이유로 물질생활의 심층에 복잡한 질서가 형성되는 것이지.
물질생활
복잡한 질서
여기에 경제, 사회, 문명 등 여러 측면이 작용하는 거야.
경제, 사회, 문명

5장 일상생활의 구조 3 – 기술과 화폐와 도시

도시
기술
화폐

기술

기술이란 무엇일까? 브로델은 기술이란 '가능성의 영역'이라고 표현했어.
기술
가능성의 영역

사람들은 살면서 종종 한계에 부딪혀. 그 원인은 경제적, 사회적, 심리적 문제 등 다양하지.
경제적
사회적
심리적
한 계

한계는 단단한 벽과 같아. 그 벽이 뚫리는 순간, 기술의 발전이 이루어지지.
기술의 발전

그런데 과학 기술이 발전한다고 해서 단번에 한계를 넘어서는 것은 아니란다.

정치적, 사회적인 발전과 생산력 향상 등 여러 요인이 복합적으로 맞아떨어져야 비로소 벽을 무너뜨릴 수 있지.
발전
정치
사회
생산력

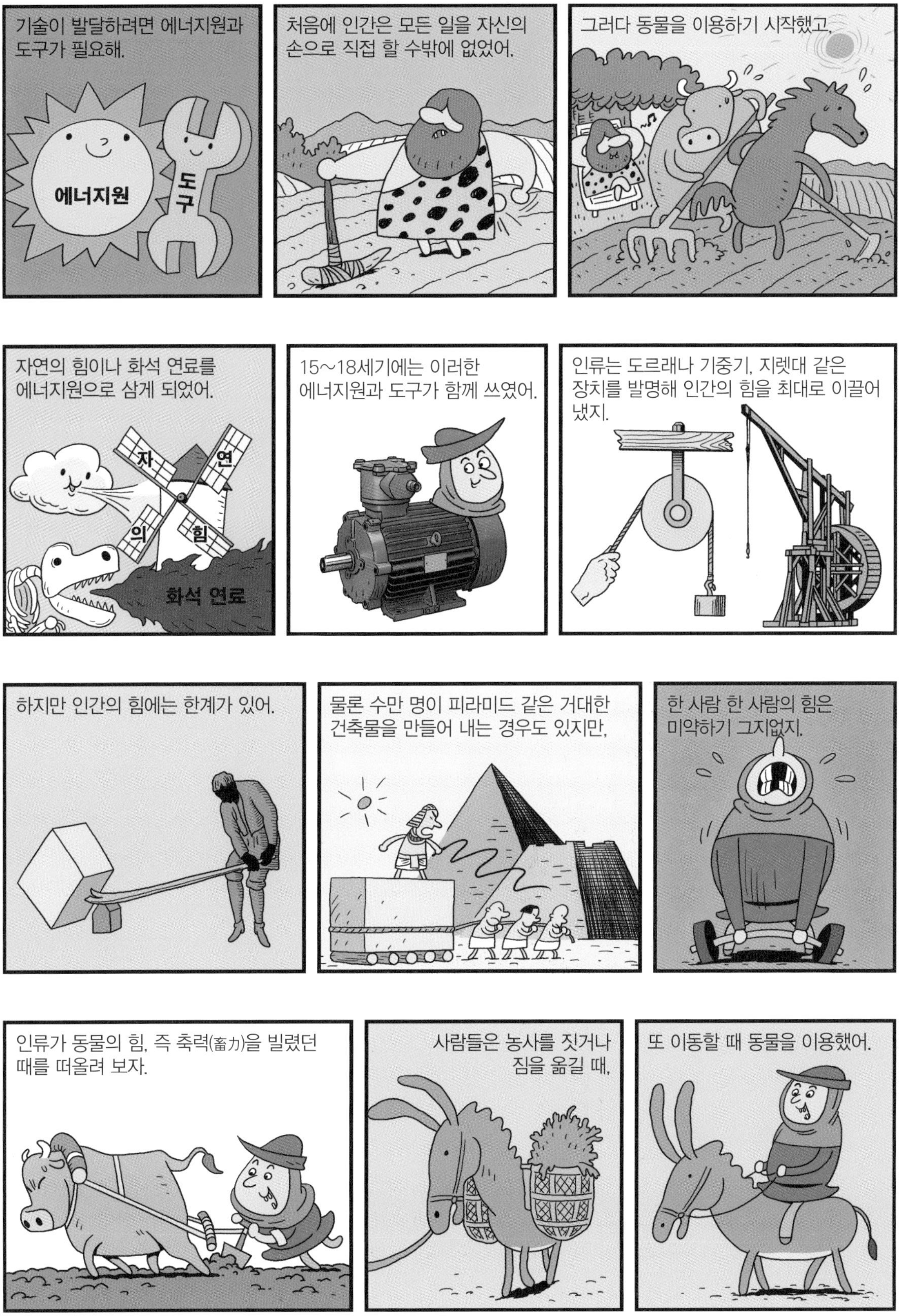

기술이 발달하려면 에너지원과 도구가 필요해.
에너지원
도구
처음에 인간은 모든 일을 자신의 손으로 직접 할 수밖에 없었어.
그러다 동물을 이용하기 시작했고,
자연의 힘이나 화석 연료를 에너지원으로 삼게 되었어.
자연의 힘
화석 연료
15~18세기에는 이러한 에너지원과 도구가 함께 쓰였어.
인류는 도르래나 기중기, 지렛대 같은 장치를 발명해 인간의 힘을 최대로 이끌어 냈지.
하지만 인간의 힘에는 한계가 있어.
물론 수만 명이 피라미드 같은 거대한 건축물을 만들어 내는 경우도 있지만,
한 사람 한 사람의 힘은 미약하기 그지없지.
인류가 동물의 힘, 즉 축력(畜力)을 빌렸던 때를 떠올려 보자.
사람들은 농사를 짓거나 짐을 옮길 때,
또 이동할 때 동물을 이용했어.

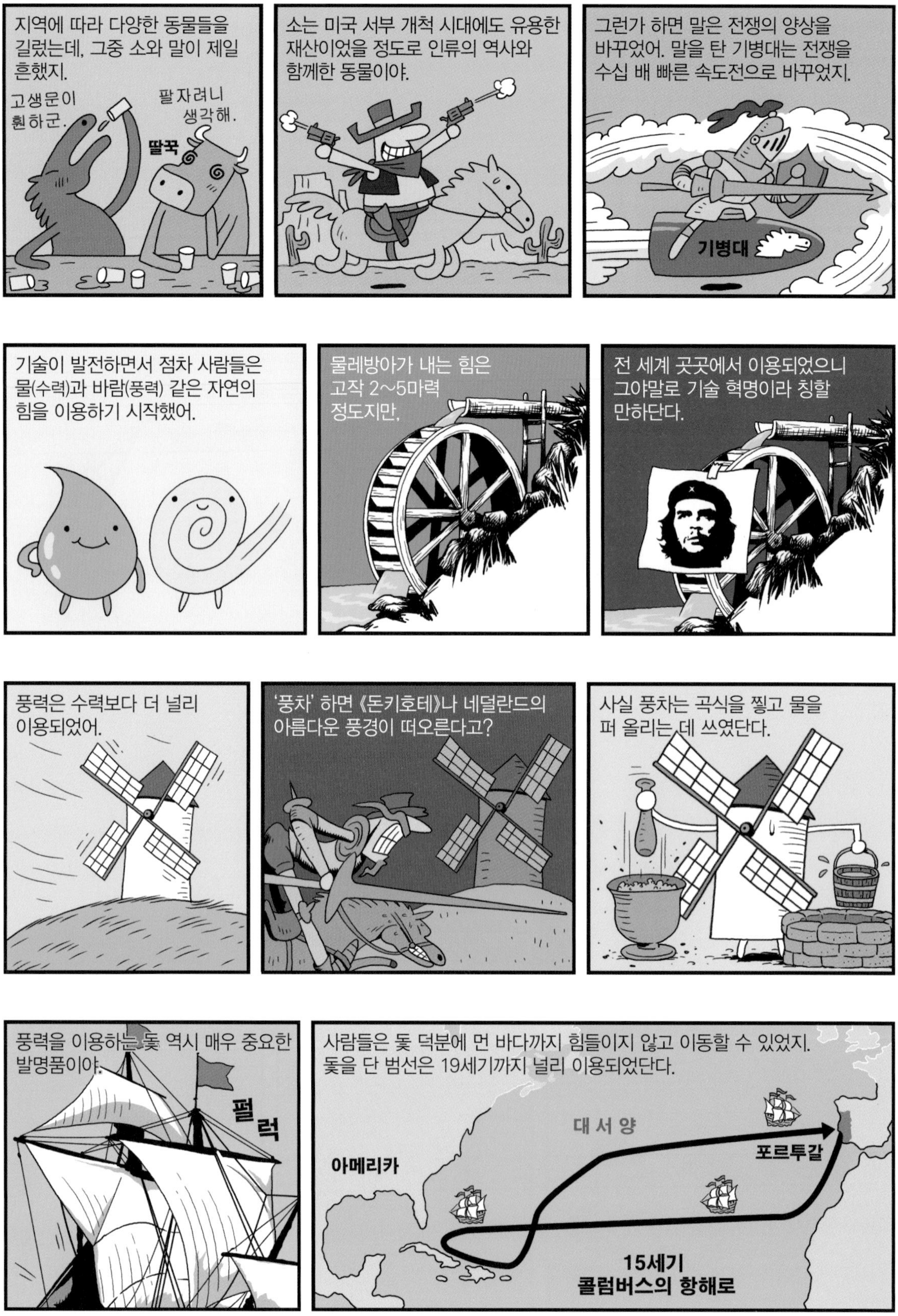
지역에 따라 다양한 동물들을 길렀는데, 그중 소와 말이 제일 흔했지.
고생문이 훤하군.
팔자려니 생각해.
딸꾹
소는 미국 서부 개척 시대에도 유용한 재산이었을 정도로 인류의 역사와 함께한 동물이야.
그런가 하면 말은 전쟁의 양상을 바꾸었어. 말을 탄 기병대는 전쟁을 수십 배 빠른 속도전으로 바꾸었지.
기병대
기술이 발전하면서 점차 사람들은 물(수력)과 바람(풍력) 같은 자연의 힘을 이용하기 시작했어.
물레방아가 내는 힘은 고작 2~5마력 정도지만,
전 세계 곳곳에서 이용되었으니 그야말로 기술 혁명이라 칭할 만하단다.
풍력은 수력보다 더 널리 이용되었어.
'풍차' 하면 《돈키호테》나 네덜란드의 아름다운 풍경이 떠오른다고?
사실 풍차는 곡식을 찧고 물을 퍼 올리는 데 쓰였단다.
풍력을 이용하는 돛 역시 매우 중요한 발명품이야.
펄럭
사람들은 돛 덕분에 먼 바다까지 힘들이지 않고 이동할 수 있었지. 돛을 단 범선은 19세기까지 널리 이용되었단다.
대서양
아메리카
포르투갈
15세기 콜럼버스의 항해로

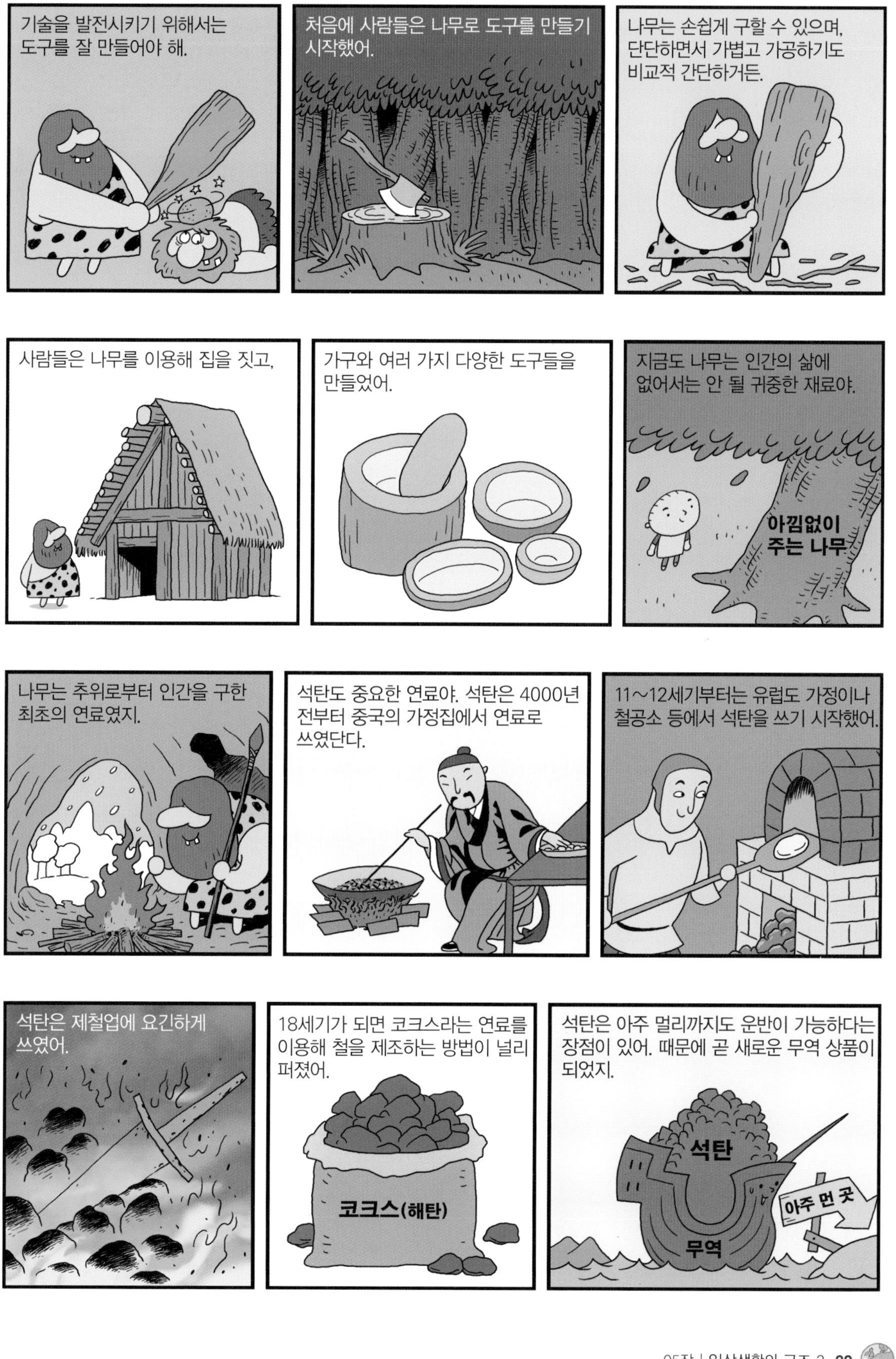
기술을 발전시키기 위해서는 도구를 잘 만들어야 해.
처음에 사람들은 나무로 도구를 만들기 시작했어.
나무는 손쉽게 구할 수 있으며, 단단하면서 가볍고 가공하기도 비교적 간단하거든.
사람들은 나무를 이용해 집을 짓고,
가구와 여러 가지 다양한 도구들을 만들었어.
지금도 나무는 인간의 삶에 없어서는 안 될 귀중한 재료야.
아낌없이 주는 나무
나무는 추위로부터 인간을 구한 최초의 연료였지.
석탄도 중요한 연료야. 석탄은 4000년 전부터 중국의 가정집에서 연료로 쓰였단다.
11~12세기부터는 유럽도 가정이나 철공소 등에서 석탄을 쓰기 시작했어.
석탄은 제철업에 요긴하게 쓰였어.
18세기가 되면 코크스라는 연료를 이용해 철을 제조하는 방법이 널리 퍼졌어.
코크스(해탄)
석탄은 아주 멀리까지도 운반이 가능하다는 장점이 있어. 때문에 곧 새로운 무역 상품이 되었지.
석탄
무역
아주 먼 곳

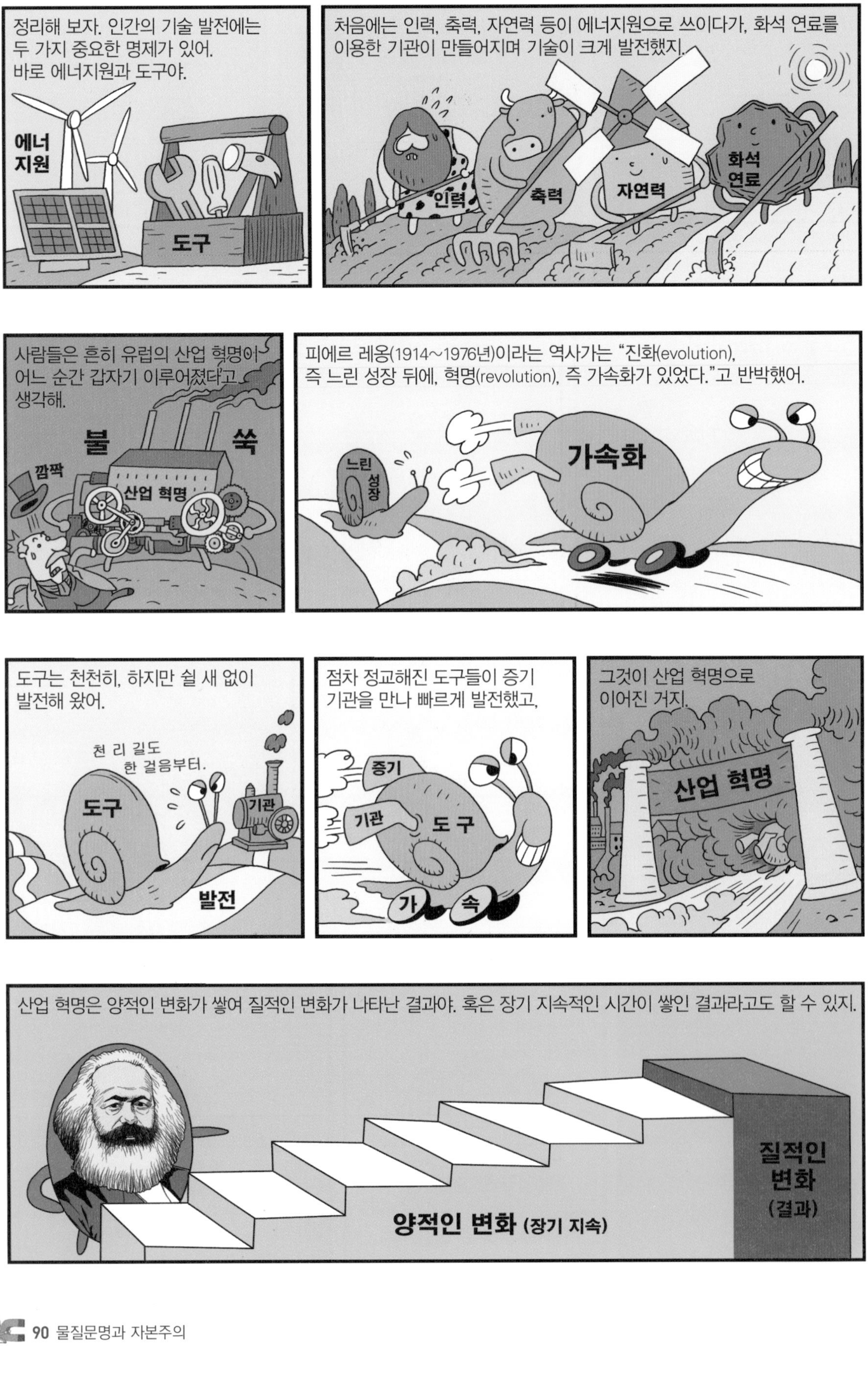

정리해 보자. 인간의 기술 발전에는 두 가지 중요한 명제가 있어. 바로 에너지원과 도구야.
에너지원
도구
처음에는 인력, 축력, 자연력 등이 에너지원으로 쓰이다가, 화석 연료를 이용한 기관이 만들어지며 기술이 크게 발전했지.
인력
축력
자연력
화석 연료
사람들은 흔히 유럽의 산업 혁명이 어느 순간 갑자기 이루어졌다고 생각해.
불
쑥
깜짝
산업 혁명
피에르 레옹(1914~1976년)이라는 역사가는 "진화(evolution), 즉 느린 성장 뒤에, 혁명(revolution), 즉 가속화가 있었다."고 반박했어.
느린 성장
가속화
도구는 천천히, 하지만 쉴 새 없이 발전해 왔어.
천 리 길도 한 걸음부터.
도구
기관
발전
점차 정교해진 도구들이 증기 기관을 만나 빠르게 발전했고,
증기
기관
도 구
가
속
그것이 산업 혁명으로 이어진 거지.
산업 혁명
산업 혁명은 양적인 변화가 쌓여 질적인 변화가 나타난 결과야. 혹은 장기 지속적인 시간이 쌓인 결과라고도 할 수 있지.
양적인 변화 (장기 지속)
질적인 변화 (결과)

인류의 역사에서 철만큼 세상을 바꾼 금속이 있을까?
철 원소 기호
드라마
Fe
철은 일상생활에도 두루 이용된 첫 번째 금속이야.
Fe
인류 역사
철기 이전에 청동기가 있었지. 하지만 청동은 주조가 어렵고 생산량이 적어서,
소수의 특권층만 이용할 수 있었어.
부럽지?
아뇨.
반면에 철은 상대적으로 생산이 쉬워 널리 보급되었으며
인기
짱
철
강도나 내구성도 다른 금속에 비해 매우 뛰어났지.
강도·내구성
측정기
Fe
철기를 먼저 손에 넣은 나라는 전쟁에서 승자가 되었으며
Fe
승자
농업 생산 역시 획기적으로 늘릴 수 있었어.
농업 생산
Fe
철은 기원전 15세기부터 쓰였고, 철기 문화는 기원전 5세기에 중국에서 활짝 꽃을 피웠어.
활
기원전
5세기
기원전 15세기
짝
Fe
상대적으로 제철업의 발전이 느렸던 유럽에서 철은 더욱 중요한 금속이었어.
제철업
철은 창칼이나 화살촉, 화승총, 대포, 탄약의 재료가 되며
Fe
인류 역사를 중세에서 근대로 옮겨 오는 데 결정적인 역할을 했지.
Fe
인류 역사
중세
근대

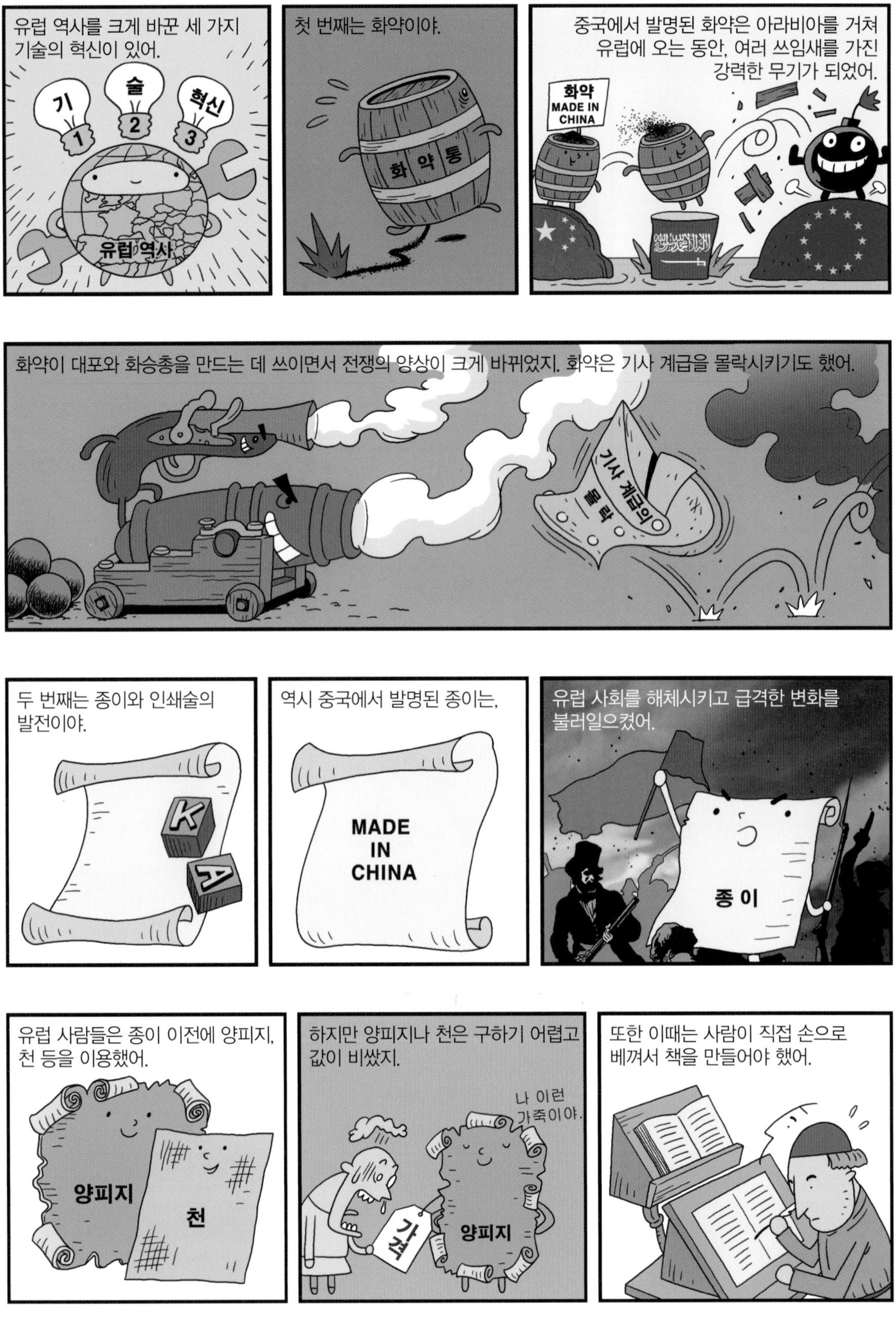

유럽 역사를 크게 바꾼 세 가지 기술의 혁신이 있어.
기 1
술 2
혁신 3
유럽 역사
첫 번째는 화약이야.
화약통
중국에서 발명된 화약은 아라비아를 거쳐 유럽에 오는 동안, 여러 쓰임새를 가진 강력한 무기가 되었어.
화약 MADE IN CHINA
화약이 대포와 화승총을 만드는 데 쓰이면서 전쟁의 양상이 크게 바뀌었지. 화약은 기사 계급을 몰락시키기도 했어.
기사 계급의 몰락
두 번째는 종이와 인쇄술의 발전이야.
K
A
역시 중국에서 발명된 종이는,
MADE IN CHINA
유럽 사회를 해체시키고 급격한 변화를 불러일으켰어.
종이
유럽 사람들은 종이 이전에 양피지, 천 등을 이용했어.
양피지
천
하지만 양피지나 천은 구하기 어렵고 값이 비쌌지.
나 이런 가죽이야.
가격
양피지
또한 이때는 사람이 직접 손으로 베껴서 책을 만들어야 했어.

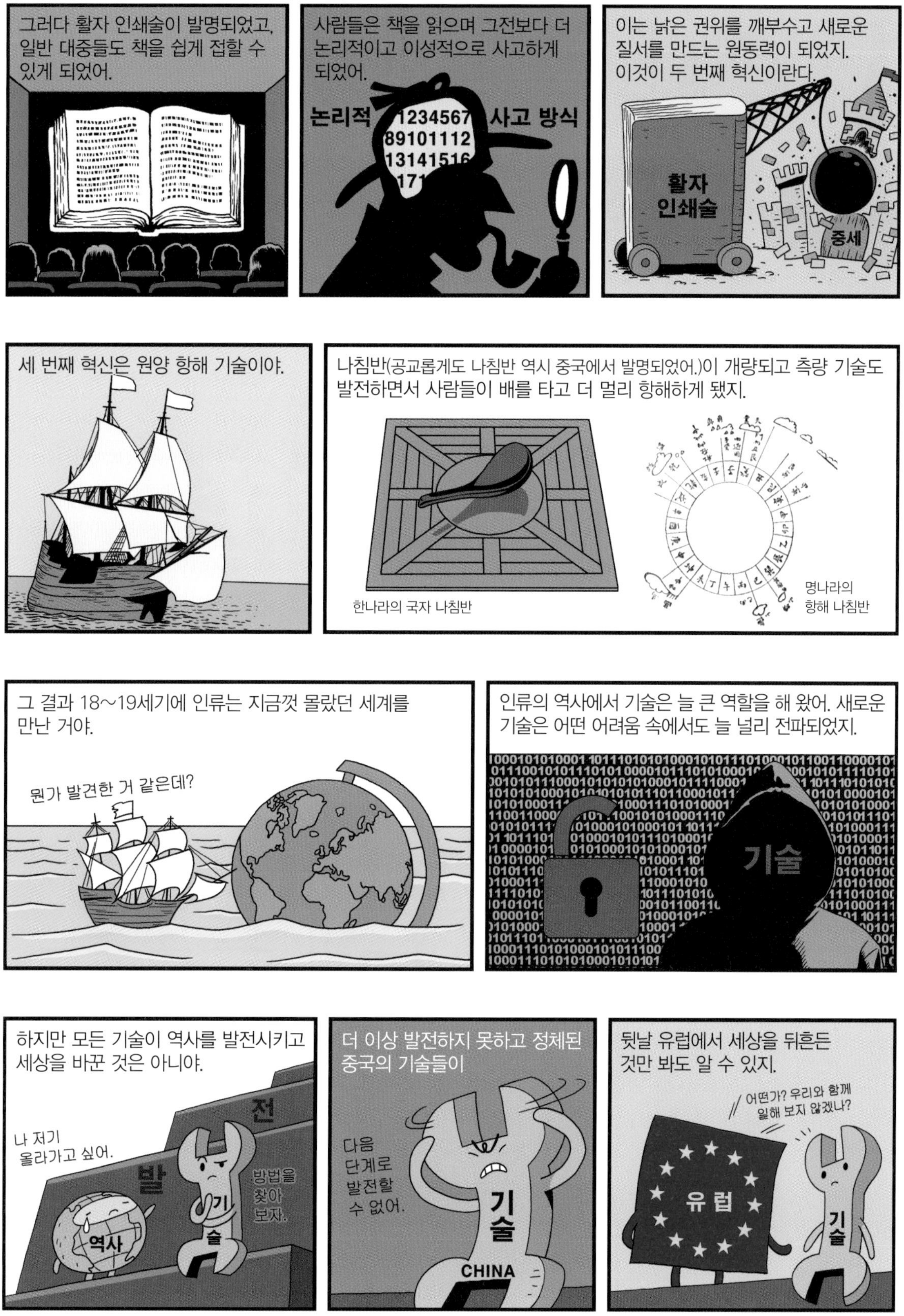
그러다 활자 인쇄술이 발명되었고, 일반 대중들도 책을 쉽게 접할 수 있게 되었어.
사람들은 책을 읽으며 그전보다 더 논리적이고 이성적으로 사고하게 되었어.
논리적
1234567
89101112
13141516
사고 방식
이는 낡은 권위를 깨부수고 새로운 질서를 만드는 원동력이 되었지. 이것이 두 번째 혁신이란다.
활자 인쇄술
중세
세 번째 혁신은 원양 항해 기술이야.
나침반(공교롭게도 나침반 역시 중국에서 발명되었어.)이 개량되고 측량 기술도 발전하면서 사람들이 배를 타고 더 멀리 항해하게 됐지.
한나라의 국자 나침반
명나라의 항해 나침반
그 결과 18~19세기에 인류는 지금껏 몰랐던 세계를 만난 거야.
뭔가 발견한 거 같은데?
인류의 역사에서 기술은 늘 큰 역할을 해 왔어. 새로운 기술은 어떤 어려움 속에서도 늘 널리 전파되었지.
기술
하지만 모든 기술이 역사를 발전시키고 세상을 바꾼 것은 아니야.
전
발
나 저기 올라가고 싶어.
방법을 찾아 보자.
역사
기술
더 이상 발전하지 못하고 정체된 중국의 기술들이
다음 단계로 발전할 수 없어.
기술
CHINA
뒷날 유럽에서 세상을 뒤흔든 것만 봐도 알 수 있지.
어떤가? 우리와 함께 일해 보지 않겠나?
유럽
기술

화폐와 도시
화폐는 사람들의 생활을 보다 편리하게 만들어 주었어.
화폐가 없다면 맛있는 아이스크림을 사 먹기 위해 무거운 쌀을 들고 가야 했을지도 몰라.
곡식
ICE CREAM
화폐가 있으면 부(富)를 집 안에 쌓아 둘 필요가 없어. 사람들은 간단한 통장이나 증서만 가지고 있으면 되지.
37
은 행
통장
하지만 화폐에 장점만 있는 건 아니야.
백
원
화폐로 인해 사람들의 탐욕이 커지고, 부가 더욱더 한쪽에 쏠리게 되었으며,
탐욕
많은 이들이 돈의 노예가 되었지.
어쩌다 사람이 돈의 노예가….
돈
그런데 화폐가 광범위하게 쓰인 지는 얼마 되지 않았어.
네 얘기인가 봐.
네?
백
원
물론 인도는 기원전부터 화폐를 썼고,
인 도
그리스나 로마에서도 금화가 통용되었지.
나, 그리스
난, 로마
하지만 18세기 들어서야 대부분의 지역에서 화폐가 널리 쓰이게 되었단다.
1000
10000
50000

그럼 18세기 이전에는 어떤 화폐가 쓰였을까?
처음에는 필수품이 화폐의 역할을 대신했지.
곡식
나의 조상?
화폐
곡식이나 옷감, 소금 같은 것들 말이야.
옷감
소금
하지만 이런 것들은 부피가 크고 보관하기도 까다로워.
그래서 아프리카의 세네갈이나 니제르 왕국에서는 수정 모양으로 다듬은 손가락 길이의 소금을 화폐로 대신했어.
그렇지만 소금 화폐를 잔뜩 짊어지고 가다가 자칫 비라도 맞으면 어떻게 될까?
재산이 한순간에 날아가 버리겠지.
한 푼만 줍쇼, 네?
그 뒤로는 바다달팽이 껍질이나 조개껍질 등이 화폐로 쓰였어.
어느 지역에서는 산호가 그것을 대신했지.
하지만 이런 것들은 어떤 물건의 가치를 그대로 나타내기에는 여전히 부족했지.
사람들이 나보고 많이 부족하대. 흑흑.
옳은 말이네, 뭐.
그래서 화폐로서 널리 쓰이지는 못했어.
제한 속도
10

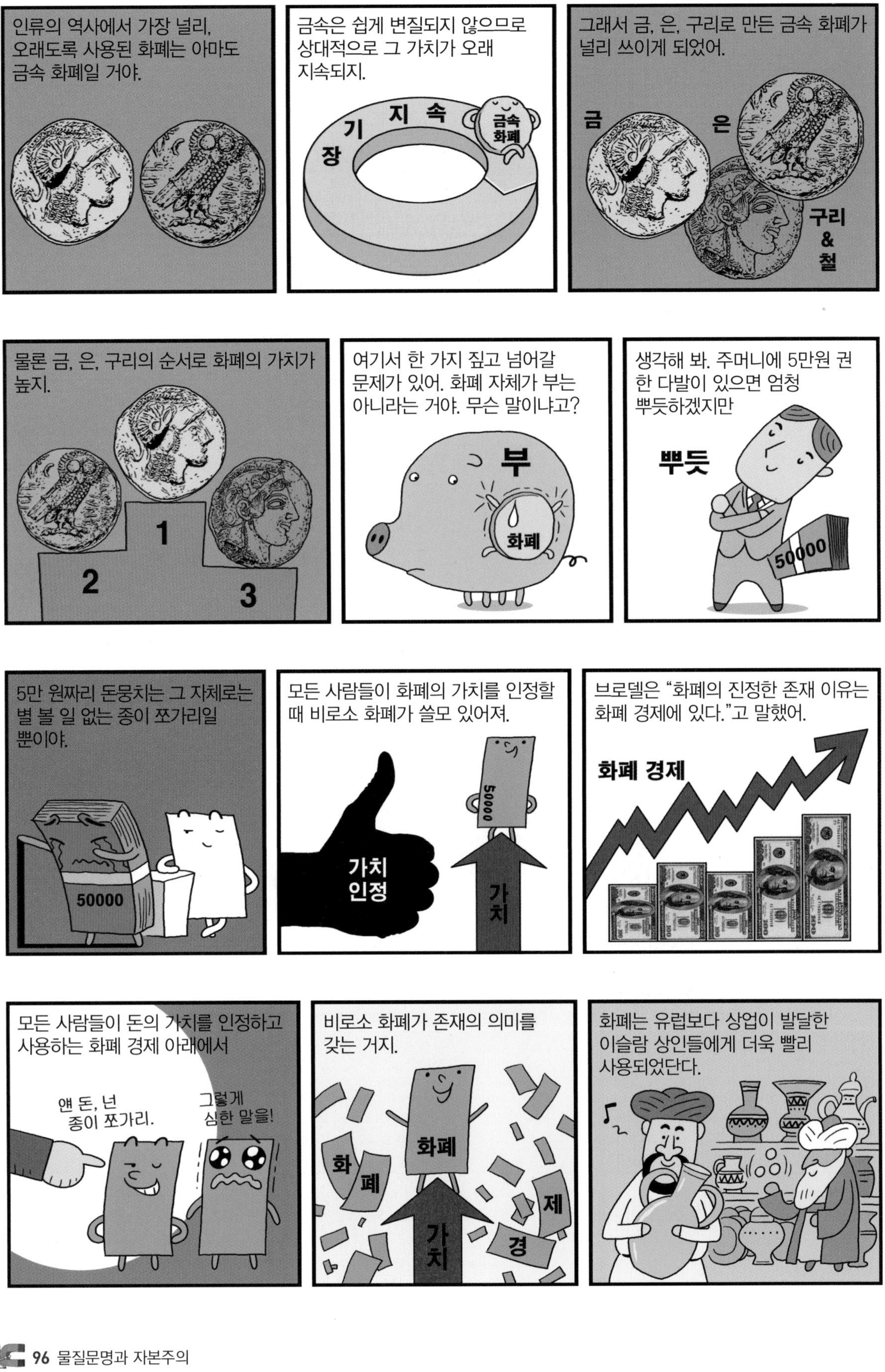
인류의 역사에서 가장 널리, 오래도록 사용된 화폐는 아마도 금속 화폐일 거야.
금속은 쉽게 변질되지 않으므로 상대적으로 그 가치가 오래 지속되지.
장기지속
금속 화폐
그래서 금, 은, 구리로 만든 금속 화폐가 널리 쓰이게 되었어.
금
은
구리 & 철
물론 금, 은, 구리의 순서로 화폐의 가치가 높지.
1
2
3
여기서 한 가지 짚고 넘어갈 문제가 있어. 화폐 자체가 부는 아니라는 거야. 무슨 말이냐고?
부
화폐
생각해 봐. 주머니에 5만원 권 한 다발이 있으면 엄청 뿌듯하겠지만
뿌듯
50000
5만 원짜리 돈뭉치는 그 자체로는 별 볼 일 없는 종이 쪼가리일 뿐이야.
50000
모든 사람들이 화폐의 가치를 인정할 때 비로소 화폐가 쓸모 있어져.
가치 인정
50000
가치
브로델은 "화폐의 진정한 존재 이유는 화폐 경제에 있다."고 말했어.
화폐 경제
모든 사람들이 돈의 가치를 인정하고 사용하는 화폐 경제 아래에서
얜 돈, 넌 종이 쪼가리.
그렇게 심한 말을!
비로소 화폐가 존재의 의미를 갖는 거지.
화폐
화폐
가치
경제
화폐는 유럽보다 상업이 발달한 이슬람 상인들에게 더욱 빨리 사용되었단다.

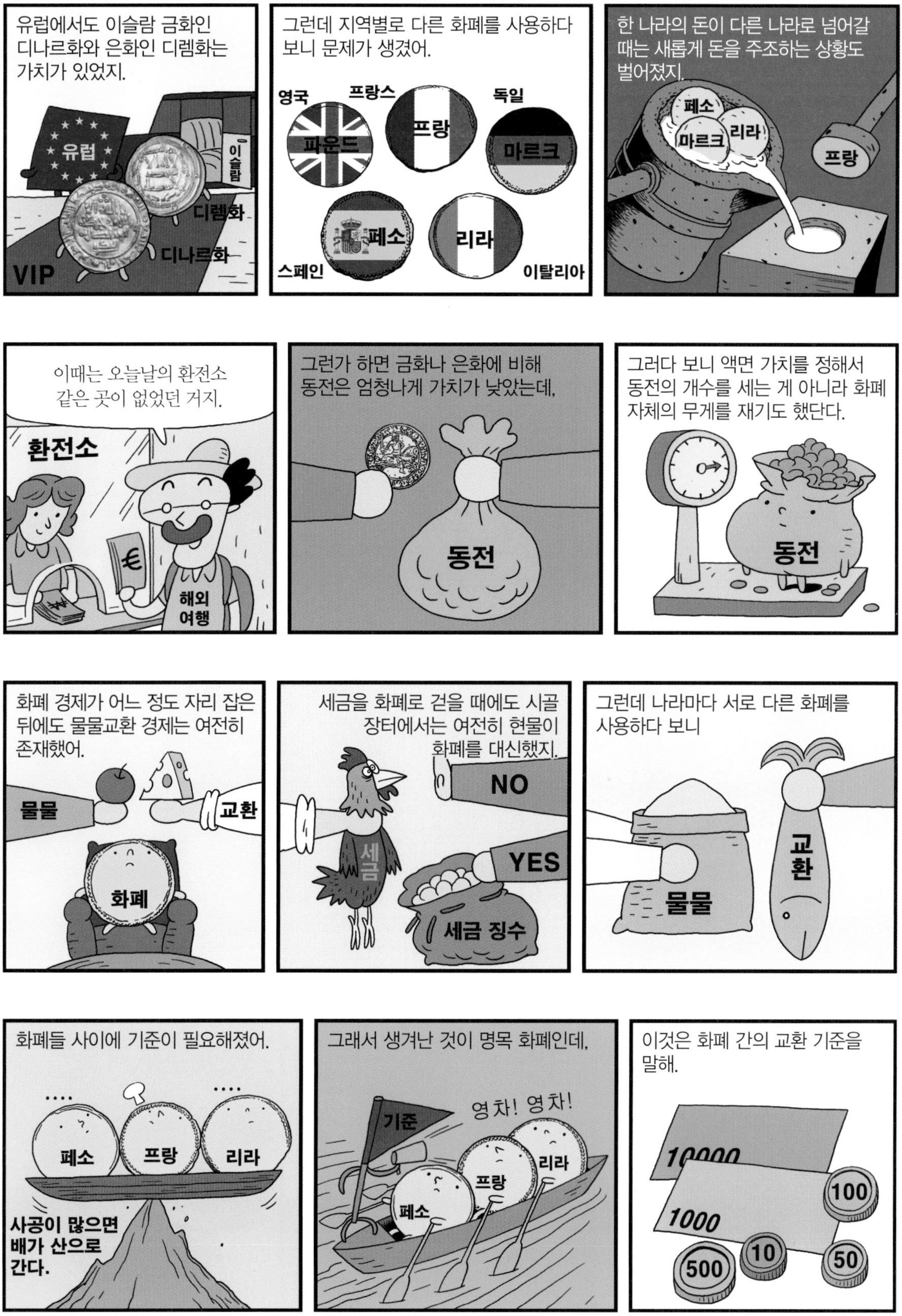

유럽에서도 이슬람 금화인 디나르화와 은화인 디렘화는 가치가 있었지.
유럽
이슬람
디렘화
디나르화
VIP
그런데 지역별로 다른 화폐를 사용하다 보니 문제가 생겼어.
영국
파운드
프랑스
프랑
독일
마르크
스페인
페소
리라
이탈리아
한 나라의 돈이 다른 나라로 넘어갈 때는 새롭게 돈을 주조하는 상황도 벌어졌지.
페소
마르크
리라
프랑
이때는 오늘날의 환전소 같은 곳이 없었던 거지.
환전소
€
₩
해외 여행
그런가 하면 금화나 은화에 비해 동전은 엄청나게 가치가 낮았는데,
동전
그러다 보니 액면 가치를 정해서 동전의 개수를 세는 게 아니라 화폐 자체의 무게를 재기도 했단다.
동전
화폐 경제가 어느 정도 자리 잡은 뒤에도 물물교환 경제는 여전히 존재했어.
물물
교환
화폐
세금을 화폐로 걷을 때에도 시골 장터에서는 여전히 현물이 화폐를 대신했지.
NO
세금
YES
세금 징수
그런데 나라마다 서로 다른 화폐를 사용하다 보니
물물
교환
화폐들 사이에 기준이 필요해졌어.
페소
프랑
리라
사공이 많으면 배가 산으로 간다.
그래서 생겨난 것이 명목 화폐인데,
기준
영차! 영차!
리라
프랑
페소
이것은 화폐 간의 교환 기준을 말해.
10000
1000
100
10
500
50

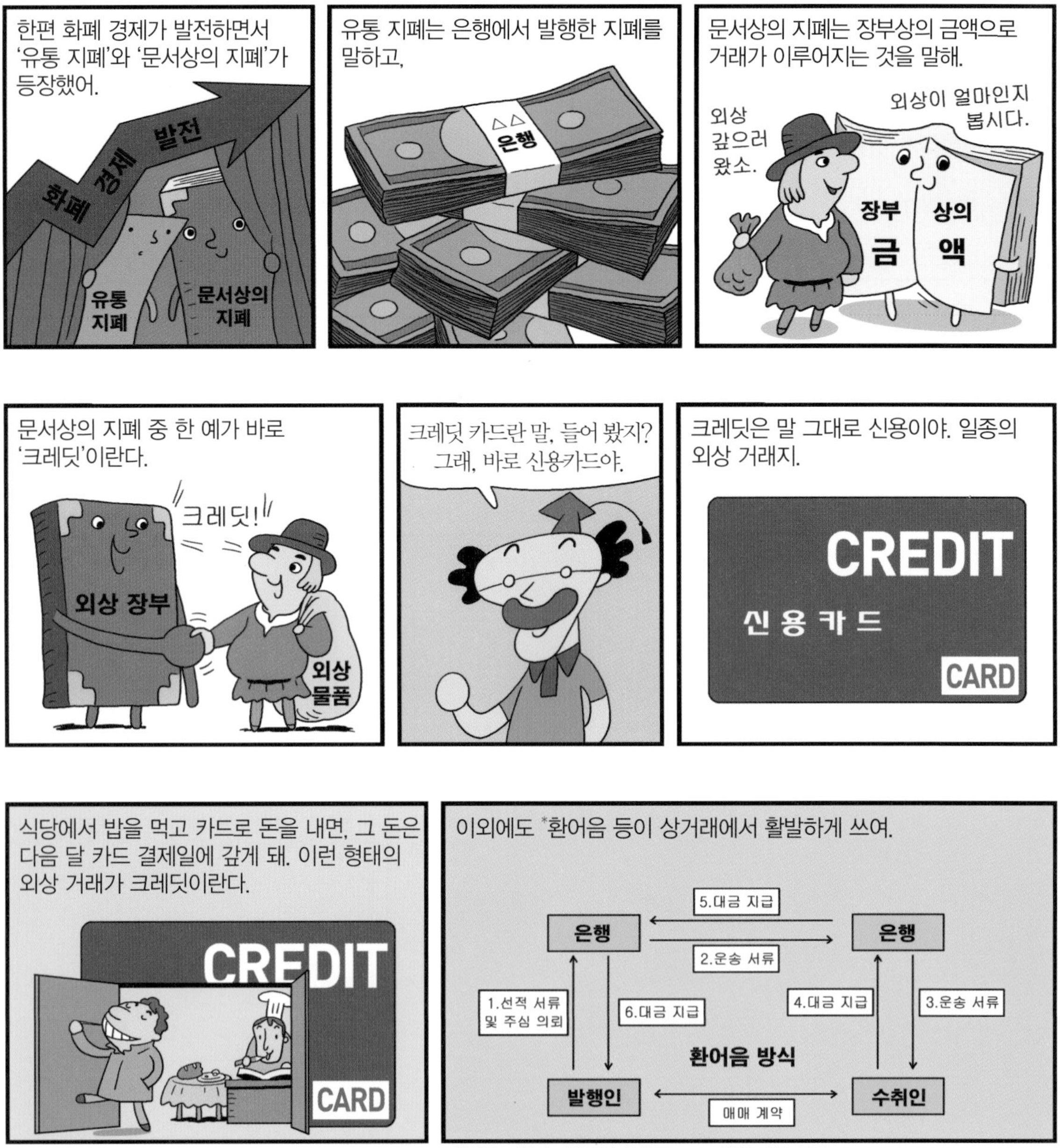
한편 화폐 경제가 발전하면서 '유통 지폐'와 '문서상의 지폐'가 등장했어.
화폐 경제 발전
유통 지폐
문서상의 지폐
유통 지폐는 은행에서 발행한 지폐를 말하고,
△△ 은행
문서상의 지폐는 장부상의 금액으로 거래가 이루어지는 것을 말해.
외상 갚으러 왔소.
외상이 얼마인지 봅시다.
장부 상의 금 액
문서상의 지폐 중 한 예가 바로 '크레딧'이란다.
크레딧!
외상 장부
외상 물품
크레딧 카드란 말, 들어 봤지? 그래, 바로 신용카드야.
크레딧은 말 그대로 신용이야. 일종의 외상 거래지.
CREDIT
신용카드
CARD
식당에서 밥을 먹고 카드로 돈을 내면, 그 돈은 다음 달 카드 결제일에 갚게 돼. 이런 형태의 외상 거래가 크레딧이란다.
CREDIT
CARD
이외에도 *환어음 등이 상거래에서 활발하게 쓰여.
5.대금 지급
은행
은행
2.운송 서류
1.선적 서류 및 추심 의뢰
6.대금 지급
4.대금 지급
3.운송 서류
환어음 방식
발행인
수취인
매매 계약

* 환어음: 어음에 기입된 날짜에 돈으로 교환하는 약속 증서.

아마 옛날 사람들은 이런 거래를 이상한 속임수라고 생각했을 거야.
속임수
크레딧이나 환어음 같은 실체가 없는 화폐를 두고 악마 같은 것이라며 깜짝 놀랐을지도 몰라.
하지만 크레딧이나 환어음은 오늘날 널리 쓰이는 금융 기법이야.
자금 융통
갑
금융
을
이자+원금 상환

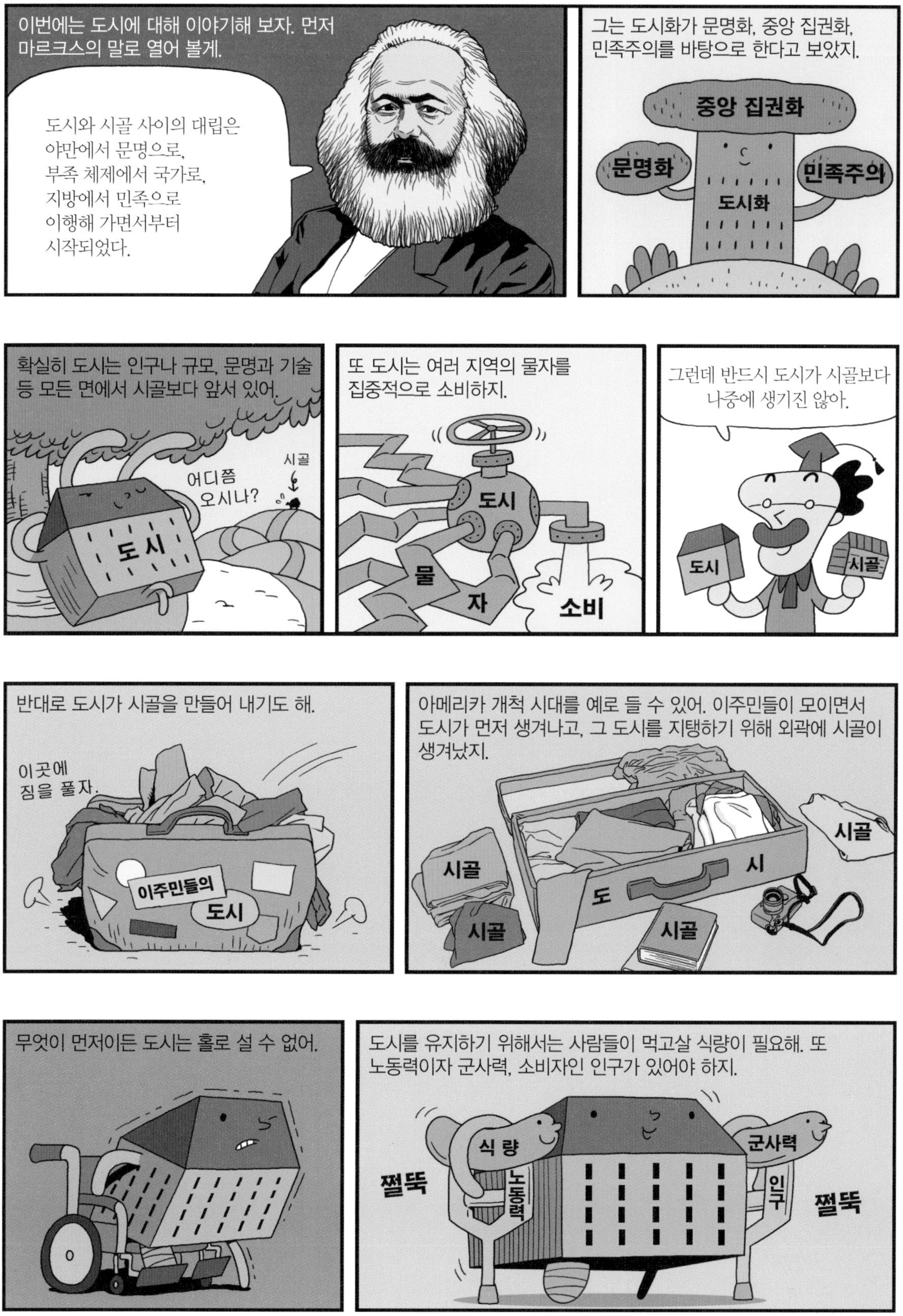
이번에는 도시에 대해 이야기해 보자. 먼저 마르크스의 말로 열어 볼게.
도시와 시골 사이의 대립은 야만에서 문명으로, 부족 체제에서 국가로, 지방에서 민족으로 이행해 가면서부터 시작되었다.
그는 도시화가 문명화, 중앙 집권화, 민족주의를 바탕으로 한다고 보았지.
중앙 집권화
문명화
민족주의
도시화
확실히 도시는 인구나 규모, 문명과 기술 등 모든 면에서 시골보다 앞서 있어.
어디쯤 오시나?
시골
도시
또 도시는 여러 지역의 물자를 집중적으로 소비하지.
도시
물
자
소비
그런데 반드시 도시가 시골보다 나중에 생기진 않아.
도시
시골
반대로 도시가 시골을 만들어 내기도 해.
이곳에 짐을 풀자.
이주민들의
도시
아메리카 개척 시대를 예로 들 수 있어. 이주민들이 모이면서 도시가 먼저 생겨나고, 그 도시를 지탱하기 위해 외곽에 시골이 생겨났지.
시골
시골
도
시
시골
시골
무엇이 먼저이든 도시는 홀로 설 수 없어.
도시를 유지하기 위해서는 사람들이 먹고살 식량이 필요해. 또 노동력이자 군사력, 소비자인 인구가 있어야 하지.
식 량
노동력
군사력
인구
쩔뚝
쩔뚝

그래서 도시는 늘 시골과
유기적인 관계를 맺고 있어.
시골
도시

도시는 시골에 의료 서비스와 법률
자문 등을 제공하고, 여러 도구를
생산해 판매하며,
도시
판매
의료
법률 자문
생산
시골

지역민을 단결시켜 줘.
단결!
지역
♪우리는 하나♬
도시

또한 *앙시앵레짐 시기에 외적의 침입으로부터 지역을 지켜 주었어.
도시는 대부분 성으로 둘러싸여 있어서

성을 중심으로 하나의 장원, 또는 지역이
만들어졌어.

* 앙시앵레짐: 1789년의 프랑스 혁명 이전의 제도. 주로 16세기 초부터 시작된 절대 왕정 시대의 체제를 가리킨다.

하지만 성은 대포라는 무기가 나타나면서 그다지 큰 의미가 없어졌어. 대포만 있으면 제아무리 단단한 성이라도 쉽게
무너져 버렸거든.

점차 물리적인 방어책보다 무역과
산업 중심지로서의 도시의 역할이
더욱 중요해졌어.
도시
시대 발전 임명장
국
가

즉, 시장(market)으로서의
기능이 강화되었지.
강
화
MARKET
도
시

하나의 큰 도시가 생기면
그 주위로 소도시가 만들어져.
대도시
소
도
시

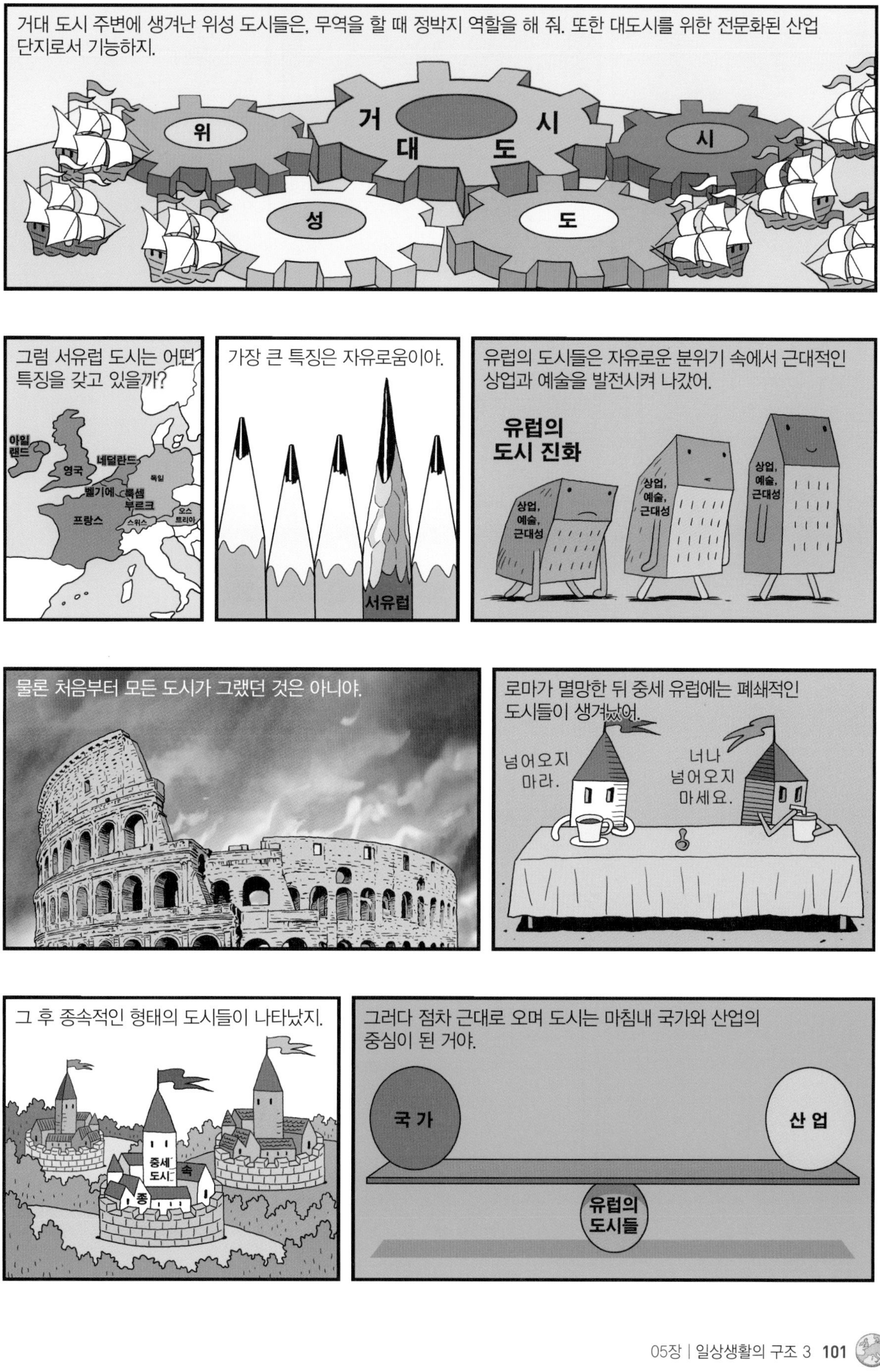
거대 도시 주변에 생겨난 위성 도시들은, 무역을 할 때 정박지 역할을 해 줘. 또한 대도시를 위한 전문화된 산업 단지로서 기능하지.
거대도시
위성도시
그럼 서유럽 도시는 어떤 특징을 갖고 있을까?
아일랜드
영국
네덜란드
독일
벨기에
룩셈부르크
프랑스
스위스
오스트리아
가장 큰 특징은 자유로움이야.
서유럽
유럽의 도시들은 자유로운 분위기 속에서 근대적인 상업과 예술을 발전시켜 나갔어.
유럽의 도시 진화
상업, 예술, 근대성
상업, 예술, 근대성
상업, 예술, 근대성
물론 처음부터 모든 도시가 그랬던 것은 아니야.
로마가 멸망한 뒤 중세 유럽에는 폐쇄적인 도시들이 생겨났어.
넘어오지 마라.
너나 넘어오지 마세요.
그 후 종속적인 형태의 도시들이 나타났지.
중세 도시
종속
그러다 점차 근대로 오며 도시는 마침내 국가와 산업의 중심이 된 거야.
국가
산업
유럽의 도시들

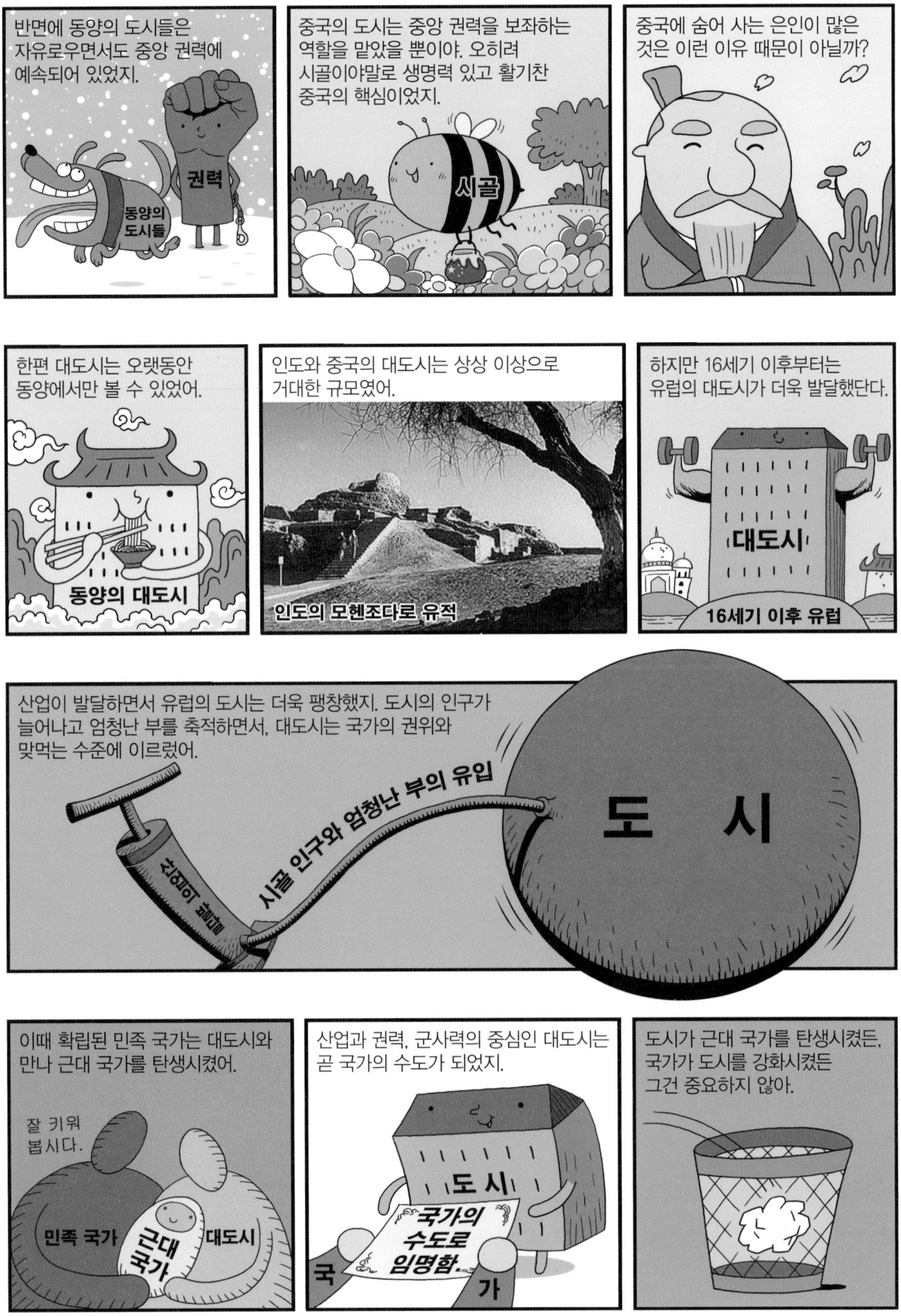
반면에 동양의 도시들은 자유로우면서도 중앙 권력에 예속되어 있었지.
권력
동양의 도시들
중국의 도시는 중앙 권력을 보좌하는 역할을 맡았을 뿐이야. 오히려 시골이야말로 생명력 있고 활기찬 중국의 핵심이었지.
시골
중국에 숨어 사는 은인이 많은 것은 이런 이유 때문이 아닐까?
한편 대도시는 오랫동안 동양에서만 볼 수 있었어.
동양의 대도시
인도와 중국의 대도시는 상상 이상으로 거대한 규모였어.
인도의 모헨조다로 유적
하지만 16세기 이후부터는 유럽의 대도시가 더욱 발달했단다.
대도시
16세기 이후 유럽
산업이 발달하면서 유럽의 도시는 더욱 팽창했지. 도시의 인구가 늘어나고 엄청난 부를 축적하면서, 대도시는 국가의 권위와 맞먹는 수준에 이르렀어.
시골 인구와 엄청난 부의 유입
도 시
이때 확립된 민족 국가는 대도시와 만나 근대 국가를 탄생시켰어.
잘 키워 봅시다.
민족 국가
근대 국가
대도시
산업과 권력, 군사력의 중심인 대도시는 곧 국가의 수도가 되었지.
도시
국가의 수도로 임명함.
국
가
도시가 근대 국가를 탄생시켰든, 국가가 도시를 강화시켰든 그건 중요하지 않아.

주목할 점은 유럽이 자유롭고 창조적인 대도시와 함께 세계의 지배자로 우뚝 설 수 있었다는 것이지.
자유
창조
결속
세계
유럽
대도시

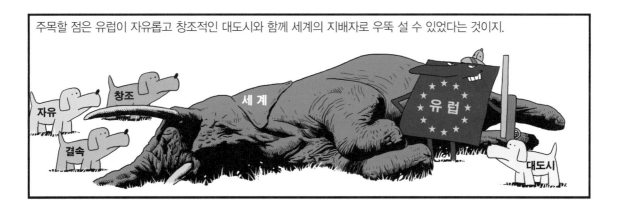

물론 대도시가 자본주의의 중심에 자리 잡고 있는 만큼 폐해도 많아.
폐해
대도시
자본주의

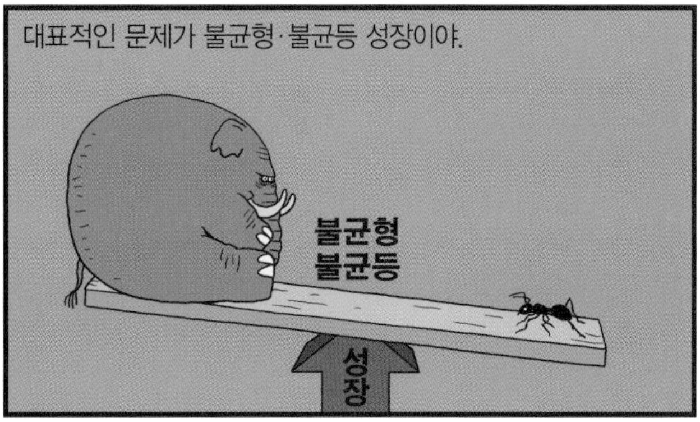
대표적인 문제가 불균형·불균등 성장이야.
불균형
불균등
성장

대도시는 주변 지역의 부를 독점하지.
여긴 내 구역! 넘보지 마!
누가 할 소릴!
대도시
대도시
독점
독점

루소는 《에밀》에서 이렇게 말했단다.
대도시는 국가의 진을 빼고 국가를 약화시킨다.
장 자크 루소
(1712~1778년)
국가
대도시
대도시

그럼에도 불구하고 도시는 인류의 역사와 과학 기술을 발전시키는 데 중요한 역할을 했어.
전
인류 역사
과학
발
대 도 시

도시로 인해 보다 큰 가능성이 생기고 생산성이 높아진 건 분명한 사실이란다.
대도시
생산성
가능성

6장 교환의 세계 1
– 자본주의 이전

자본주의

오래전 사람들은 필요한 물건을 직접 만들어 썼어.

고기가 먹고 싶은 사람은
꿀꺽

짐승을 사냥할 도구를 만들어야 했어.

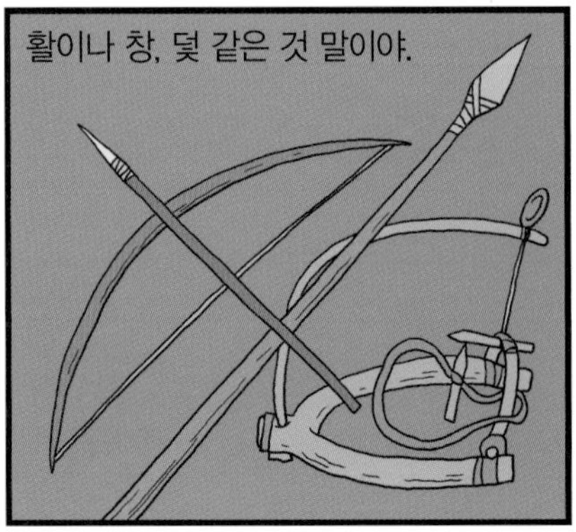
활이나 창, 덫 같은 것 말이야.

도구를 만들려면 돌을 깨고 부수어서 날카로운 칼로 삼고

식물 줄기를 엮어 끈으로 이용해야 해.

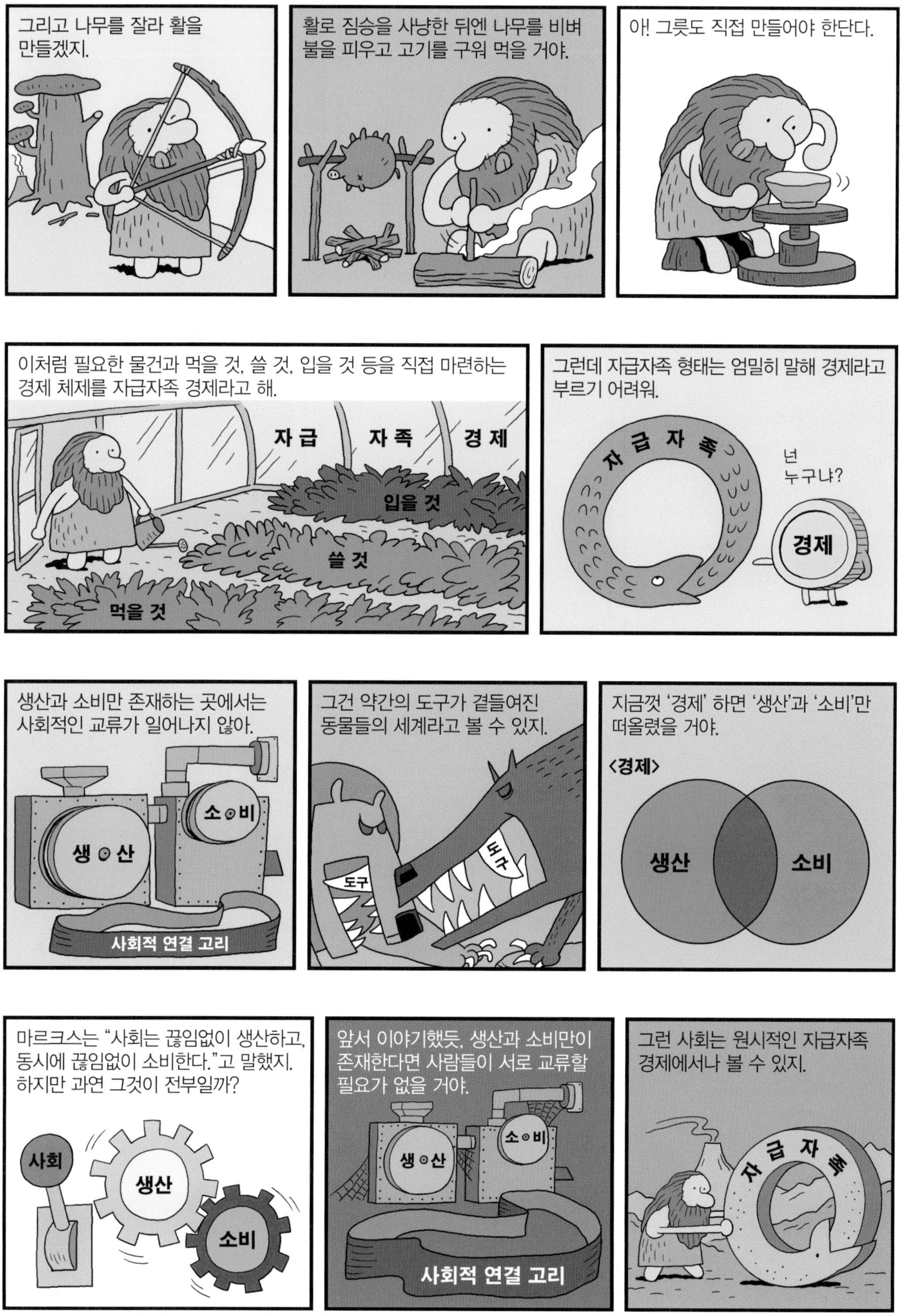
그리고 나무를 잘라 활을 만들겠지.
활로 짐승을 사냥한 뒤엔 나무를 비벼 불을 피우고 고기를 구워 먹을 거야.
아! 그릇도 직접 만들어야 한단다.
이처럼 필요한 물건과 먹을 것, 쓸 것, 입을 것 등을 직접 마련하는 경제 체제를 자급자족 경제라고 해.
자급 자족 경제
입을 것
쓸 것
먹을 것
그런데 자급자족 형태는 엄밀히 말해 경제라고 부르기 어려워.
자급자족
넌 누구냐?
경제
생산과 소비만 존재하는 곳에서는 사회적인 교류가 일어나지 않아.
소비
생산
사회적 연결 고리
그건 약간의 도구가 곁들여진 동물들의 세계라고 볼 수 있지.
도구
도구
지금껏 '경제' 하면 '생산'과 '소비'만 떠올렸을 거야.
<경제>
생산
소비
마르크스는 "사회는 끊임없이 생산하고, 동시에 끊임없이 소비한다."고 말했지. 하지만 과연 그것이 전부일까?
사회
생산
소비
앞서 이야기했듯, 생산과 소비만이 존재한다면 사람들이 서로 교류할 필요가 없을 거야.
생산
소비
사회적 연결 고리
그런 사회는 원시적인 자급자족 경제에서나 볼 수 있지.
자급자족

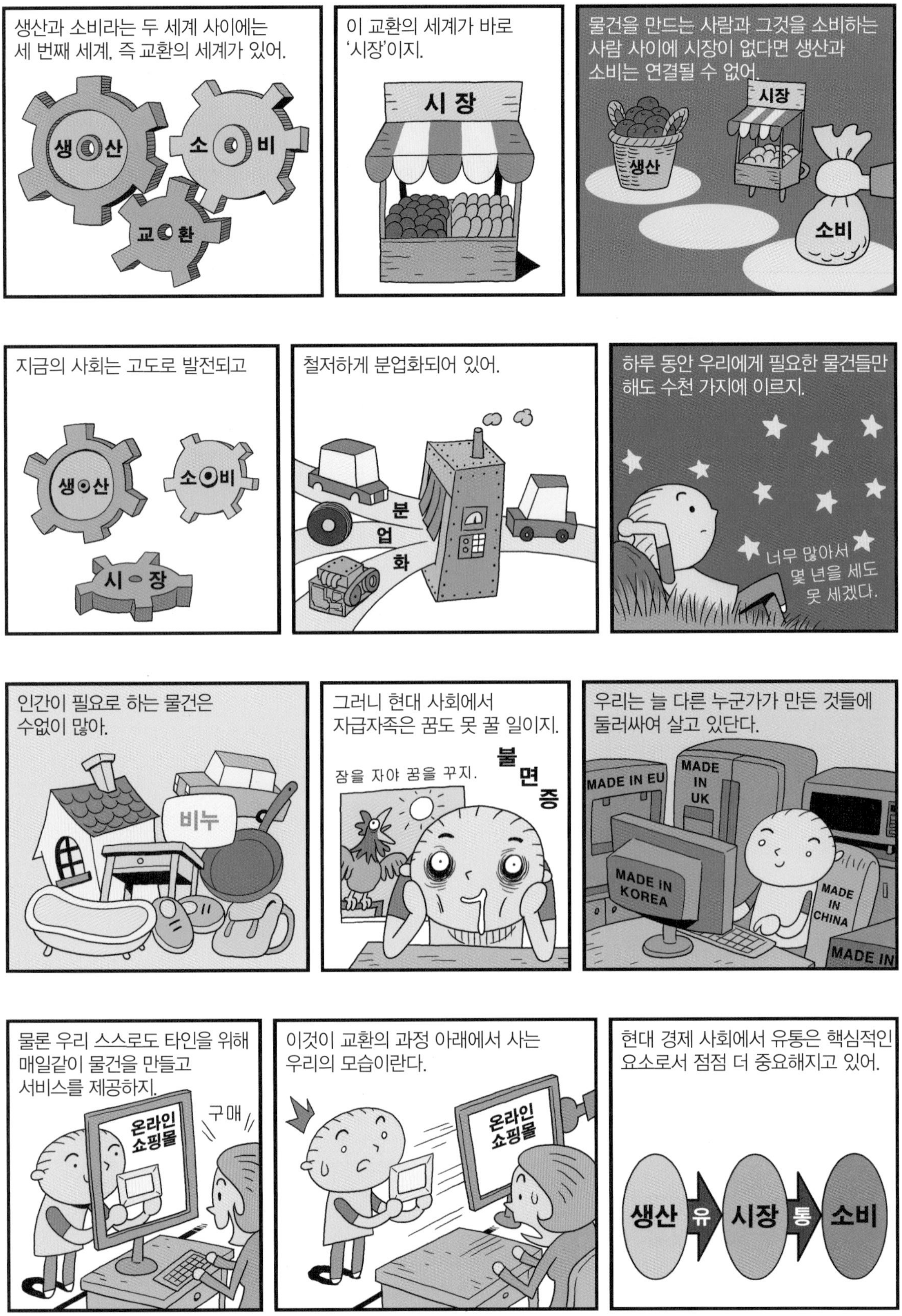
생산과 소비라는 두 세계 사이에는
세 번째 세계, 즉 교환의 세계가 있어.
생산
소비
교환
이 교환의 세계가 바로
'시장'이지.
시장
물건을 만드는 사람과 그것을 소비하는
사람 사이에 시장이 없다면 생산과
소비는 연결될 수 없어.
시장
생산
소비
지금의 사회는 고도로 발전되고
생산
소비
시장
철저하게 분업화되어 있어.
분업화
하루 동안 우리에게 필요한 물건들만
해도 수천 가지에 이르지.
너무 많아서
몇 년을 세도
못 세겠다.
인간이 필요로 하는 물건은
수없이 많아.
비누
그러니 현대 사회에서
자급자족은 꿈도 못 꿀 일이지.
잠을 자야 꿈을 꾸지.
불면증
우리는 늘 다른 누군가가 만든 것들에
둘러싸여 살고 있단다.
MADE IN EU
MADE IN UK
MADE IN KOREA
MADE IN CHINA
MADE IN
물론 우리 스스로도 타인을 위해
매일같이 물건을 만들고
서비스를 제공하지.
온라인 쇼핑몰
구매
이것이 교환의 과정 아래에서 사는
우리의 모습이란다.
온라인 쇼핑몰
현대 경제 사회에서 유통은 핵심적인
요소로서 점점 더 중요해지고 있어.
생산
유
시장
통
소비

유통을 담당하는 시장은 어느 정도 분업화가 이루어진 곳이라면 어디든 존재했어. 고대의 바빌로니아, 그리스, 중국의 상나라에도 시장이 있었지.
시장
시장
시장
그리스
바빌론
중국
15~18세기 유럽도 예외는 아니었어. 이 시기 유럽에서는 산업 혁명이 일어나고 사회 전반에 자본주의가 싹트기 시작했어.
자본
주의
당시는 영주의 성을 중심으로 도시와 농촌이 확연히 분리되어 있었는데,
영주의 성
도시
농촌
이때 농촌은 도시에 생산물을 제공하는 형태였어.
제 공
농촌
생산물
도시
농촌은 식량과 옷감, 철광석과 땔감 등 거의 모든 물품을 도시에 공급해 주었어.
농촌&어촌
모든 물품
공급
도시
도시의 시장은 이러한 것들이 거래되는 곳이었지.
생산자
거래
소비자
점차 시장은 아주 작은 마을에도 생겨나며 경제적 교류와 발전을 이끌었고,
발전
경제적 교류
시장
소읍
시장이 서는 곳은 늘 경제와 사회 활동의 중심지가 되었어.
시장
경
제
시장을 이용하는 사람들이 늘어나면서, 전문적인 시장이 생겨나기도 했어.
전 문 화
시장
시장
시장
양을 사고팔았던 영국의 거래 시장이나
영국 양 거래 시장
프랑스의 와인 시장처럼 한 가지 상품을 집중적으로 거래하는 시장들이 등장했어.
와인 시장

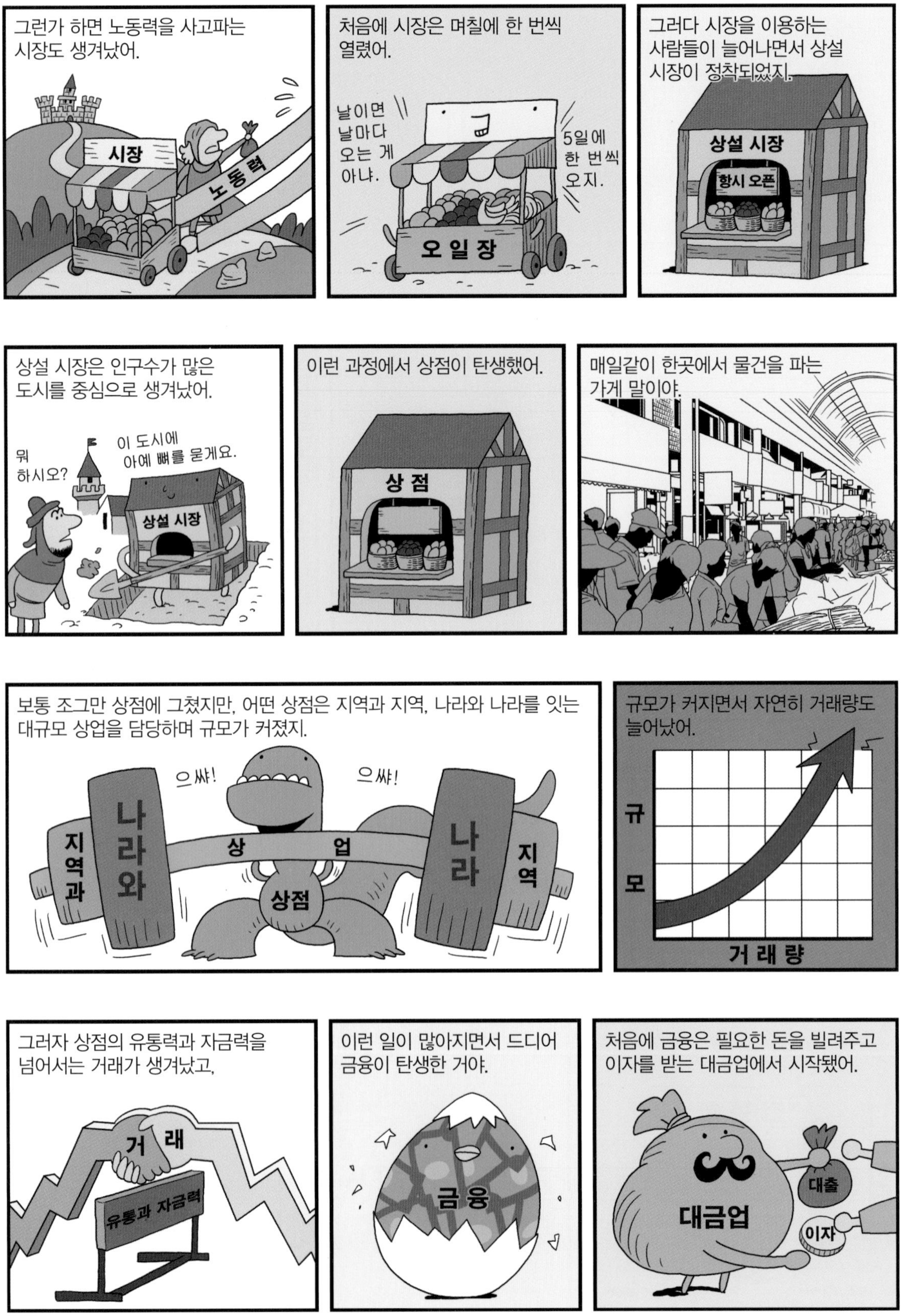
그런가 하면 노동력을 사고파는 시장도 생겨났어.
시장
노동력
처음에 시장은 며칠에 한 번씩 열렸어.
날이면 날마다 오는 게 아냐.
5일에 한 번씩 오지.
오일장
그러다 시장을 이용하는 사람들이 늘어나면서 상설 시장이 정착되었지.
상설 시장
항시 오픈
상설 시장은 인구수가 많은 도시를 중심으로 생겨났어.
뭐 하시오?
이 도시에 아예 뼈를 묻게요.
상설 시장
이런 과정에서 상점이 탄생했어.
상점
매일같이 한곳에서 물건을 파는 가게 말이야.
보통 조그만 상점에 그쳤지만, 어떤 상점은 지역과 지역, 나라와 나라를 잇는 대규모 상업을 담당하며 규모가 커졌지.
으쌰!
으쌰!
지역과
나라와
상
업
상점
나라
지역
규모가 커지면서 자연히 거래량도 늘어났어.
규모
거래량
그러자 상점의 유통력과 자금력을 넘어서는 거래가 생겨났고,
거래
유통과 자금력
이런 일이 많아지면서 드디어 금융이 탄생한 거야.
금융
처음에 금융은 필요한 돈을 빌려주고 이자를 받는 대금업에서 시작됐어.
대금업
대출
이자

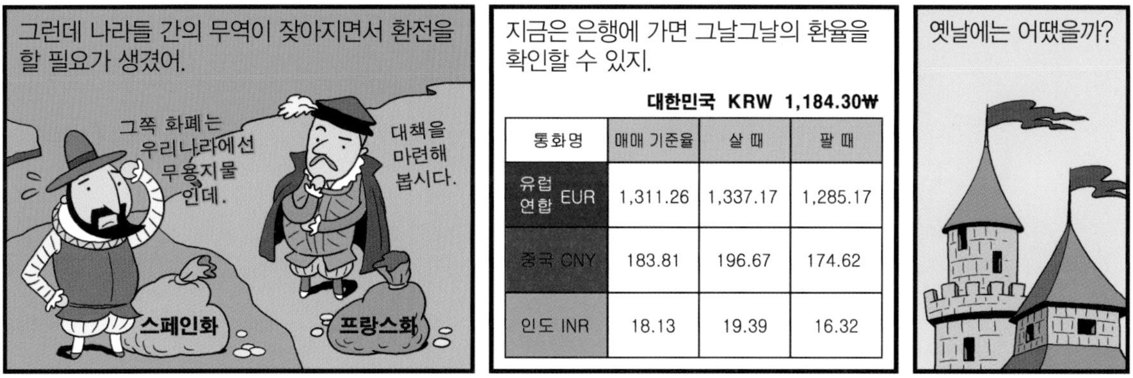

그런데 나라들 간의 무역이 잦아지면서 환전을 할 필요가 생겼어.
그쪽 화폐는 우리나라에선 무용지물인데.
대책을 마련해 봅시다.
스페인화
프랑스화
지금은 은행에 가면 그날그날의 환율을 확인할 수 있지.
대한민국 KRW 1,184.30₩
옛날에는 어땠을까?

통화명	매매 기준율	살 때	팔 때
유럽 연합 EUR	1,311.26	1,337.17	1,285.17
중국 CNY	183.81	196.67	174.62
인도 INR	18.13	19.39	16.32

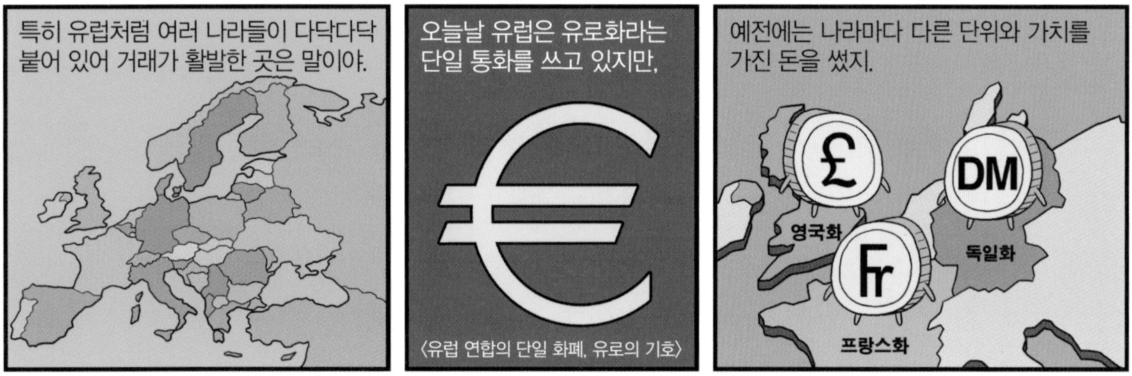

특히 유럽처럼 여러 나라들이 다닥다닥 붙어 있어 거래가 활발한 곳은 말이야.
오늘날 유럽은 유로화라는 단일 통화를 쓰고 있지만,
〈유럽 연합의 단일 화폐, 유로의 기호〉
예전에는 나라마다 다른 단위와 가치를 가진 돈을 썼지.
£
DM
Fr
영국화
독일화
프랑스화

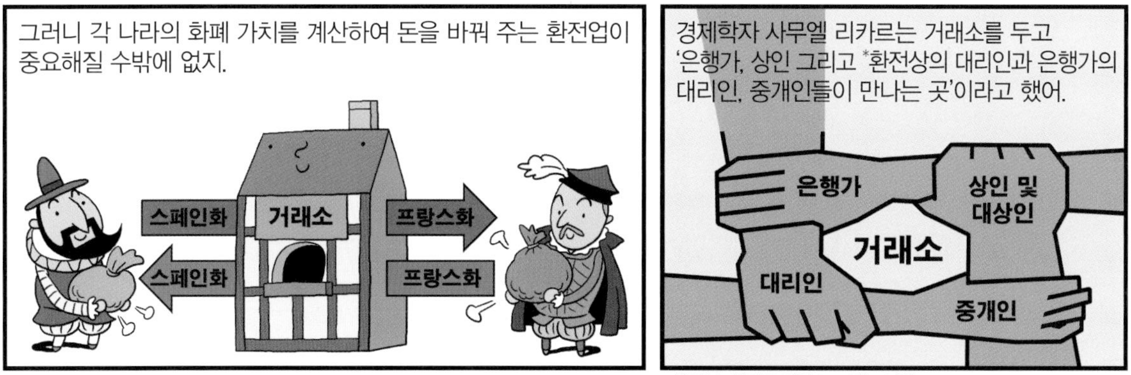

그러니 각 나라의 화폐 가치를 계산하여 돈을 바꿔 주는 환전업이 중요해질 수밖에 없지.
스페인화
거래소
프랑스화
스페인화
프랑스화
경제학자 사무엘 리카르르는 거래소를 두고 '은행가, 상인 그리고 *환전상의 대리인과 은행가의 대리인, 중개인들이 만나는 곳'이라고 했어.
은행가
상인 및 대상인
거래소
대리인
중개인

* 환전상: 환전을 직업으로 하는 사람.

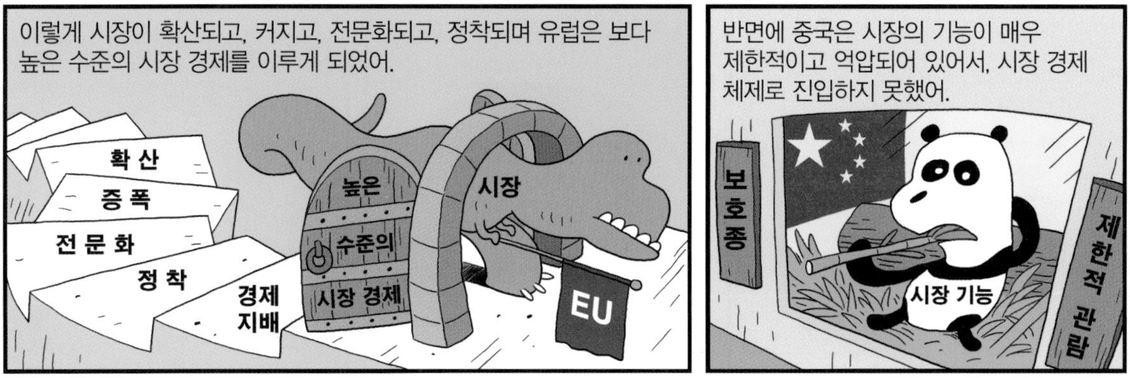

이렇게 시장이 확산되고, 커지고, 전문화되고, 정착되며 유럽은 보다 높은 수준의 시장 경제를 이루게 되었어.
확 산
증 폭
전 문 화
정 착
경제 지배
높은 수준의 시장 경제
시장
EU
반면에 중국은 시장의 기능이 매우 제한적이고 억압되어 있어서, 시장 경제 체제로 진입하지 못했어.
보호종
시장 기능
제한적 관람

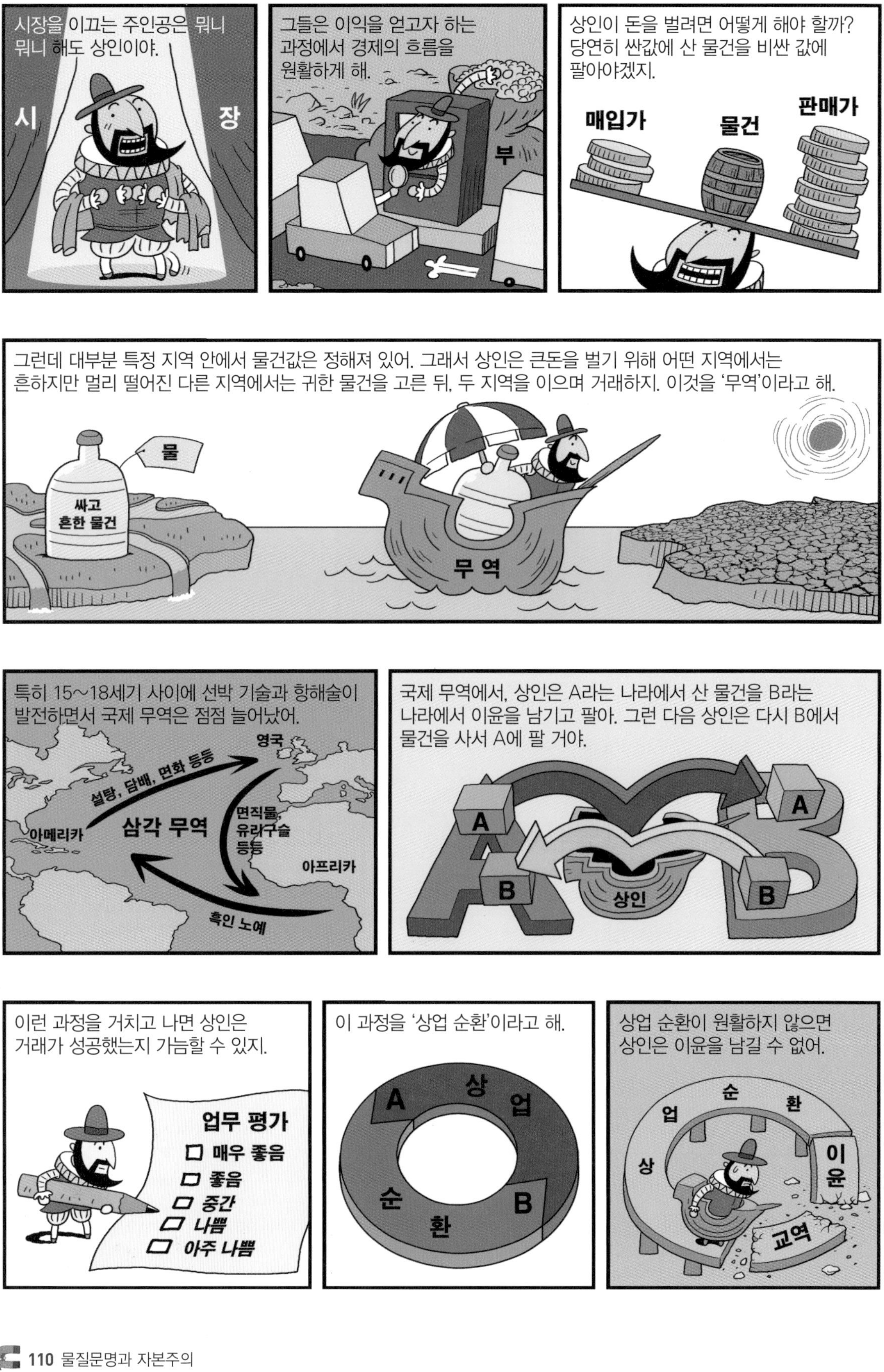
시장을 이끄는 주인공은 뭐니 뭐니 해도 상인이야.
시
장
그들은 이익을 얻고자 하는 과정에서 경제의 흐름을 원활하게 해.
부
상인이 돈을 벌려면 어떻게 해야 할까? 당연히 싼값에 산 물건을 비싼 값에 팔아야겠지.
매입가
물건
판매가
그런데 대부분 특정 지역 안에서 물건값은 정해져 있어. 그래서 상인은 큰돈을 벌기 위해 어떤 지역에서는 흔하지만 멀리 떨어진 다른 지역에서는 귀한 물건을 고른 뒤, 두 지역을 이으며 거래하지. 이것을 '무역'이라고 해.
물
싸고 흔한 물건
무역
특히 15~18세기 사이에 선박 기술과 항해술이 발전하면서 국제 무역은 점점 늘어났어.
영국
설탕, 담배, 면화 등등
아메리카
삼각 무역
면직물, 유리구슬 등등
아프리카
흑인 노예
국제 무역에서, 상인은 A라는 나라에서 산 물건을 B라는 나라에서 이윤을 남기고 팔아. 그런 다음 상인은 다시 B에서 물건을 사서 A에 팔 거야.
A
B
상인
이런 과정을 거치고 나면 상인은 거래가 성공했는지 가늠할 수 있지.
업무 평가
매우 좋음
좋음
중간
나쁨
아주 나쁨
이 과정을 '상업 순환'이라고 해.
A
상업
B
순환
상업 순환이 원활하지 않으면 상인은 이윤을 남길 수 없어.
상업
순환
이윤
교역

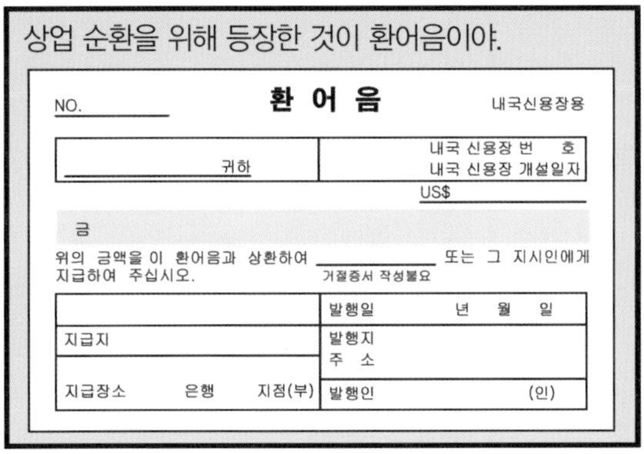
상업 순환을 위해 등장한 것이 환어음이야.
NO.
환 어 음
내국신용장용
귀하
내국 신용장 번 호
내국 신용장 개설일자
US$
금
위의 금액을 이 환어음과 상환하여 또는 그 지시인에게 지급하여 주십시오.
거절증서 작성불요
발행일 년 월 일
지급지
발행지 주 소
지급장소 은행 지점(부)
발행인 (인)

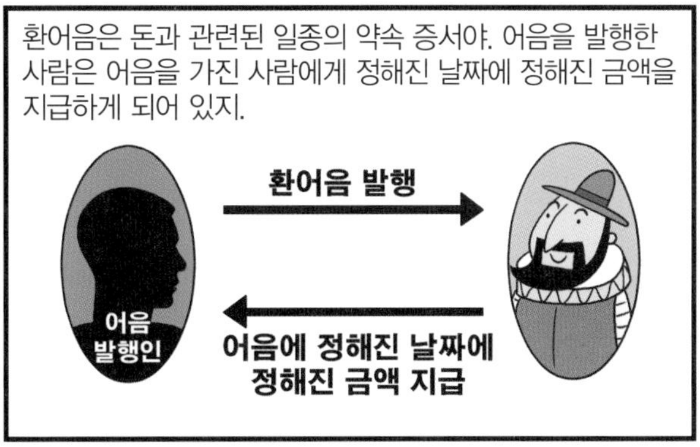
환어음은 돈과 관련된 일종의 약속 증서야. 어음을 발행한 사람은 어음을 가진 사람에게 정해진 날짜에 정해진 금액을 지급하게 되어 있지.
환어음 발행
어음 발행인
어음에 정해진 날짜에 정해진 금액 지급

이때 어음의 금액을 내 주는 사람을 인수인이라고 하는데, 지금으로 따지면 은행 같은 곳을 말해.
은 행

환어음으로 인해 상인은 돈을 직접 들고 다녀야 하는 위험과 불편함에서 벗어날 수 있었어.
현금 좀 가지고 다녀!
환어음

또한 당장 돈이 없어도 투자를 할 수 있게 되었지.
투자
미래의 가치

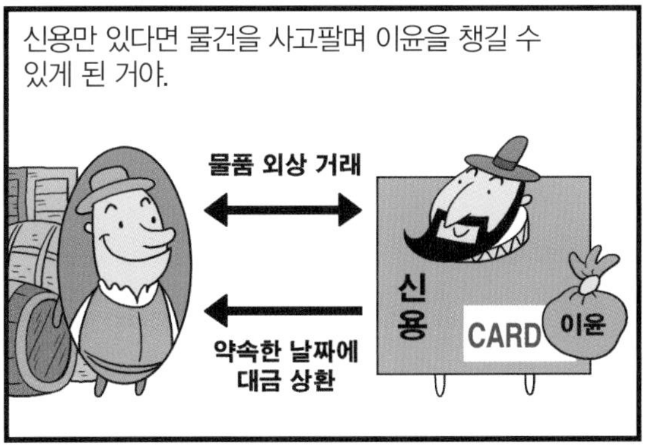
신용만 있다면 물건을 사고팔며 이윤을 챙길 수 있게 된 거야.
물품 외상 거래
약속한 날짜에 대금 상환
신용
CARD
이윤

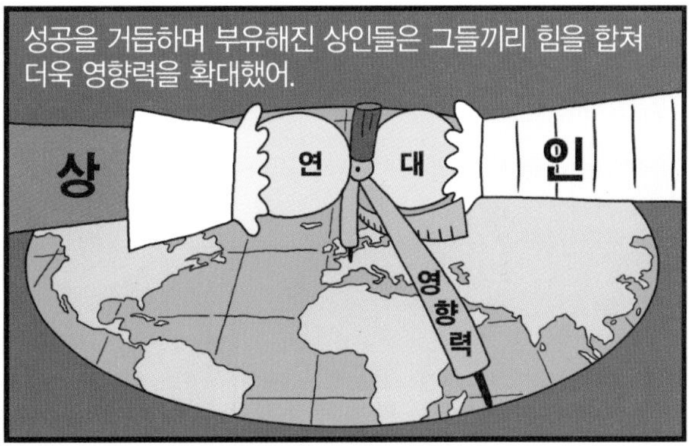
성공을 거듭하며 부유해진 상인들은 그들끼리 힘을 합쳐 더욱 영향력을 확대했어.
상
연
대
인
영향력

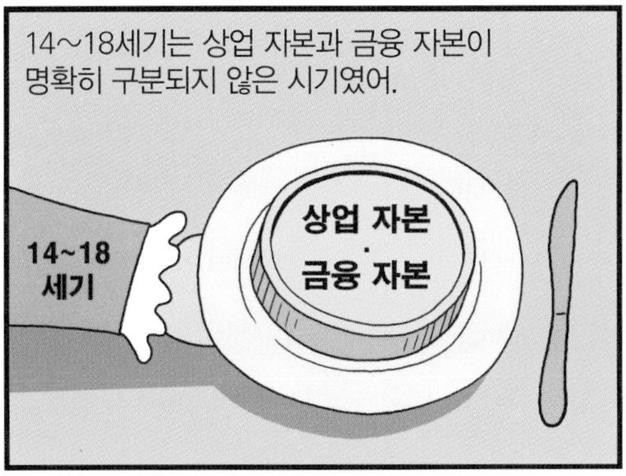
14~18세기는 상업 자본과 금융 자본이 명확히 구분되지 않은 시기였어.
14~18 세기
상업 자본 · 금융 자본

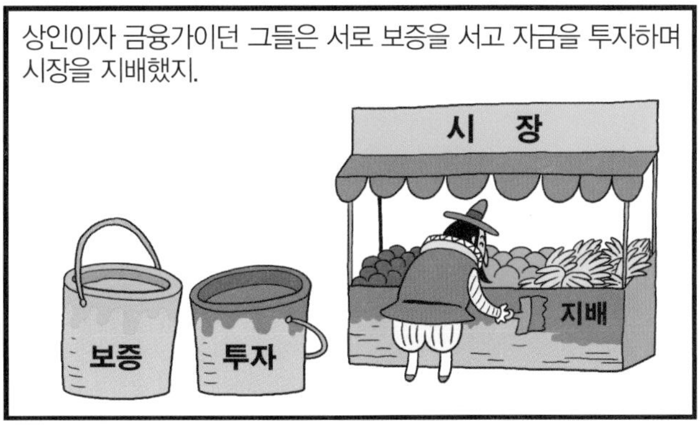
상인이자 금융가이던 그들은 서로 보증을 서고 자금을 투자하며 시장을 지배했지.
시 장
지배
보증
투자

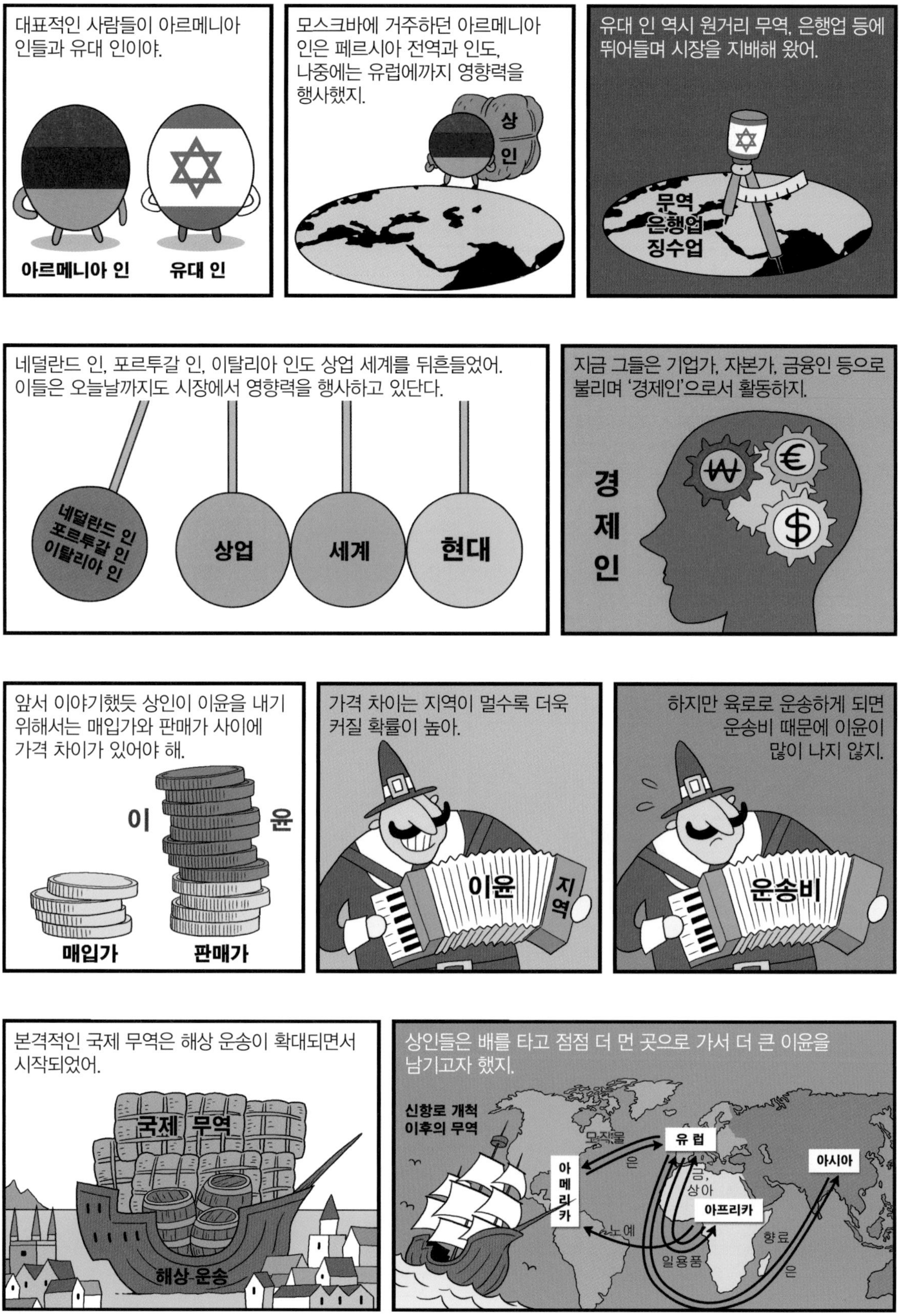

대표적인 사람들이 아르메니아 인들과 유대 인이야.
아르메니아 인
유대 인
모스크바에 거주하던 아르메니아 인은 페르시아 전역과 인도, 나중에는 유럽에까지 영향력을 행사했지.
상인
유대 인 역시 원거리 무역, 은행업 등에 뛰어들며 시장을 지배해 왔어.
무역
은행업
징수업
네덜란드 인, 포르투갈 인, 이탈리아 인도 상업 세계를 뒤흔들었어. 이들은 오늘날까지도 시장에서 영향력을 행사하고 있단다.
네덜란드 인
포르투갈 인
이탈리아 인
상업
세계
현대
지금 그들은 기업가, 자본가, 금융인 등으로 불리며 '경제인'으로서 활동하지.
경제인
앞서 이야기했듯 상인이 이윤을 내기 위해서는 매입가와 판매가 사이에 가격 차이가 있어야 해.
이윤
매입가
판매가
가격 차이는 지역이 멀수록 더욱 커질 확률이 높아.
이윤
지역
하지만 육로로 운송하게 되면 운송비 때문에 이윤이 많이 나지 않지.
운송비
본격적인 국제 무역은 해상 운송이 확대되면서 시작되었어.
국제 무역
해상 운송
상인들은 배를 타고 점점 더 먼 곳으로 가서 더 큰 이윤을 남기고자 했지.
신항로 개척 이후의 무역
모직물
유 럽
은
아메리카
금, 상아
아시아
아프리카
노예
향료
일용품
은

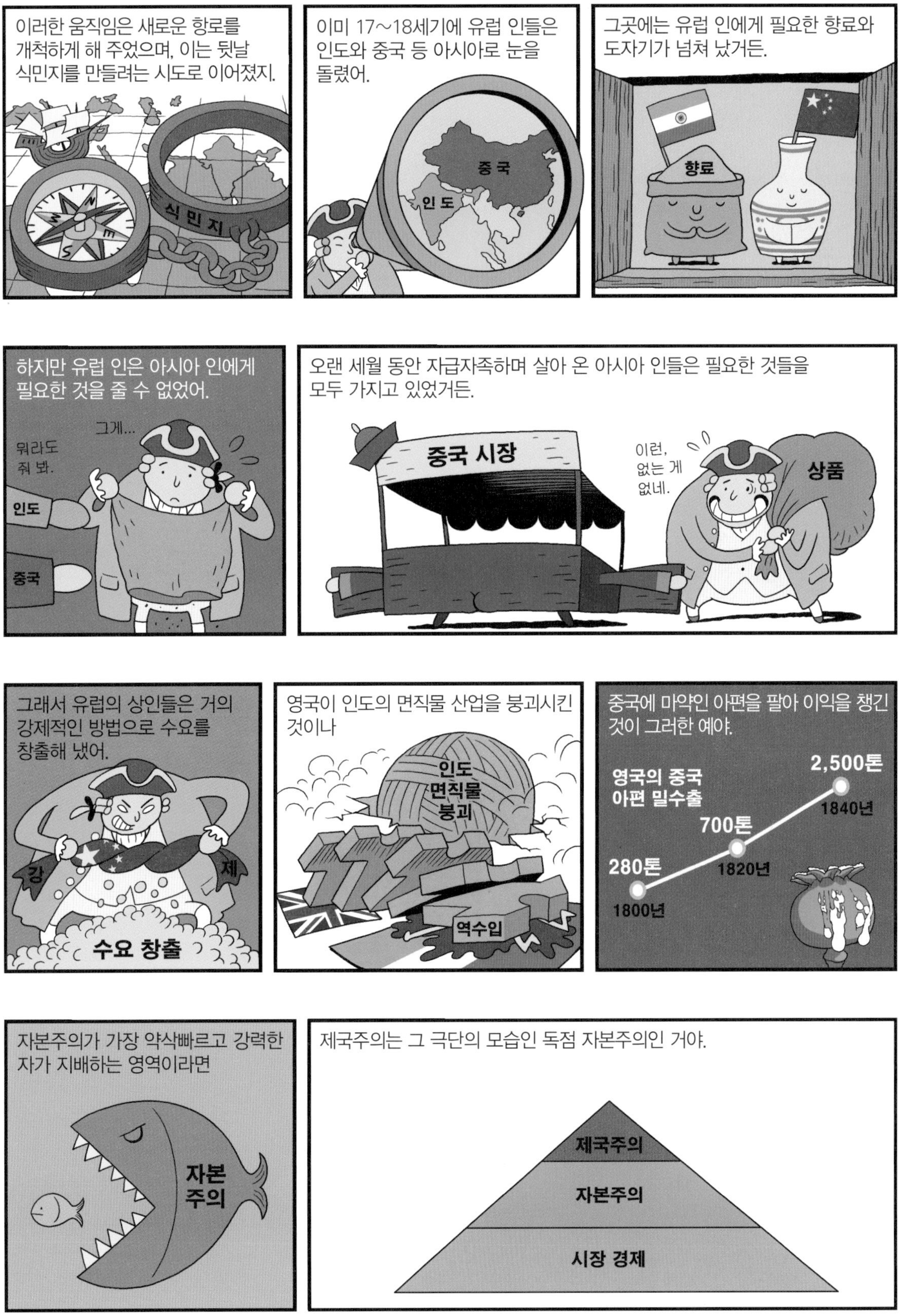

이러한 움직임은 새로운 항로를 개척하게 해 주었으며, 이는 뒷날 식민지를 만들려는 시도로 이어졌지.
식민지
이미 17~18세기에 유럽 인들은 인도와 중국 등 아시아로 눈을 돌렸어.
중국
인도
그곳에는 유럽 인에게 필요한 향료와 도자기가 넘쳐 났거든.
향료
하지만 유럽 인은 아시아 인에게 필요한 것을 줄 수 없었어.
뭐라도 줘 봐.
그게…
인도
중국
오랜 세월 동안 자급자족하며 살아 온 아시아 인들은 필요한 것들을 모두 가지고 있었거든.
중국 시장
이런, 없는 게 없네.
상품
그래서 유럽의 상인들은 거의 강제적인 방법으로 수요를 창출해 냈어.
강
제
수요 창출
영국이 인도의 면직물 산업을 붕괴시킨 것이나
인도 면직물 붕괴
역수입
중국에 마약인 아편을 팔아 이익을 챙긴 것이 그러한 예야.
영국의 중국 아편 밀수출
280톤
1800년
700톤
1820년
2,500톤
1840년
자본주의가 가장 약삭빠르고 강력한 자가 지배하는 영역이라면
자본주의
제국주의는 그 극단의 모습인 독점 자본주의인 거야.
제국주의
자본주의
시장 경제

7장 교환의 세계 2 – 생산과 자본주의

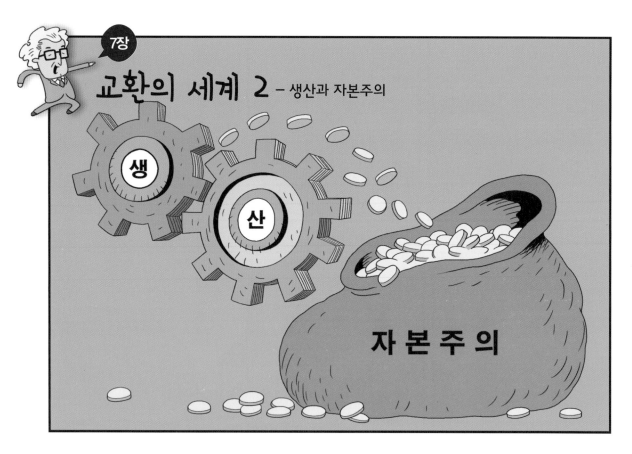

생
산
자 본 주 의

브로델은 '자본주의(capitalisme)'라는 말이 모호하고 과학적이지 못하다고 생각했어.
자, 만병 통치약.
자본주의

하지만 이미 널리 쓰이는 단어인 데다가 마땅히 대체할 만한 다른 말도 없으므로, 용어의 뜻을 정확히 정의 내리는 편이 좋겠다고 생각했지.
자본주의

자본주의를 알려면 먼저 자본과 자본가에 대해 알아야겠지?
자본
자본가

자본이라는 용어는 '머리'를 뜻하는 라틴어 'caput'에서 유래했는데, 12~13세기경에 등장했어.
Caput
머 리

이때 자본은 자금, 큰돈, 이자를 가져오는 돈을 뜻했지.
자금
큰돈
이자

자본이라는 말이 막 쓰이기 시작했을 때는 고리대금업을 두고 논란이 많았어. 고리대금업이 과연 기독교적인 관점에서 정당하느냐는 것이지.
저희가 정당한가 아닌가
판결해 주십시오.
성경
고리 대금업자
이자

하지만 결국 이탈리아를 중심으로 '자본'이란 말이 널리 쓰이기 시작했고,
자본

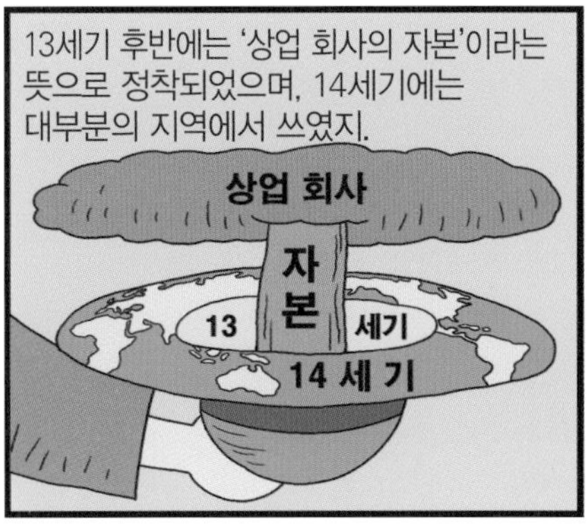
13세기 후반에는 '상업 회사의 자본'이라는 뜻으로 정착되었으며, 14세기에는 대부분의 지역에서 쓰였지.
상업 회사
자본
13 세기
14 세기

16세기 들어 자본은 화폐 자본을 뜻하는 말로 자리 잡았어.
자본

'자본가(capitaliste)'라는 말은 이보다 훨씬 뒤인 17세기 중반에 등장했어.
자본가
자본
17세기 중반
13세기~17세기 초반

이때 자본가는 부정적인 의미로 쓰였어.
뒤가 찜찜한데?
자본가
재산가
€

프랑스의 경제학자 케네(1694~1774년)는 "많은 화폐를 가진 사람들은 국왕도, 조국도 몰라본다."고 말하기도 했어.
뉘… 시더라?
뭐, 뭐라고?
조국
자본가

그런가 하면 18세기의 사회 사상가 모렐리는 자본가를 두고 '사회에서 외떨어져 있는 집단 또는 그런 계급'이라 했지.
사
회
자본가 집단

18세기 후반으로 접어들며, 자본가란 '*공채, 동산, 또는 투자할 돈을 가진 사람'을 뜻하는 용어가 되었어.
자본가
부
공채
동산
투자가

* 공채: 국가나 지방 자치 단체가 수지의 균형을 꾀하기 위하여 임시로 지는 빚.

이후 자본가란 '돈을 다루고 자금을 빌려주는 사람'이라는 뜻으로 자리 잡았지.
자본
가
그런데 점차 자본가들에 대한 나쁜 평판이 생겼어.
매점매석
나쁜 평판
'돈을 이용해 더욱 많은 돈을 벌려는 사람'이라는 인식이 생긴 거야.
돈을 더 굴리자!
1793년 *국민공회에서 공회 의원 중 한 명인 캉봉은 "우리는 자유 체제를 수호하기 위해 장사꾼 집단을 죽여야 한다."고 주장할 정도였지.
공화국
자본가 집단

* 국민공회: 프랑스 혁명 때, 입법 의회에 이어 1792년부터 1795년까지 프랑스를 통치한 의회.

이에 대해 프랑스의 작가 리바롤(1753~1801년)은 망명지에서 이런 글을 썼단다.
60만 명의 자본가들과 개미 떼처럼 많은 투기꾼들이 혁명을 일으키기로 결정했다.
-리바롤-
혁명
자본가들은 프랑스 혁명이 일어난 계기를 제공했지만, 아이러니하게도 혁명을 피해 달아나는 신세가 되었어.
자본가
어쨌든 19세기 이전까지 자본가란 기업가나 투자가를 가리키는 용어는 아니었어.
거기 서!
꽥꽥
기업가
투자가
자본가
한편 '자본주의(capitalisme)'라는 용어는 19세기가 되어서야 쓰였어. 하지만 이때도 지금과 같은 의미는 아니었지.
자본주의
19세기
처음으로 그 뜻을 정의한 사람은 프랑스의 사회주의자 루이 블랑이었어.
일반적으로 자본주의란 자본이 소득의 근원이지만, 노동자들이 그 자본을 가지고 있지 않은 사회적, 경제적인 체제를 말한다.
루이 블랑 (1811~1882년)

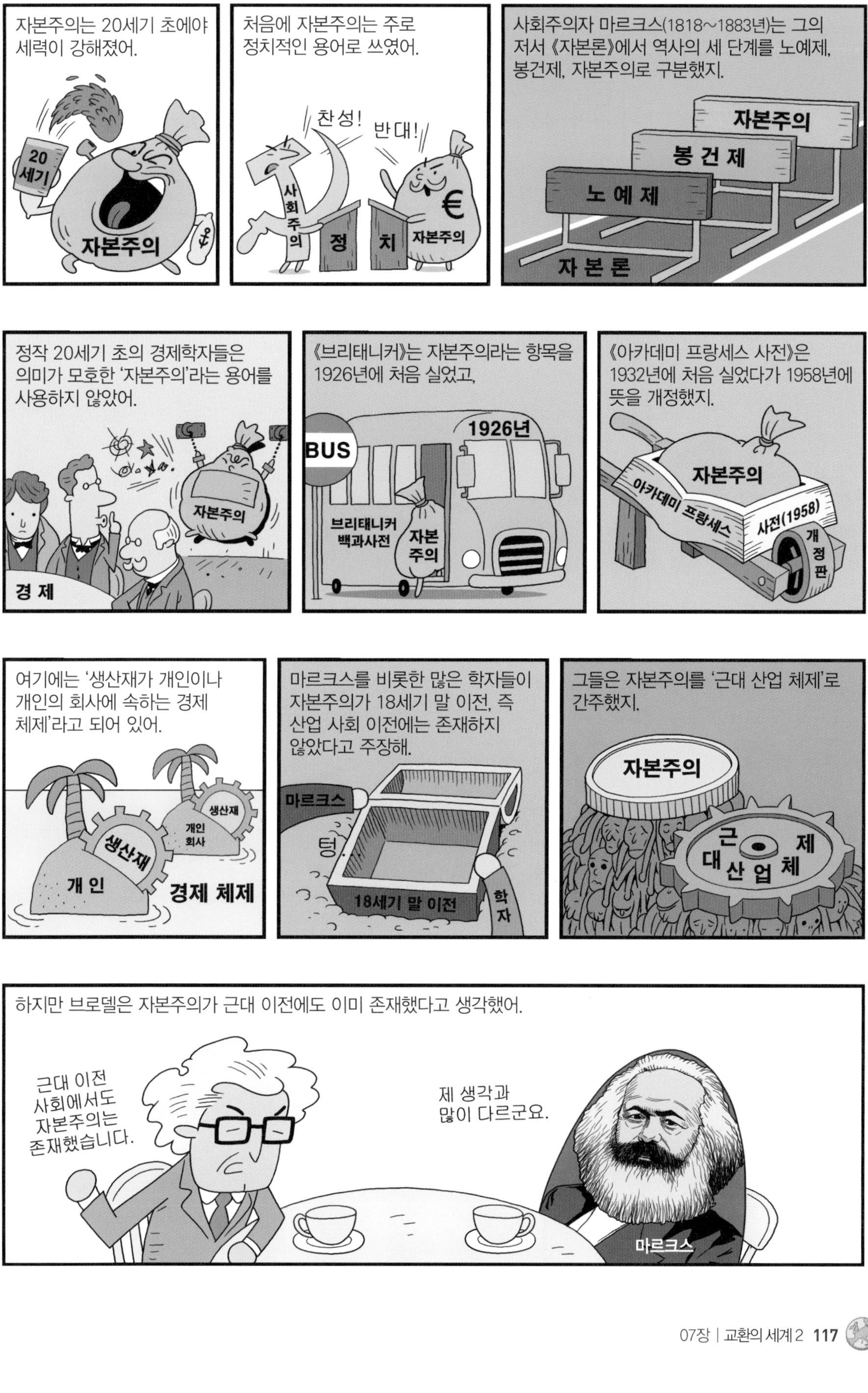
자본주의는 20세기 초에야 세력이 강해졌어.
20 세기
자본주의
처음에 자본주의는 주로 정치적인 용어로 쓰였어.
찬성!
반대!
사회주의
정
치
자본주의
€
사회주의자 마르크스(1818~1883년)는 그의 저서 《자본론》에서 역사의 세 단계를 노예제, 봉건제, 자본주의로 구분했지.
자본주의
봉 건 제
노 예 제
자 본 론
정작 20세기 초의 경제학자들은 의미가 모호한 '자본주의'라는 용어를 사용하지 않았어.
자본주의
경 제
《브리태니커》는 자본주의라는 항목을 1926년에 처음 실었고,
BUS
1926년
브리태니커 백과사전
자본 주의
《아카데미 프랑세스 사전》은 1932년에 처음 실었다가 1958년에 뜻을 개정했지.
자본주의
아카데미 프랑세스
사전(1958)
개정판
여기에는 '생산재가 개인이나 개인의 회사에 속하는 경제 체제'라고 되어 있어.
생산재
개인
생산재
개인 회사
경제 체제
마르크스를 비롯한 많은 학자들이 자본주의가 18세기 말 이전, 즉 산업 사회 이전에는 존재하지 않았다고 주장해.
마르크스
텅.
18세기 말 이전
학자
그들은 자본주의를 '근대 산업 체제'로 간주했지.
자본주의
근대 산업 체제
하지만 브로델은 자본주의가 근대 이전에도 이미 존재했다고 생각했어.
근대 이전 사회에서도 자본주의는 존재했습니다.
제 생각과 많이 다르군요.
마르크스

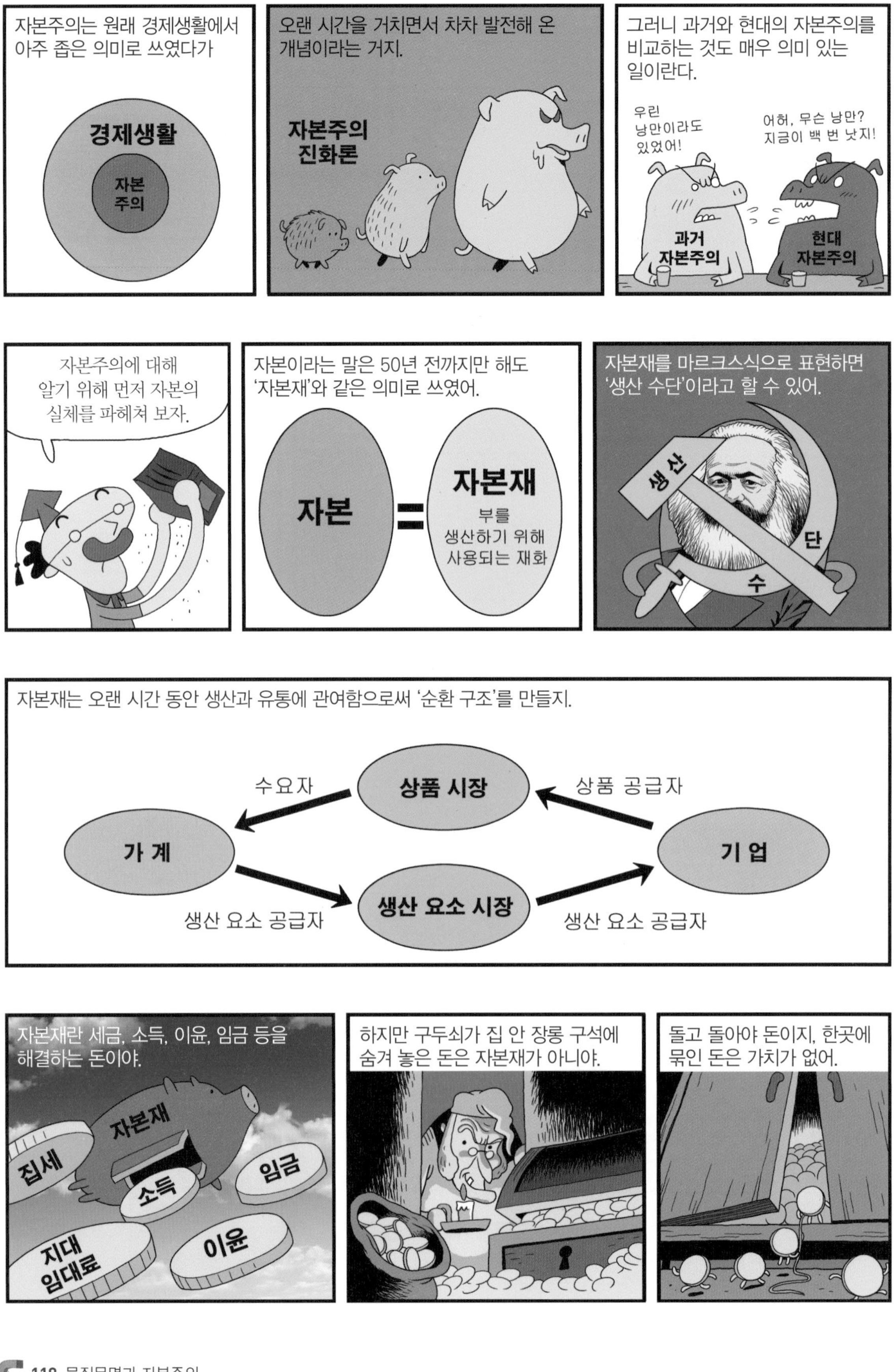

자본주의는 원래 경제생활에서 아주 좁은 의미로 쓰였다가
경제생활
자본 주의
오랜 시간을 거치면서 차차 발전해 온 개념이라는 거지.
자본주의 진화론
그러니 과거와 현대의 자본주의를 비교하는 것도 매우 의미 있는 일이란다.
우린 낭만이라도 있었어!
어허, 무슨 낭만? 지금이 백 번 낫지!
과거 자본주의
현대 자본주의
자본주의에 대해 알기 위해 먼저 자본의 실체를 파헤쳐 보자.
자본이라는 말은 50년 전까지만 해도 '자본재'와 같은 의미로 쓰였어.
자본
=
자본재
부를 생산하기 위해 사용되는 재화
자본재를 마르크스식으로 표현하면 '생산 수단'이라고 할 수 있어.
생산
수단
자본재는 오랜 시간 동안 생산과 유통에 관여함으로써 '순환 구조'를 만들지.
수요자
상품 시장
상품 공급자
가 계
기 업
생산 요소 공급자
생산 요소 시장
생산 요소 공급자
자본재란 세금, 소득, 이윤, 임금 등을 해결하는 돈이야.
자본재
집세
임금
소득
지대 임대료
이윤
하지만 구두쇠가 집 안 장롱 구석에 숨겨 놓은 돈은 자본재가 아니야.
돌고 돌아야 돈이지, 한곳에 묶인 돈은 가치가 없어.

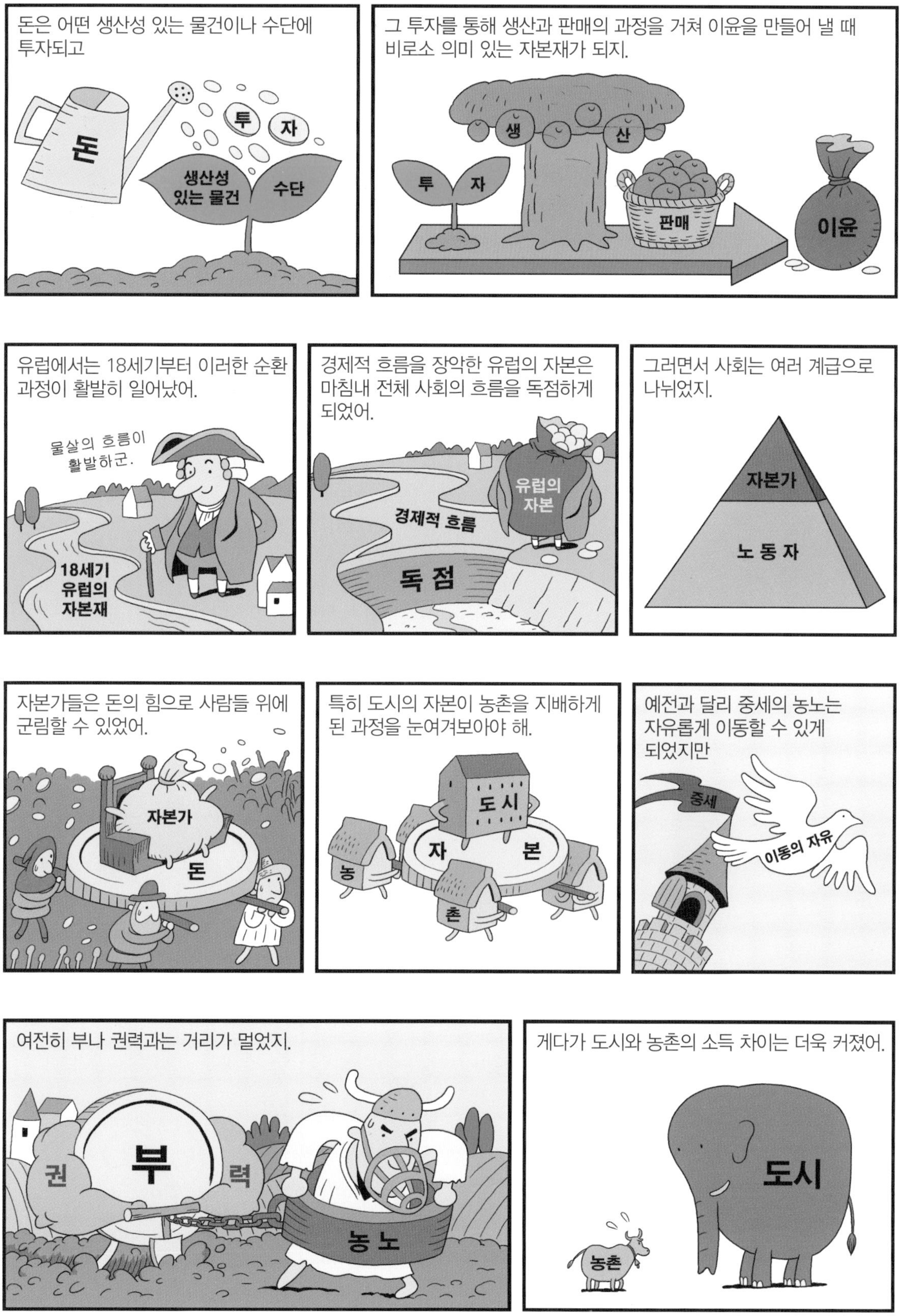
돈은 어떤 생산성 있는 물건이나 수단에 투자되고
돈
투
자
생산성 있는 물건
수단
그 투자를 통해 생산과 판매의 과정을 거쳐 이윤을 만들어 낼 때 비로소 의미 있는 자본재가 되지.
투
자
생
산
판매
이윤
유럽에서는 18세기부터 이러한 순환 과정이 활발히 일어났어.
물살의 흐름이 활발하군.
18세기 유럽의 자본재
경제적 흐름을 장악한 유럽의 자본은 마침내 전체 사회의 흐름을 독점하게 되었어.
유럽의 자본
경제적 흐름
독 점
그러면서 사회는 여러 계급으로 나뉘었지.
자본가
노 동 자
자본가들은 돈의 힘으로 사람들 위에 군림할 수 있었어.
자본가
돈
특히 도시의 자본이 농촌을 지배하게 된 과정을 눈여겨보아야 해.
도시
자
본
농
촌
예전과 달리 중세의 농노는 자유롭게 이동할 수 있게 되었지만
중세
이동의 자유
여전히 부나 권력과는 거리가 멀었지.
권
부
력
농 노
게다가 도시와 농촌의 소득 차이는 더욱 커졌어.
농촌
도시

점차 자본가들은 지역과 국가를 뛰어넘어 전 세계를 지배하고자 했어. 그들은 국가 간의 무역을 주도하며 이익을 얻는 데 이르렀지.
난 포부가 커.
자본가
세상

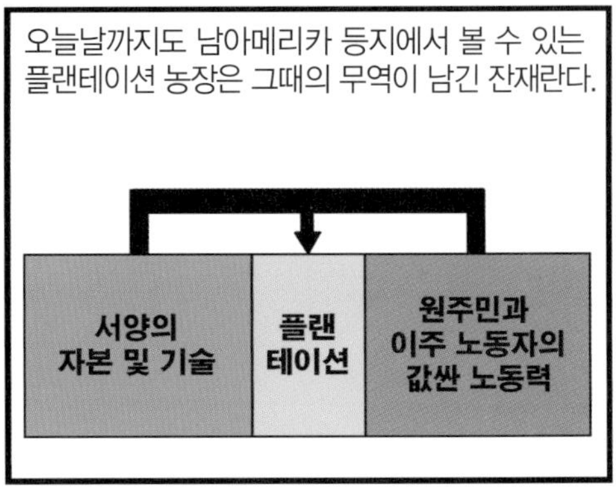
오늘날까지도 남아메리카 등지에서 볼 수 있는 플랜테이션 농장은 그때의 무역이 남긴 잔재란다.
서양의 자본 및 기술
플랜테이션
원주민과 이주 노동자의 값싼 노동력

자본가는 돈을 많이 벌었지만, 농민들의 삶은 더 나빠졌어. 농민들은 농촌에서 쫓겨나 도시민이 되었지.
지주
도시

도시에 간 그들은 삶의 터전을 잃고 공장 노동자가 되었어.

그럼 농민의 삶이 더 나아졌을까?
도시
농촌

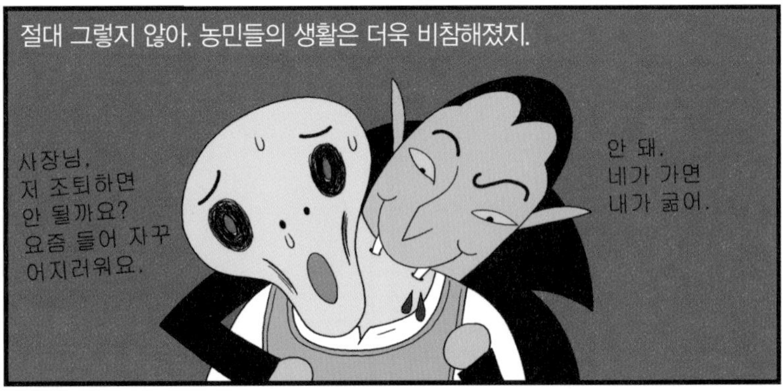
절대 그렇지 않아. 농민들의 생활은 더욱 비참해졌지.
사장님, 저 조퇴하면 안 될까요? 요즘 들어 자꾸 어지러워요.
안 돼. 네가 가면 내가 굶어.

자본이 없는 자영농이나 수공업자들도 이와 마찬가지였어.
자영농
수공업자

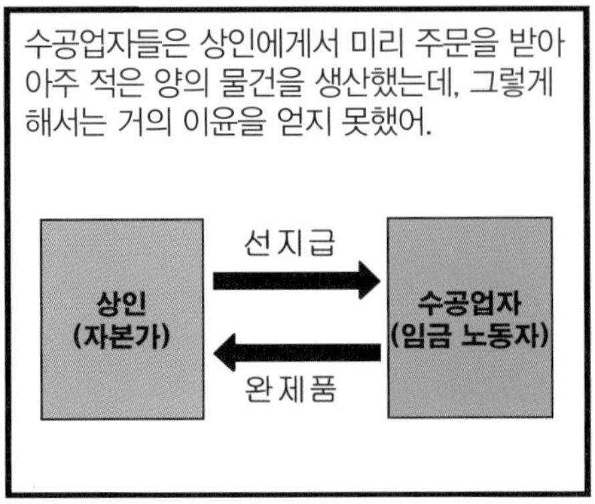
수공업자들은 상인에게서 미리 주문을 받아 아주 적은 양의 물건을 생산했는데, 그렇게 해서는 거의 이윤을 얻지 못했어.
상인 (자본가)
선지급
완제품
수공업자 (임금 노동자)

그마저도 가내 수공업은 설 곳을 잃고 말아. 기계화된 공장이 등장했거든.
가내 수공업
거대 공장

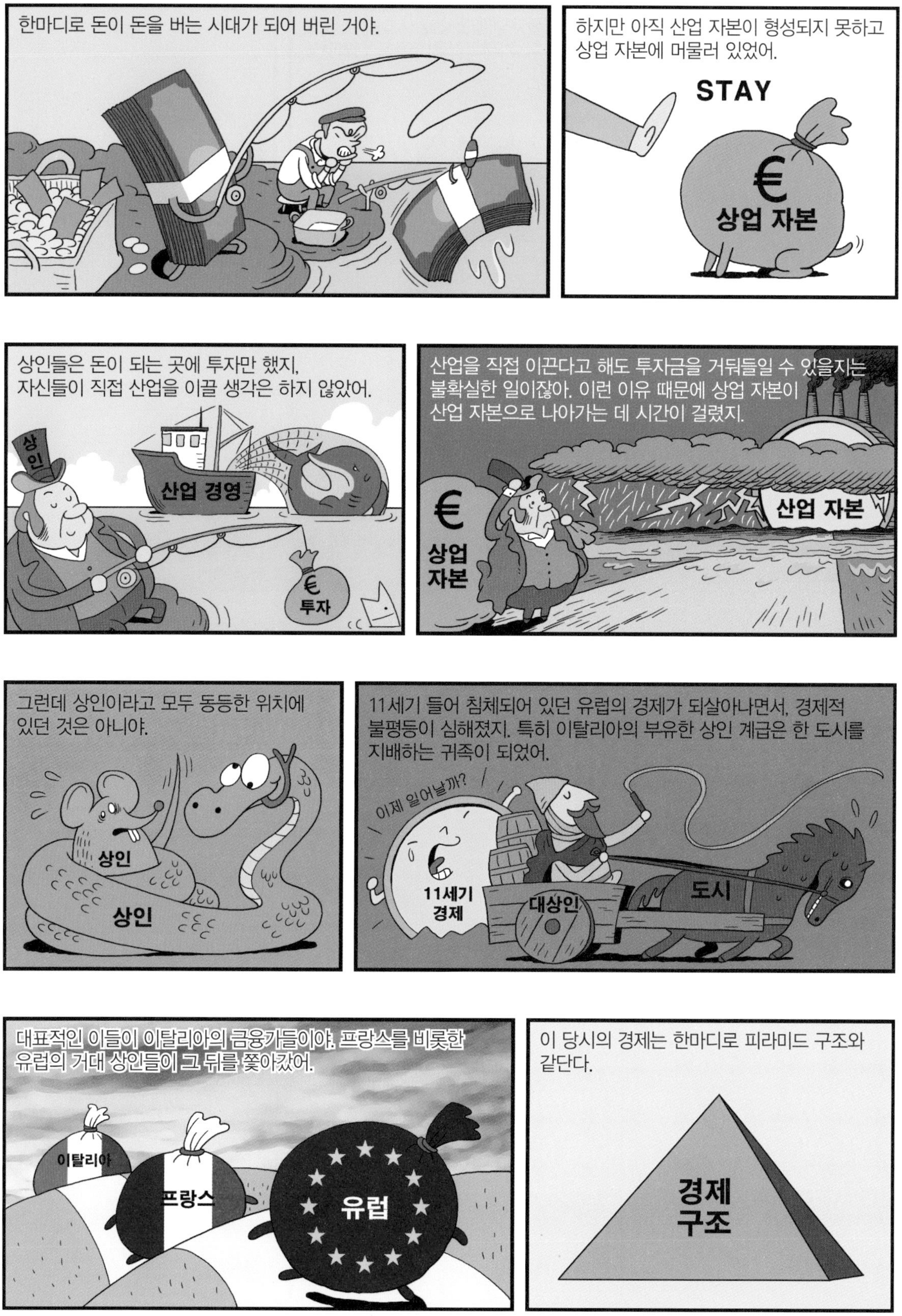

한마디로 돈이 돈을 버는 시대가 되어 버린 거야.
하지만 아직 산업 자본이 형성되지 못하고 상업 자본에 머물러 있었어.
STAY
€
상업 자본
상인들은 돈이 되는 곳에 투자만 했지, 자신들이 직접 산업을 이끌 생각은 하지 않았어.
상인
산업 경영
€
투자
산업을 직접 이끈다고 해도 투자금을 거둬들일 수 있을지는 불확실한 일이잖아. 이런 이유 때문에 상업 자본이 산업 자본으로 나아가는 데 시간이 걸렸지.
€
상업 자본
산업 자본
그런데 상인이라고 모두 동등한 위치에 있던 것은 아니야.
상인
상인
11세기 들어 침체되어 있던 유럽의 경제가 되살아나면서, 경제적 불평등이 심해졌지. 특히 이탈리아의 부유한 상인 계급은 한 도시를 지배하는 귀족이 되었어.
이제 일어날까?
11세기 경제
대상인
도시
대표적인 이들이 이탈리아의 금융가들이야. 프랑스를 비롯한 유럽의 거대 상인들이 그 뒤를 쫓아갔어.
이탈리아
프랑스
유럽
이 당시의 경제는 한마디로 피라미드 구조와 같단다.
경제 구조

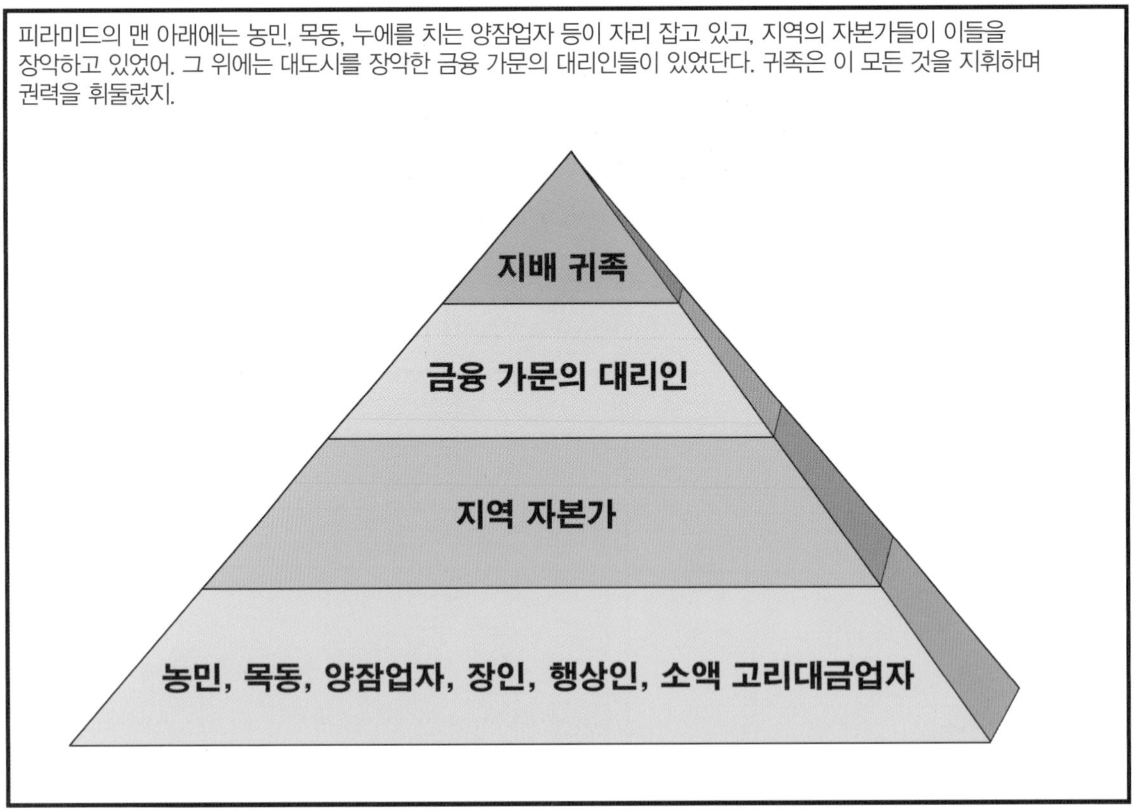
피라미드의 맨 아래에는 농민, 목동, 누에를 치는 양잠업자 등이 자리 잡고 있고, 지역의 자본가들이 이들을 장악하고 있었어. 그 위에는 대도시를 장악한 금융 가문의 대리인들이 있었단다. 귀족은 이 모든 것을 지휘하며 권력을 휘둘렀지.
지배 귀족
금융 가문의 대리인
지역 자본가
농민, 목동, 양잠업자, 장인, 행상인, 소액 고리대금업자

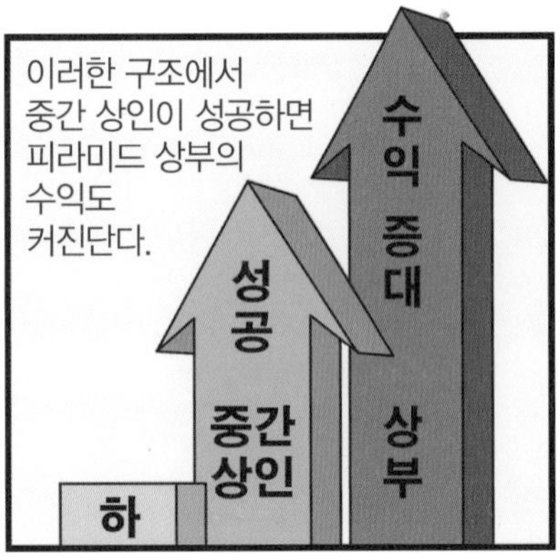
이러한 구조에서 중간 상인이 성공하면 피라미드 상부의 수익도 커진단다.
수익 증대
성공
중간 상인
상부
하

중간 상인이 활발히 경제 활동을 할수록 더욱더 금융 자본을 필요로 하게 되는 법이거든.
금융 자본의
필요성
중간 상인의
경제 활동

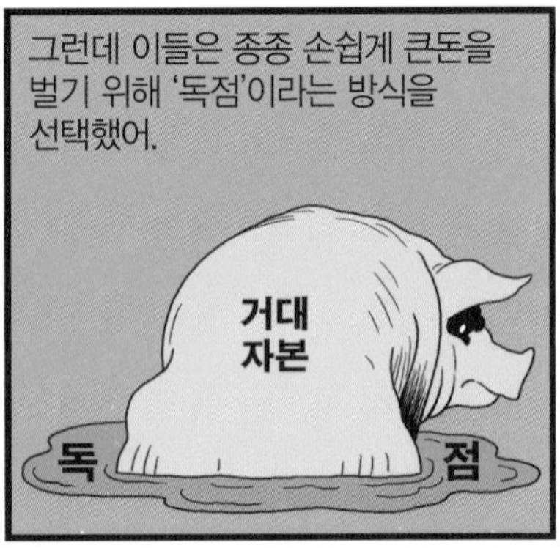
그런데 이들은 종종 손쉽게 큰돈을 벌기 위해 '독점'이라는 방식을 선택했어.
거대 자본
독
점

연암 박지원의 소설 《허생전》에는 허생이 변 씨를 찾아가 1만 냥을 빌려 사업을 하는 이야기가 나와.

허생은 그 돈으로 장안의 과일과 말총을 모두 사들여서, 몇 배의 이윤을 남기고 되팔았어.
이
윤

심지어 과일이 썩어 나가도 팔지 않고 값을 계속 올렸지.
가격 상승
사재기

요즘 같으면 이런 행위는 독과점 금지법에 의해 엄하게 처벌받지.
공정 거래법 위반
그래도 허생은 쌀만은 백성의 양식이라며 사재기를 해서는 안 된다고 못을 박았어.
거대 자본가들에게 독과점을 허용한다면 큰 문제가 생길 것은 불 보듯 뻔해.
독과점
그런데도 17~18세기 유럽에서는 독과점이 빈번하게 일어났어. 당시 자본가들은 독점을 통해 큰 이윤을 얻으려고 했어.
꼬르륵~
독점
하지만 독점은 역시 위험이 크단다.
독점
독점을 유지하려면 시장에서 상당한 비율의 물건을 확보해야 해. 그러려면 엄청난 돈이 들겠지.
돈 먹는 하마
아마 자본가는 은행에서 돈을 더 빌려야 할 거야.
은행
€
은행돈
물론 은행 돈을 빌리면 이자를 내야 하지.
세상에 공짜가 어디 있어?
나도 남는 게 있어야지.
은행
그렇게 확보한 물건이 제때 팔리지 않고 창고에 쌓여 있다고 생각해 봐.
재고품
은행에 내야 할 이자는 점점 불어나는데,
은행 이자 (금융 비용)

생각만큼 물건값이 오르지 않을 수도 있어. 게다가 어떤 물건은 제때 팔리지도 않아.
△△ 상사
그럼 자본가는 망할 수밖에 없을 거야.
자본가 멸망
수요 감소
가격 하락
등등
자본가
자본가
18세기 말의 '코치닐 사건'이 좋은 예야. 코치닐은 직물을 염색할 때 쓰이는 염료 중 으뜸으로 대접받았지.
호프 상사는 앞으로 코치닐의 생산이 줄어들 것이며 유럽이 가진 재고 역시 많지 않다는 정보를 얻었어.
오호~
코치닐
염료
그들은 전체 유통량의 약 3/4을 사들인 다음, 가격을 올려서 팔기로 하고,
가격 인상
코치닐 염료
호프 상사
엄청난 돈을 투자해 코치닐 염료를 사들이기 시작했어.
코치닐 염료 대량 매입
호프 상사
하지만 예상보다 시중에 코치닐 염료가 훨씬 많았고
코치닐 염료
코치닐 염료
호프 상사
호프 상사는 원래 사려던 양의 두 배나 사들였어.
코치닐 염료
설상가상 코치닐은 잘 팔리지 않았고, 호프 상사는 엄청난 손해를 떠안았지.
손 해
호프 상사
이런 위험에도 불구하고 독점은 자본가들에게 여전히 매력적인 돈벌이 수단이었어.
나 떨고 있니?
독점
자본가
미국의 역사가 클라인도 독점을 옹호했을 정도야.
독점은 수많은 위험에 대한 보증이며, 안정성을 약속해 준다. 경제와 공공복리도 결국은 독점의 혜택을 누린다.
클라인 (1899~1978년)

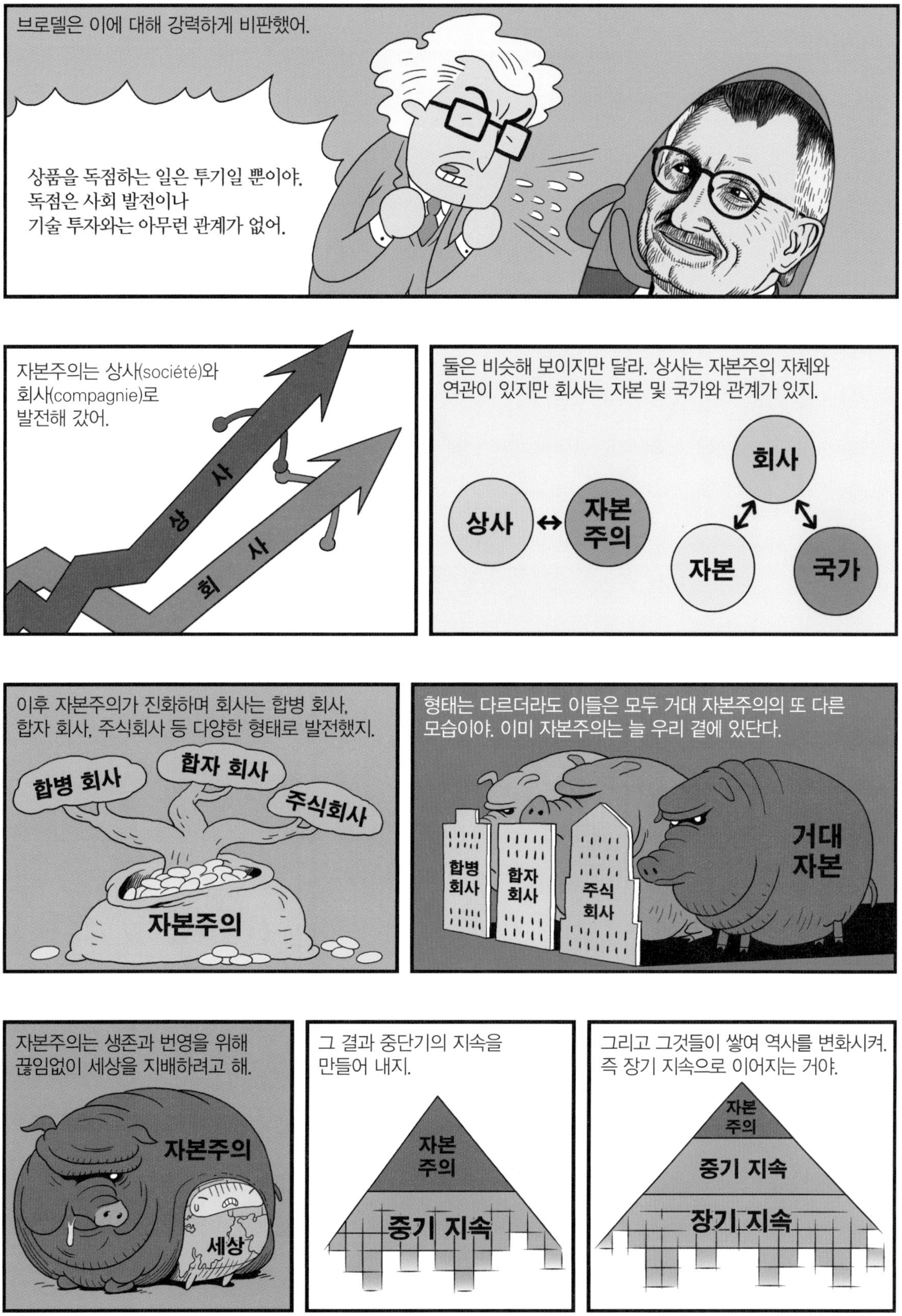
브로델은 이에 대해 강력하게 비판했어.
상품을 독점하는 일은 투기일 뿐이야. 독점은 사회 발전이나 기술 투자와는 아무런 관계가 없어.
자본주의는 상사(société)와 회사(compagnie)로 발전해 갔어.
상사
회사
둘은 비슷해 보이지만 달라. 상사는 자본주의 자체와 연관이 있지만 회사는 자본 및 국가와 관계가 있지.
상사 ↔ 자본주의
회사
자본
국가
이후 자본주의가 진화하며 회사는 합병 회사, 합자 회사, 주식회사 등 다양한 형태로 발전했지.
합병 회사
합자 회사
주식회사
자본주의
형태는 다르더라도 이들은 모두 거대 자본주의의 또 다른 모습이야. 이미 자본주의는 늘 우리 곁에 있단다.
합병 회사
합자 회사
주식 회사
거대 자본
자본주의는 생존과 번영을 위해 끊임없이 세상을 지배하려고 해.
자본주의
세상
그 결과 중단기의 지속을 만들어 내지.
자본 주의
중기 지속
그리고 그것들이 쌓여 역사를 변화시켜. 즉 장기 지속으로 이어지는 거야.
자본 주의
중기 지속
장기 지속

8장

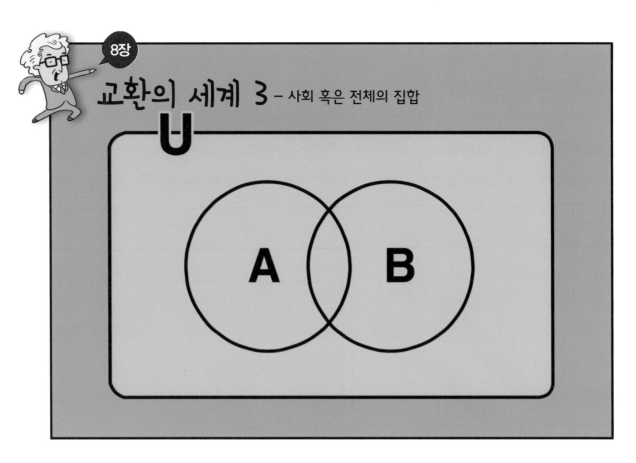

교환의 세계 3 – 사회 혹은 전체의 집합

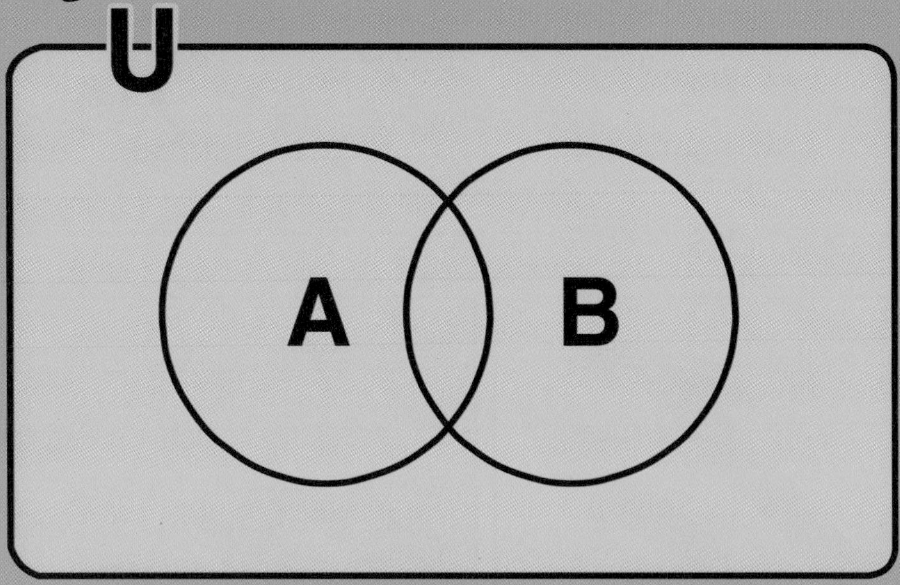
U
A
B

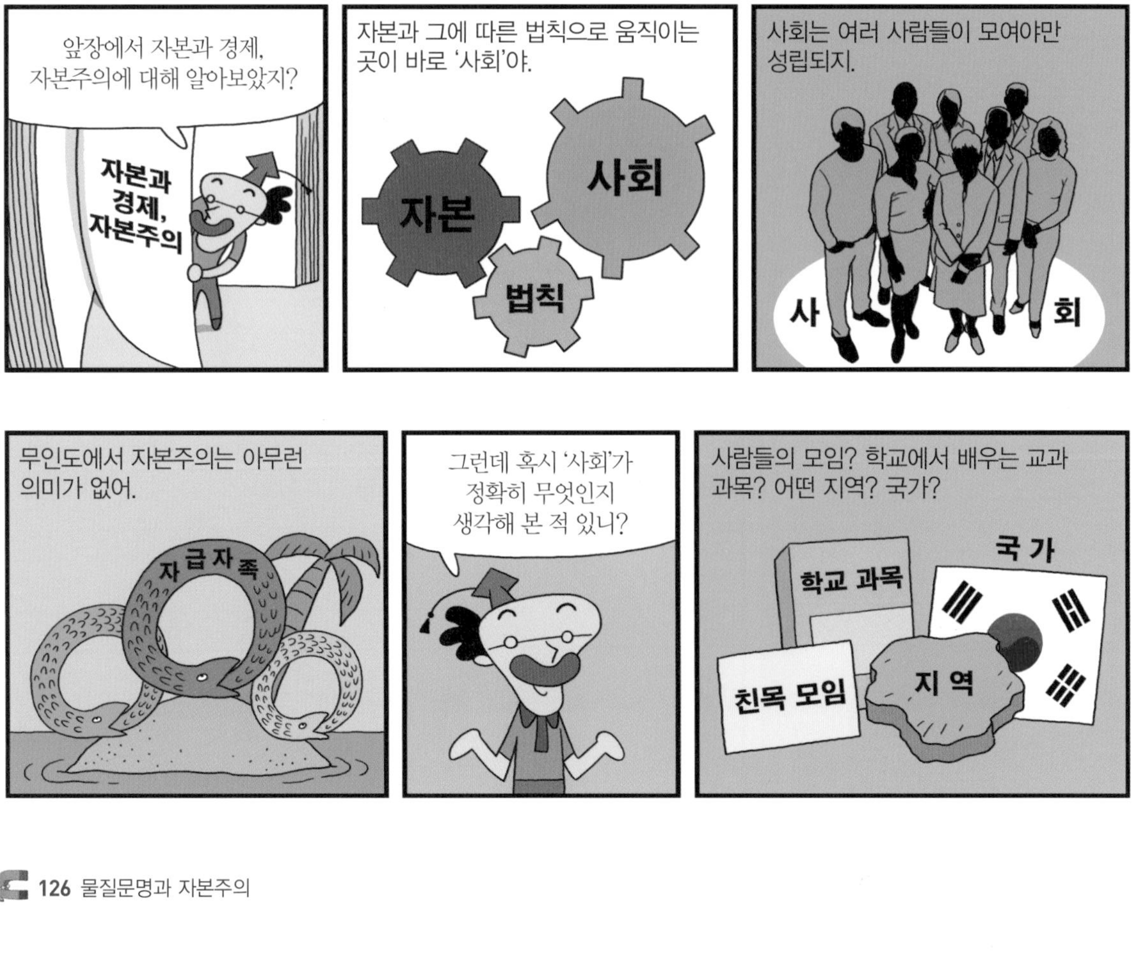
앞장에서 자본과 경제,
자본주의에 대해 알아보았지?
자본과 경제, 자본주의
자본과 그에 따른 법칙으로 움직이는 곳이 바로 '사회'야.
자본
사회
법칙
사회는 여러 사람들이 모여야만 성립되지.
사
회
무인도에서 자본주의는 아무런 의미가 없어.
자급자족
그런데 혹시 '사회'가
정확히 무엇인지
생각해 본 적 있니?
사람들의 모임? 학교에서 배우는 교과 과목? 어떤 지역? 국가?
국가
학교 과목
친목 모임
지역

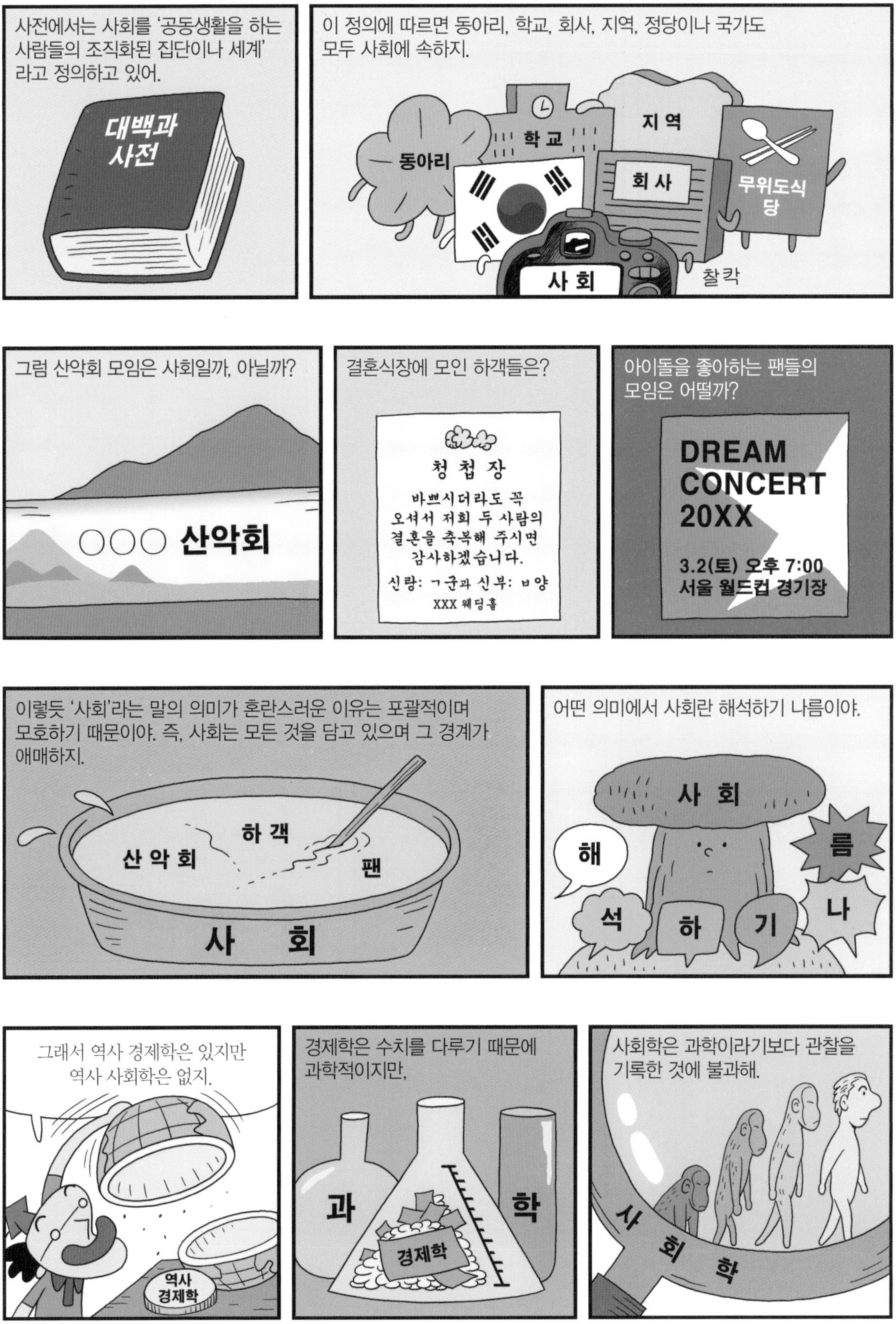
사전에서는 사회를 '공동생활을 하는 사람들의 조직화된 집단이나 세계' 라고 정의하고 있어.
대백과 사전
이 정의에 따르면 동아리, 학교, 회사, 지역, 정당이나 국가도 모두 사회에 속하지.
동아리
학교
지역
회사
무위도식당
사회
찰칵
그럼 산악회 모임은 사회일까, 아닐까?
○○○ 산악회
결혼식장에 모인 하객들은?
청첩장
바쁘시더라도 꼭 오셔서 저희 두 사람의 결혼을 축복해 주시면 감사하겠습니다.
신랑: ㄱ군과 신부: ㅂ양
XXX 웨딩홀
아이돌을 좋아하는 팬들의 모임은 어떨까?
DREAM CONCERT 20XX
3.2(토) 오후 7:00
서울 월드컵 경기장
이렇듯 '사회'라는 말의 의미가 혼란스러운 이유는 포괄적이며 모호하기 때문이야. 즉, 사회는 모든 것을 담고 있으며 그 경계가 애매하지.
산악회
하객
팬
사회
어떤 의미에서 사회란 해석하기 나름이야.
사회
해
석
하
기
나
름
그래서 역사 경제학은 있지만 역사 사회학은 없지.
역사 경제학
경제학은 수치를 다루기 때문에 과학적이지만,
과
학
경제학
사회학은 과학이라기보다 관찰을 기록한 것에 불과해.
사회학

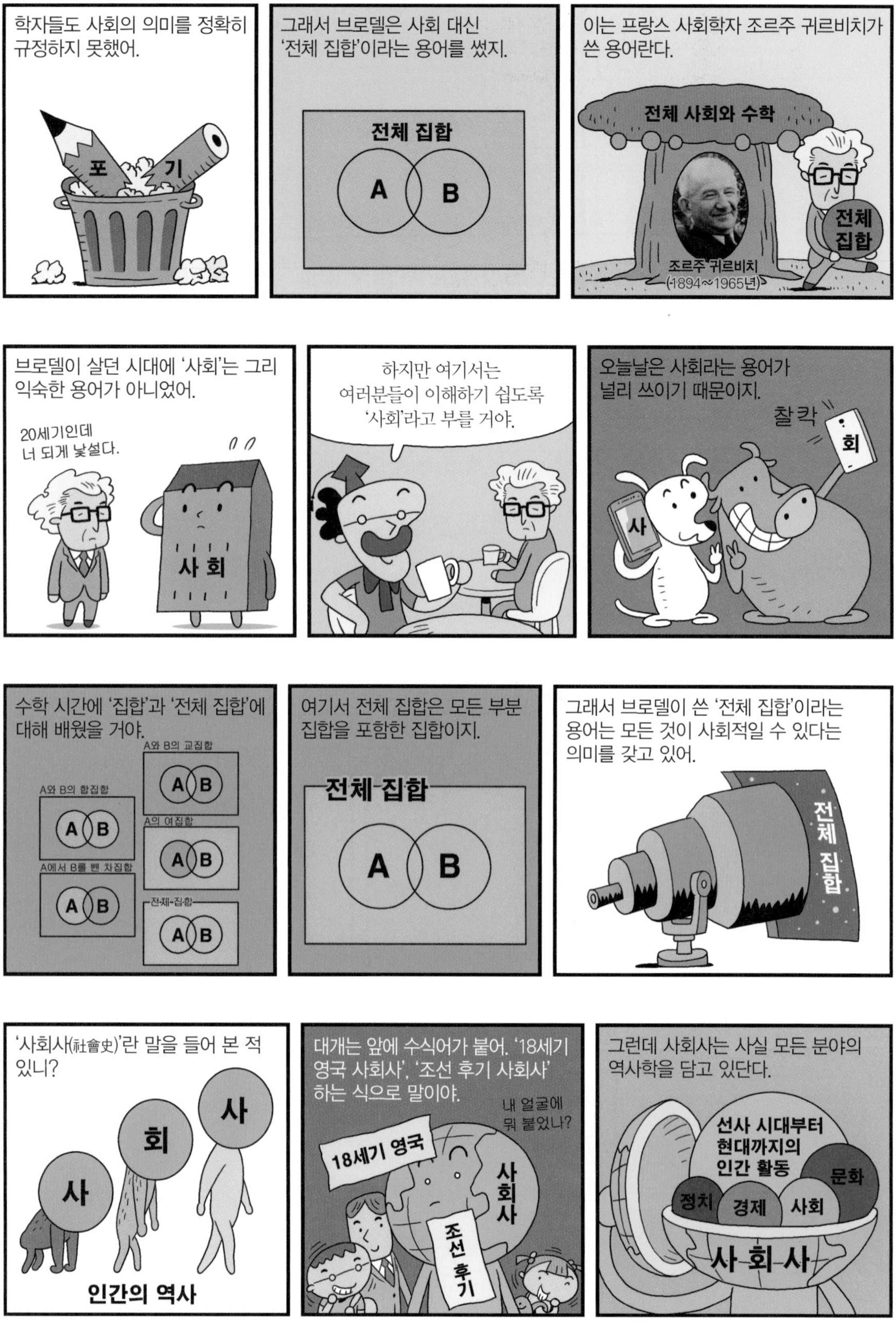
학자들도 사회의 의미를 정확히 규정하지 못했어.
포 기
그래서 브로델은 사회 대신 '전체 집합'이라는 용어를 썼지.
전체 집합
A
B
이는 프랑스 사회학자 조르주 귀르비치가 쓴 용어란다.
전체 사회와 수학
조르주 귀르비치 (1894~1965년)
전체 집합
브로델이 살던 시대에 '사회'는 그리 익숙한 용어가 아니었어.
20세기인데 너 되게 낯설다.
사 회
하지만 여기서는 여러분들이 이해하기 쉽도록 '사회'라고 부를 거야.
오늘날은 사회라는 용어가 널리 쓰이기 때문이지.
찰칵
회
사
수학 시간에 '집합'과 '전체 집합'에 대해 배웠을 거야.
A와 B의 교집합
A와 B의 합집합
A의 여집합
A에서 B를 뺀 차집합
전체 집합
여기서 전체 집합은 모든 부분 집합을 포함한 집합이지.
전체 집합
A
B
그래서 브로델이 쓴 '전체 집합'이라는 용어는 모든 것이 사회적일 수 있다는 의미를 갖고 있어.
전체 집합
'사회사(社會史)'란 말을 들어 본 적 있니?
사
회
사
인간의 역사
대개는 앞에 수식어가 붙어. '18세기 영국 사회사', '조선 후기 사회사' 하는 식으로 말이야.
내 얼굴에 뭐 붙었나?
18세기 영국
사회사
조선 후기
그런데 사회사는 사실 모든 분야의 역사학을 담고 있단다.
선사 시대부터 현대까지의 인간 활동
정치
경제
사회
문화
사회사

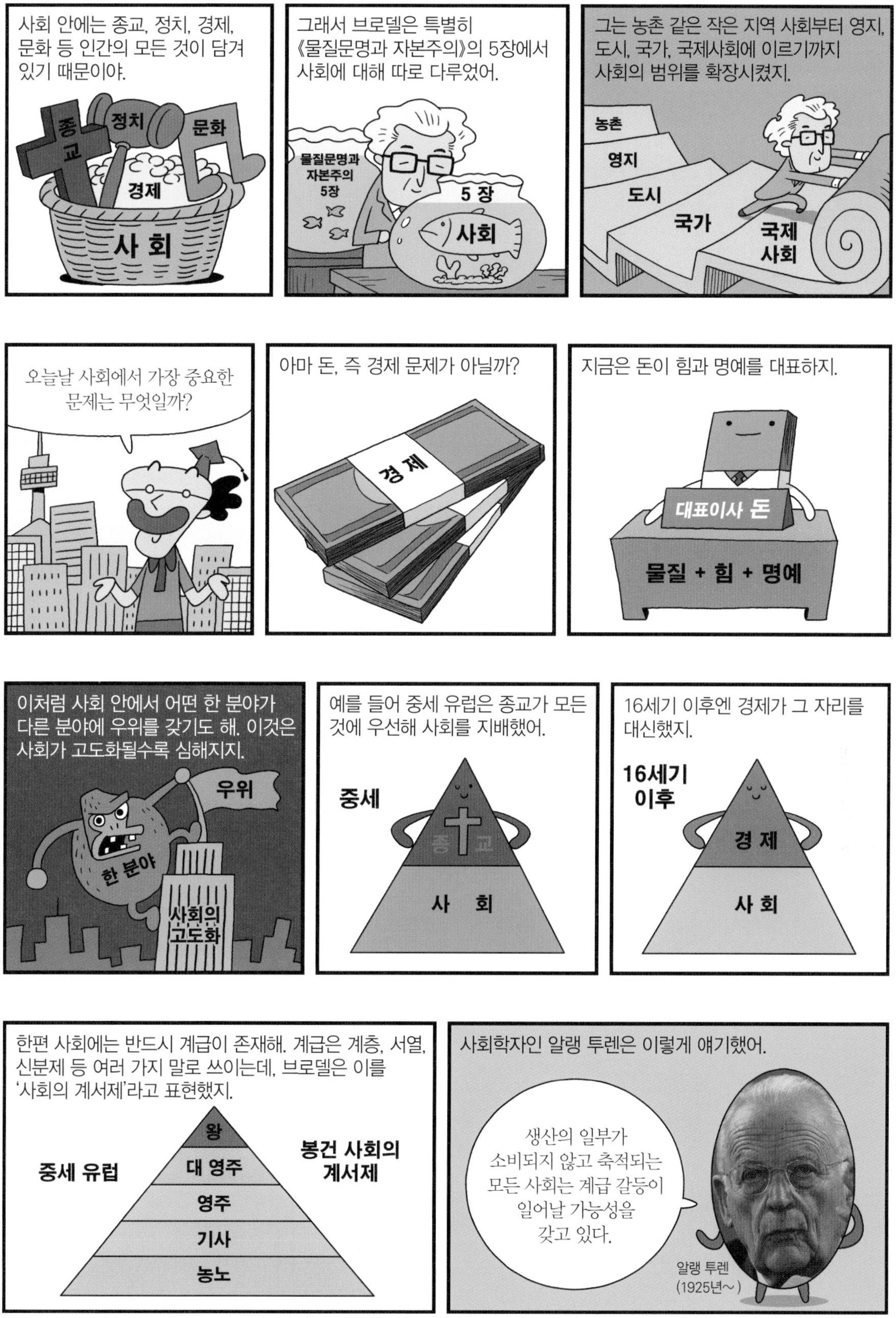
사회 안에는 종교, 정치, 경제, 문화 등 인간의 모든 것이 담겨 있기 때문이야.
종교
정치
문화
경제
사회
그래서 브로델은 특별히 《물질문명과 자본주의》의 5장에서 사회에 대해 따로 다루었어.
물질문명과 자본주의 5장
5 장
사회
그는 농촌 같은 작은 지역 사회부터 영지, 도시, 국가, 국제사회에 이르기까지 사회의 범위를 확장시켰지.
농촌
영지
도시
국가
국제 사회
오늘날 사회에서 가장 중요한 문제는 무엇일까?
아마 돈, 즉 경제 문제가 아닐까?
경제
지금은 돈이 힘과 명예를 대표하지.
대표이사 돈
물질 + 힘 + 명예
이처럼 사회 안에서 어떤 한 분야가 다른 분야에 우위를 갖기도 해. 이것은 사회가 고도화될수록 심해지지.
우위
한 분야
사회의 고도화
예를 들어 중세 유럽은 종교가 모든 것에 우선해 사회를 지배했어.
중세
종교
사회
16세기 이후엔 경제가 그 자리를 대신했지.
16세기 이후
경제
사회
한편 사회에는 반드시 계급이 존재해. 계급은 계층, 서열, 신분제 등 여러 가지 말로 쓰이는데, 브로델은 이를 '사회의 계서제'라고 표현했지.
중세 유럽
왕
대 영주
영주
기사
농노
봉건 사회의 계서제
사회학자인 알랭 투렌은 이렇게 얘기했어.
생산의 일부가 소비되지 않고 축적되는 모든 사회는 계급 갈등이 일어날 가능성을 갖고 있다.
알랭 투렌 (1925년~)

어느 마을에서 그 해에 생산된 곡식을 다 소비하지 않고 어느 정도 남겼다고 해 보자.
남은 곡식
누군가는 그 곡식을 차지하게 되겠지. 즉 부를 쌓는 거야.
나?
그다음 해에 그는 그 부를 이용해서 다른 사람들을 부릴 거야.
부
한편 사회는 복수성의 성격을 띠어.
복
수
성
사
회
즉 여러 집단들 속에서 서로 관계를 맺고 있지.
관 계
조르주 귀르비치는 산업화 사회 이전의 봉건 사회를 '다섯 개의 사회'로 구분했어.
다섯 개의 사회
다섯 개의 사회란 영주제 사회, 교회 사회, 영토 국가, 봉건 사회, 도시를 말해.
영주제 사회
교회 사회
영토 국가
봉건 사회
도시
자세히 들여다보면 사회는 여러 층의 계서제가 섞인 복합적인 모습을 하고 있단다. 예를 들어 우리는 학교에선 학생이고,
교회에선 신도이고,
동아리에서는 회원이잖아.
아멘 청소년 동아리
작은 음악회
일시: XXXX
장소: YYYY
또 대한민국의 국민이면서
대한민국
지역 사회의 시민이지.
서 울

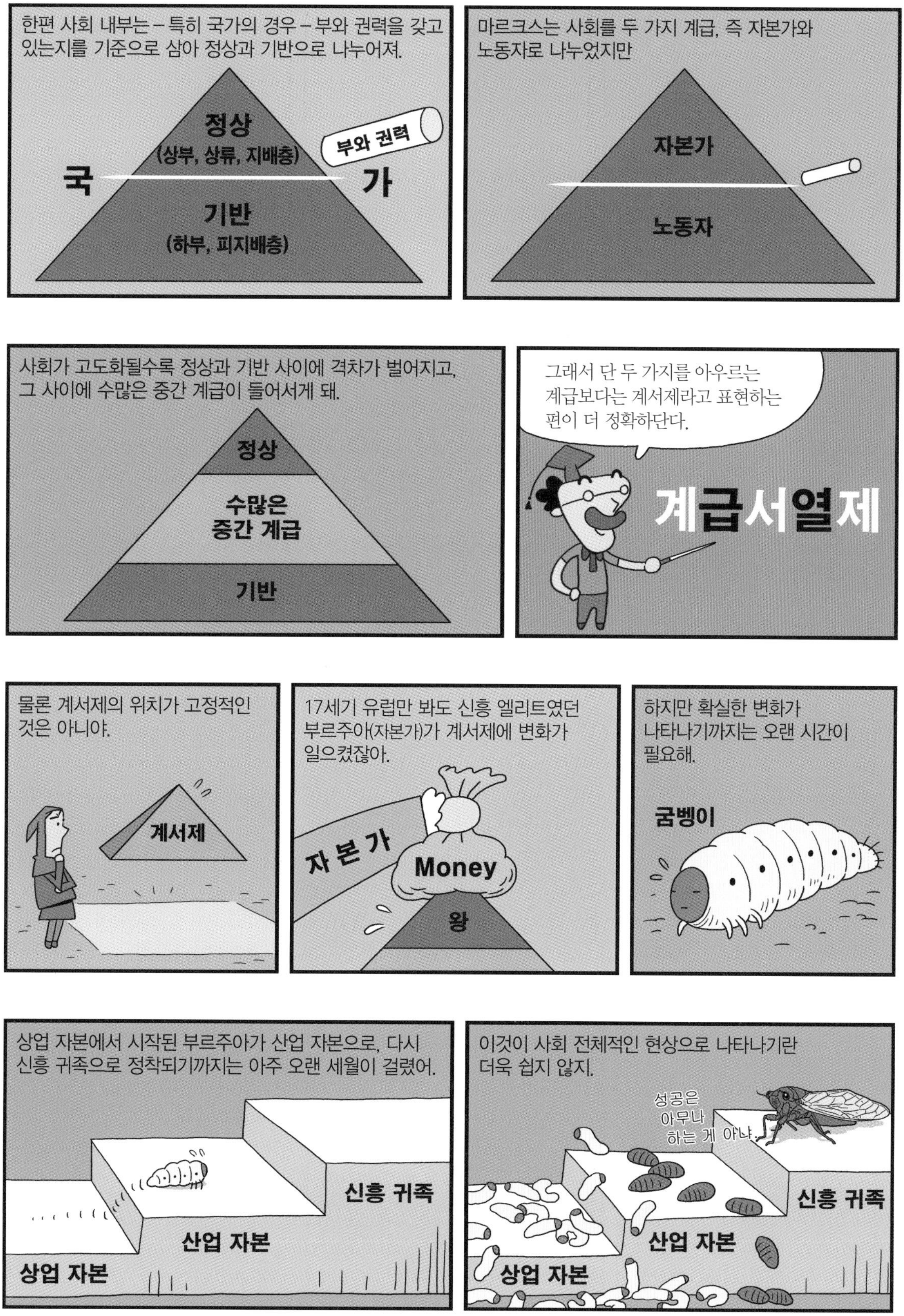

한편 사회 내부는 – 특히 국가의 경우 – 부와 권력을 갖고 있는지를 기준으로 삼아 정상과 기반으로 나누어져.
정상
(상부, 상류, 지배층)
부와 권력
국
가
기반
(하부, 피지배층)
마르크스는 사회를 두 가지 계급, 즉 자본가와 노동자로 나누었지만
자본가
노동자
사회가 고도화될수록 정상과 기반 사이에 격차가 벌어지고, 그 사이에 수많은 중간 계급이 들어서게 돼.
정상
수많은 중간 계급
기반
그래서 단 두 가지를 아우르는 계급보다는 계서제라고 표현하는 편이 더 정확하단다.
계급서열제
물론 계서제의 위치가 고정적인 것은 아니야.
계서제
17세기 유럽만 봐도 신흥 엘리트였던 부르주아(자본가)가 계서제에 변화가 일으켰잖아.
자본가
Money
왕
하지만 확실한 변화가 나타나기까지는 오랜 시간이 필요해.
굼벵이
상업 자본에서 시작된 부르주아가 산업 자본으로, 다시 신흥 귀족으로 정착되기까지는 아주 오랜 세월이 걸렸어.
신흥 귀족
산업 자본
상업 자본
이것이 사회 전체적인 현상으로 나타나기란 더욱 쉽지 않지.
성공은 아무나 하는 게 아냐.
신흥 귀족
산업 자본
상업 자본

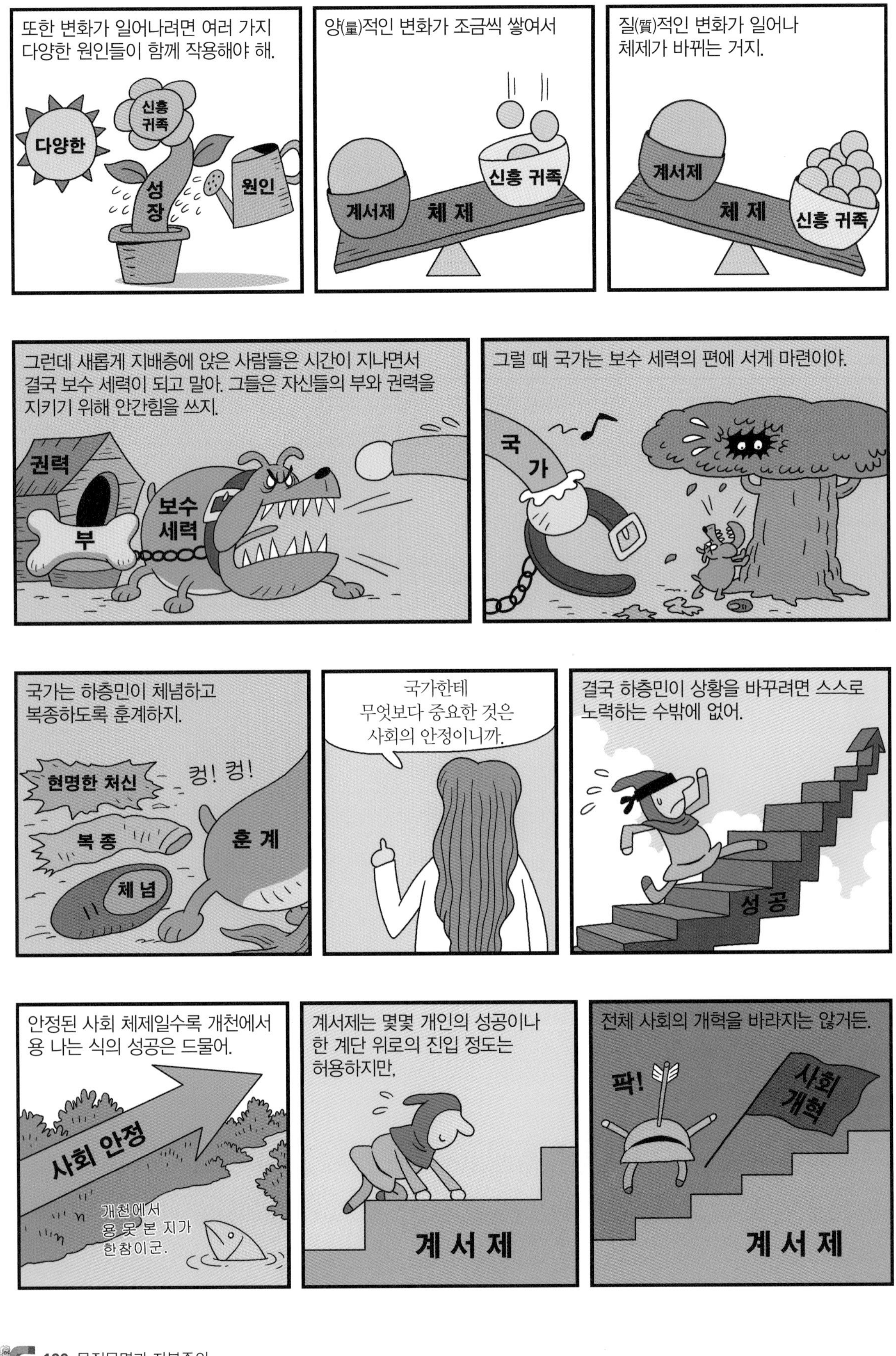

또한 변화가 일어나려면 여러 가지
다양한 원인들이 함께 작용해야 해.
다양한
신흥 귀족
성장
원인
양(量)적인 변화가 조금씩 쌓여서
계서제
체 제
신흥 귀족
질(質)적인 변화가 일어나
체제가 바뀌는 거지.
계서제
체 제
신흥 귀족
그런데 새롭게 지배층에 앉은 사람들은 시간이 지나면서
결국 보수 세력이 되고 말아. 그들은 자신들의 부와 권력을
지키기 위해 안간힘을 쓰지.
권력
부
보수 세력
그럴 때 국가는 보수 세력의 편에 서게 마련이야.
국 가
국가는 하층민이 체념하고
복종하도록 훈계하지.
현명한 처신
컹! 컹!
복 종
체 념
훈 계
국가한테
무엇보다 중요한 것은
사회의 안정이니까.
결국 하층민이 상황을 바꾸려면 스스로
노력하는 수밖에 없어.
성 공
안정된 사회 체제일수록 개천에서
용 나는 식의 성공은 드물어.
사회 안정
개천에서
용 못 본 지가
한참이군.
계서제는 몇몇 개인의 성공이나
한 계단 위로의 진입 정도는
허용하지만,
계 서 제
전체 사회의 개혁을 바라지는 않거든.
팍!
사회 개혁
계 서 제

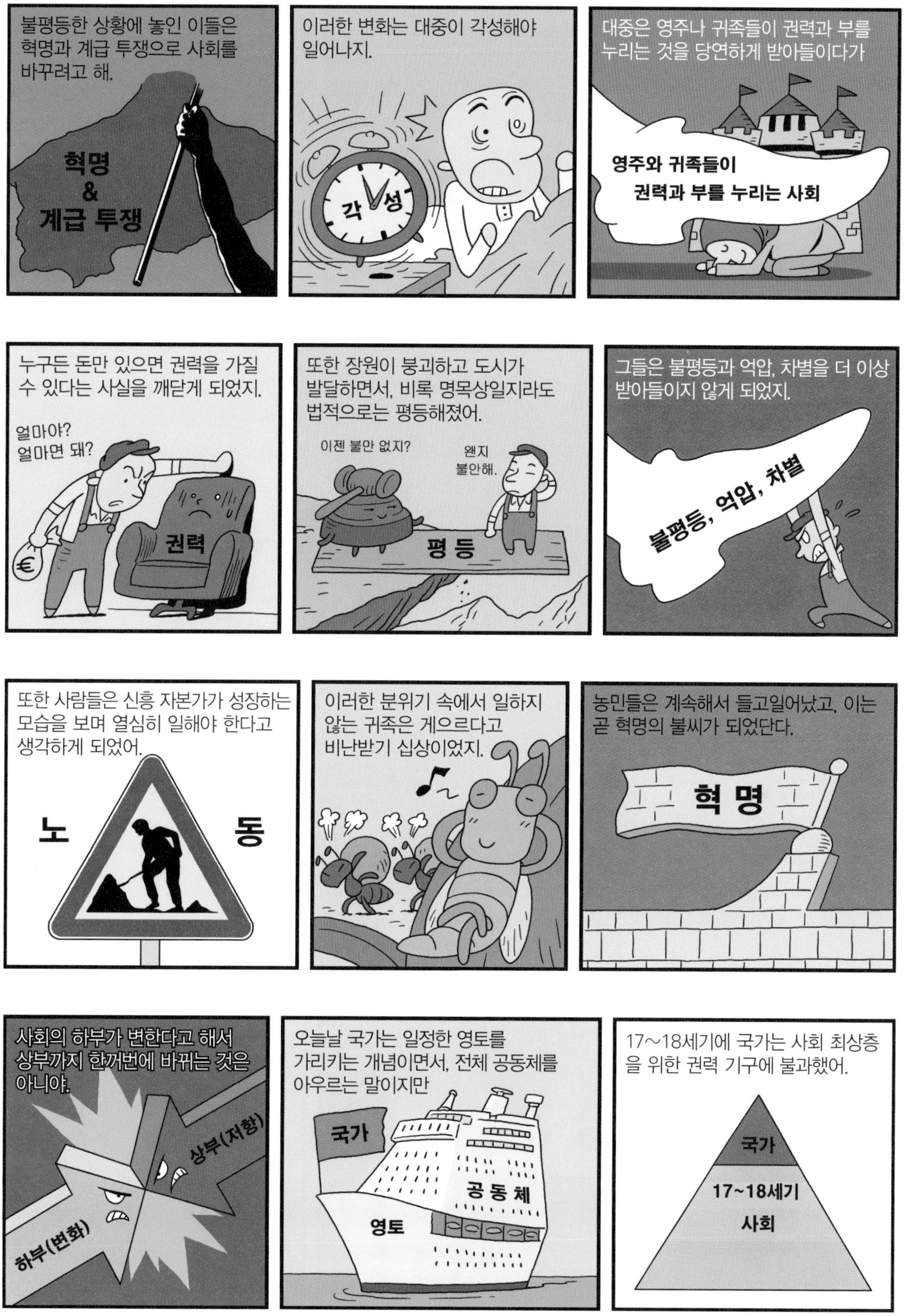

불평등한 상황에 놓인 이들은 혁명과 계급 투쟁으로 사회를 바꾸려고 해.
혁명 & 계급 투쟁
이러한 변화는 대중이 각성해야 일어나지.
각성
대중은 영주나 귀족들이 권력과 부를 누리는 것을 당연하게 받아들이다가
영주와 귀족들이 권력과 부를 누리는 사회
누구든 돈만 있으면 권력을 가질 수 있다는 사실을 깨닫게 되었지.
얼마야? 얼마면 돼?
권력
또한 장원이 붕괴하고 도시가 발달하면서, 비록 명목상일지라도 법적으로는 평등해졌어.
이젠 불만 없지?
왠지 불안해.
평등
그들은 불평등과 억압, 차별을 더 이상 받아들이지 않게 되었지.
불평등, 억압, 차별
또한 사람들은 신흥 자본가가 성장하는 모습을 보며 열심히 일해야 한다고 생각하게 되었어.
노동
이러한 분위기 속에서 일하지 않는 귀족은 게으르다고 비난받기 십상이었지.
농민들은 계속해서 들고일어났고, 이는 곧 혁명의 불씨가 되었단다.
혁명
사회의 하부가 변한다고 해서 상부까지 한꺼번에 바뀌는 것은 아니야.
상부(저항)
하부(변화)
오늘날 국가는 일정한 영토를 가리키는 개념이면서, 전체 공동체를 아우르는 말이지만
국가
공동체
영토
17~18세기에 국가는 사회 최상층을 위한 권력 기구에 불과했어.
국가
17~18세기 사회

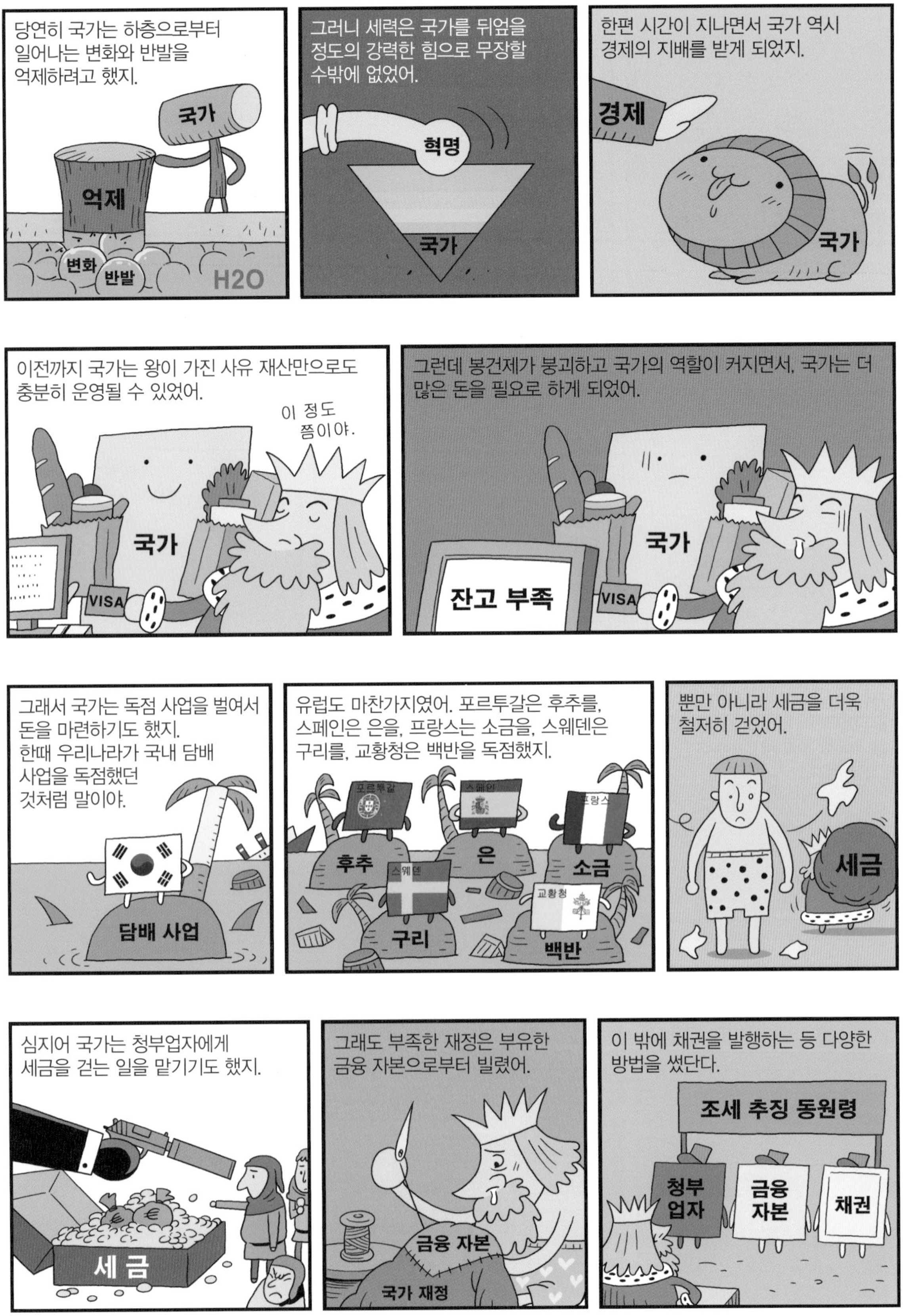

당연히 국가는 하층으로부터 일어나는 변화와 반발을 억제하려고 했지.
국가
억제
변화
반발
H2O
그러니 세력은 국가를 뒤엎을 정도의 강력한 힘으로 무장할 수밖에 없었어.
혁명
국가
한편 시간이 지나면서 국가 역시 경제의 지배를 받게 되었지.
경제
국가
이전까지 국가는 왕이 가진 사유 재산만으로도 충분히 운영될 수 있었어.
이 정도 쯤이야.
국가
VISA
그런데 봉건제가 붕괴하고 국가의 역할이 커지면서, 국가는 더 많은 돈을 필요로 하게 되었어.
잔고 부족
국가
VISA
그래서 국가는 독점 사업을 벌여서 돈을 마련하기도 했지. 한때 우리나라가 국내 담배 사업을 독점했던 것처럼 말이야.
담배 사업
유럽도 마찬가지였어. 포르투갈은 후추를, 스페인은 은을, 프랑스는 소금을, 스웨덴은 구리를, 교황청은 백반을 독점했지.
포르투갈
스페인
프랑스
후추
은
소금
스웨덴
구리
교황청
백반
뿐만 아니라 세금을 더욱 철저히 걷었어.
세금
심지어 국가는 청부업자에게 세금을 걷는 일을 맡기기도 했지.
세 금
그래도 부족한 재정은 부유한 금융 자본으로부터 빌렸어.
금융 자본
국가 재정
이 밖에 채권을 발행하는 등 다양한 방법을 썼단다.
조세 추징 동원령
청부 업자
금융 자본
채권

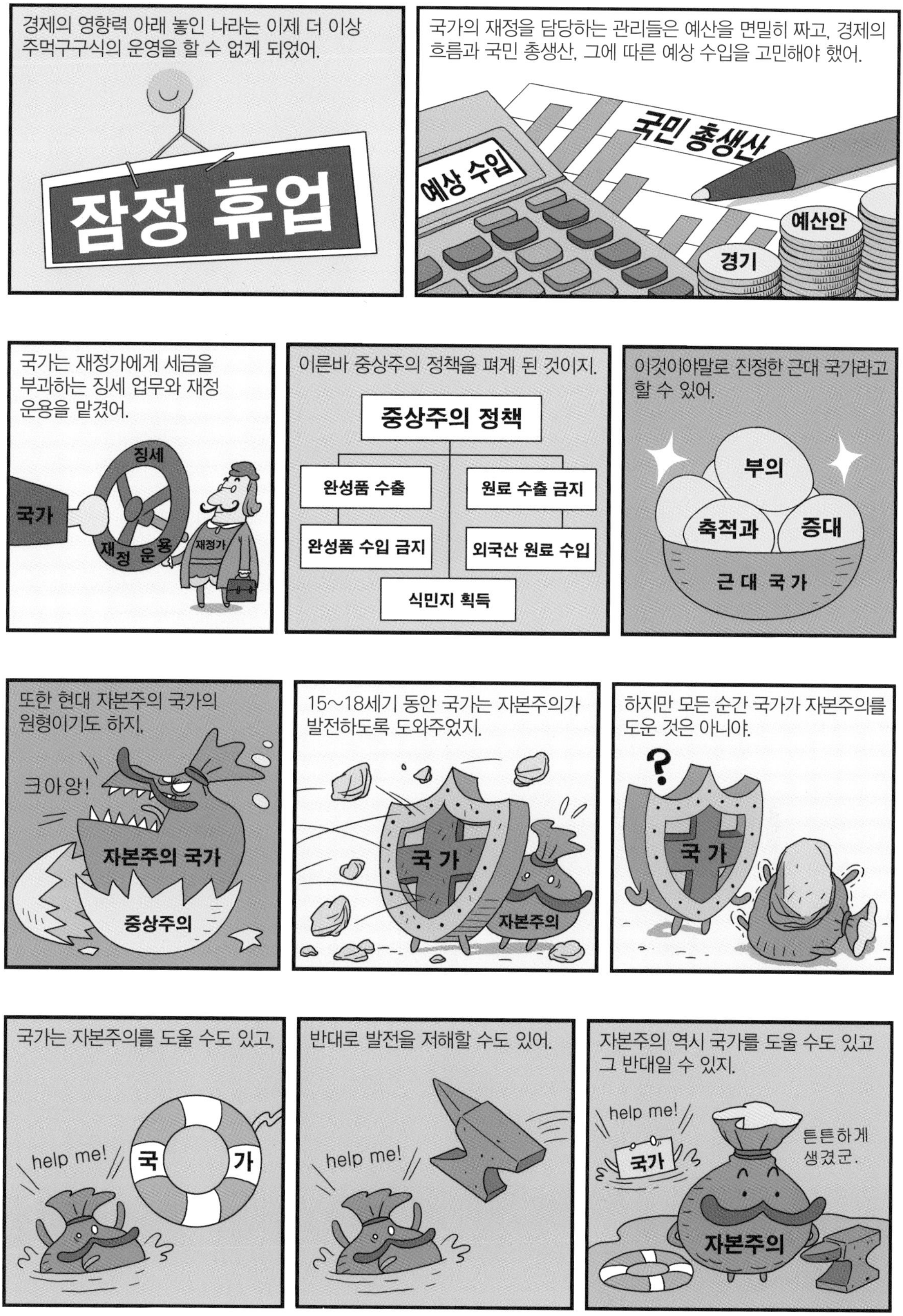
경제의 영향력 아래 놓인 나라는 이제 더 이상 주먹구구식의 운영을 할 수 없게 되었어.
잠정 휴업
국가의 재정을 담당하는 관리들은 예산을 면밀히 짜고, 경제의 흐름과 국민 총생산, 그에 따른 예상 수입을 고민해야 했어.
국민 총생산
예상 수입
예산안
경기
국가는 재정가에게 세금을 부과하는 징세 업무와 재정 운용을 맡겼어.
징세
국가
재정 운용
재정가
이른바 중상주의 정책을 펴게 된 것이지.
중상주의 정책
완성품 수출
원료 수출 금지
완성품 수입 금지
외국산 원료 수입
식민지 획득
이것이야말로 진정한 근대 국가라고 할 수 있어.
부의
축적과
증대
근대 국가
또한 현대 자본주의 국가의 원형이기도 하지.
크아앙!
자본주의 국가
중상주의
15~18세기 동안 국가는 자본주의가 발전하도록 도와주었지.
국가
자본주의
하지만 모든 순간 국가가 자본주의를 도운 것은 아니야.
?
국가
국가는 자본주의를 도울 수도 있고,
help me!
국가
반대로 발전을 저해할 수도 있어.
help me!
자본주의 역시 국가를 도울 수도 있고 그 반대일 수 있지.
help me!
국가
튼튼하게 생겼군.
자본주의

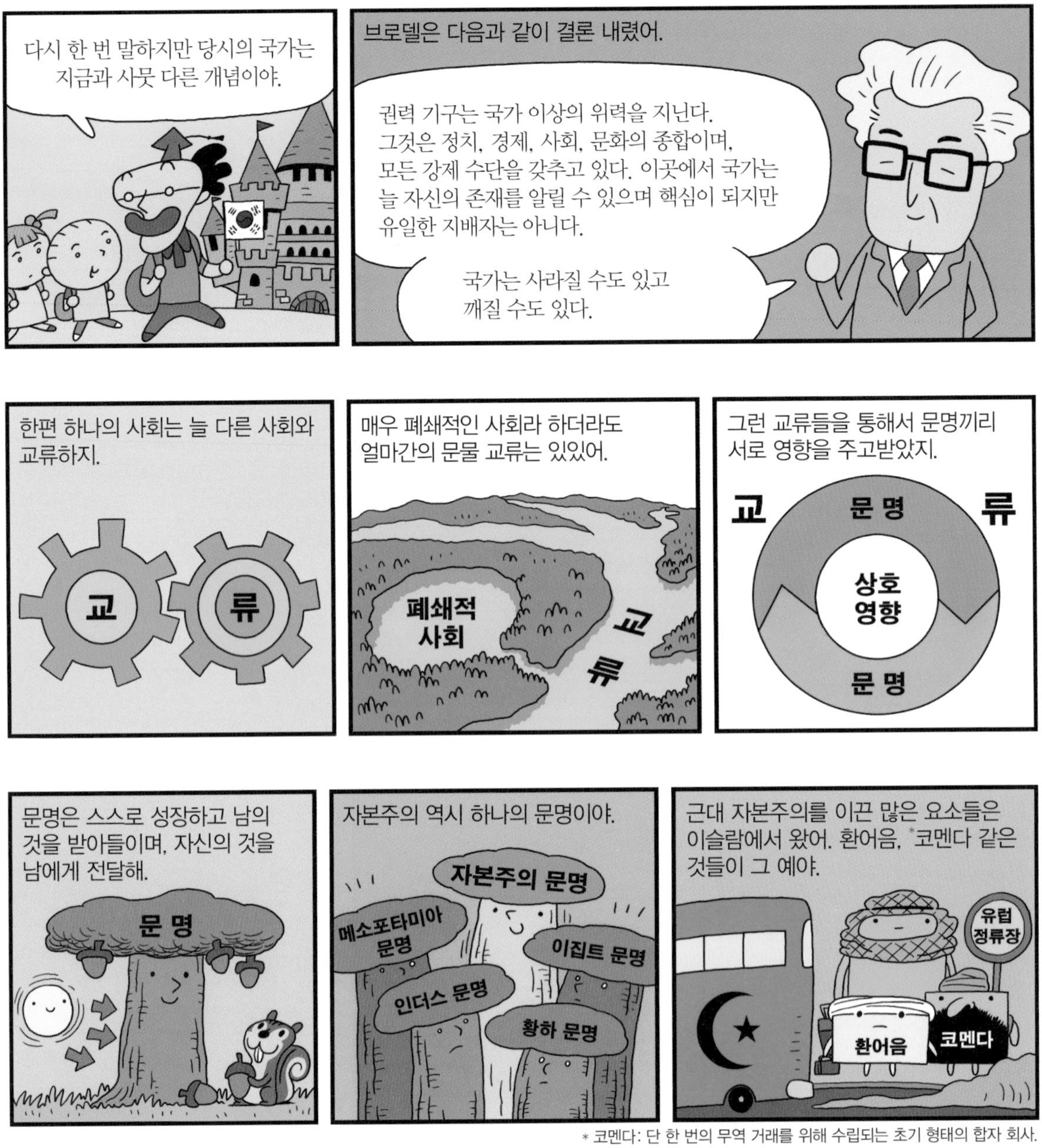
다시 한 번 말하지만 당시의 국가는 지금과 사뭇 다른 개념이야.
브로델은 다음과 같이 결론 내렸어.
권력 기구는 국가 이상의 위력을 지닌다. 그것은 정치, 경제, 사회, 문화의 종합이며, 모든 강제 수단을 갖추고 있다. 이곳에서 국가는 늘 자신의 존재를 알릴 수 있으며 핵심이 되지만 유일한 지배자는 아니다.
국가는 사라질 수도 있고 깨질 수도 있다.
한편 하나의 사회는 늘 다른 사회와 교류하지.
교
류
매우 폐쇄적인 사회라 하더라도 얼마간의 문물 교류는 있었어.
폐쇄적 사회
교
류
그런 교류들을 통해서 문명끼리 서로 영향을 주고받았지.
교
류
문 명
상호 영향
문 명
문명은 스스로 성장하고 남의 것을 받아들이며, 자신의 것을 남에게 전달해.
문 명
자본주의 역시 하나의 문명이야.
자본주의 문명
메소포타미아 문명
이집트 문명
인더스 문명
황하 문명
근대 자본주의를 이끈 많은 요소들은 이슬람에서 왔어. 환어음, *코멘다 같은 것들이 그 예야.
유럽 정류장
환어음
코멘다

* 코멘다: 단 한 번의 무역 거래를 위해 수립되는 초기 형태의 합자 회사.

주로 이탈리아의 도시들이 이것들을 먼저 받아들였는데
이탈리아
도시
이는 곧 유럽으로 전파되어
유 럽
유럽의 자본주의가 성립하는 데 기여했지.
유럽 자본주의 정식 메뉴
환어음 60000
코멘다 80000

그럼 자본주의는 언제 어느 곳에
새로운 문명을 만들었을까?
자본
주의
문명
자본주의
유 럽
브로델은 15세기 피렌체라고
못 박았어.
베니스
밀라노
자본주의
문명
이탈리아
피렌체
산업 혁명이나 종교 개혁 등도 중요한
일이지만, 브로델은 경제 문제인 자본주의에
주목했던 거야.
경 제
자본주의
그는 금융 자본이 최고조에 이른 15세기 피렌체야말로 자본주의의
전환점이 되었다고 주장했어.
자본주의
전환점
금융
산업
상업
자 본
피렌체
브로델은 2권 《교환의 세계》를 마치면서
다음과 같이 결론 내렸어.
물질문명과
자본주의
-교환의 세계-
FIN
일정한 경제적, 사회적 조건이
맞아야만 자본주의가 발전할 수 있다.
경제
조
사회
건
자본주의
발 전
첫 번째, 활력이 넘치고 진보하는
시장 경제,
활 력
진 보
시장
경제
두 번째, 사회적인 변화
변화의 물결
사 회
세 번째 세계 시장이라는 특별한
해방 세력이다.
help me!
세계
시장
자본
주의
그리고 이러한 조건들이 맞아떨어진
곳이 바로 유럽과 일본이다.
철컥!
유럽
일본
다음 장에서는 세 번째 원인, 즉
세계 시장에 대해 살펴보도록 하자.
물질문명과
자본주의
3권
세계 시장

9장 세계의 시간

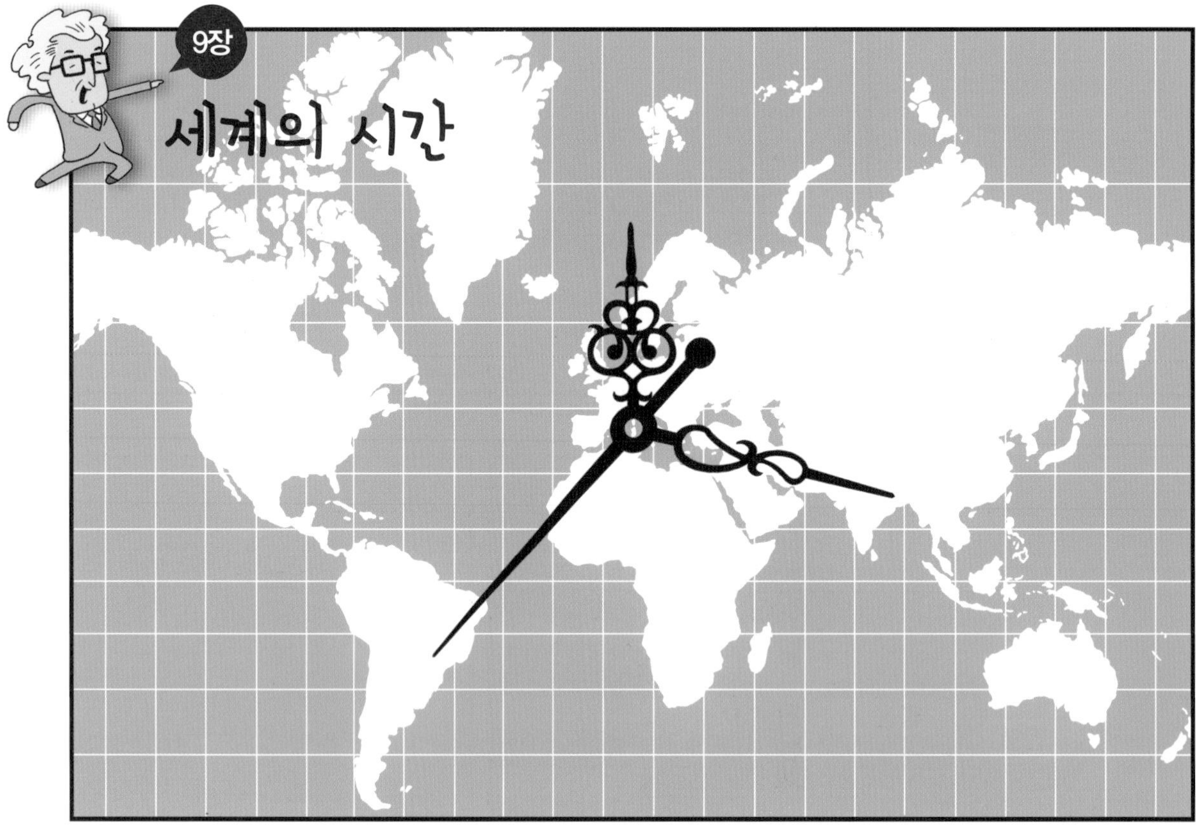

도시 경제
도시
경제

지금부터는 《물질문명과 자본주의》 제3권 중 5장에 해당하는 부분을 다룰 거야.
페르낭 브로델
물질문명과 자본주의 3
세계의 시간

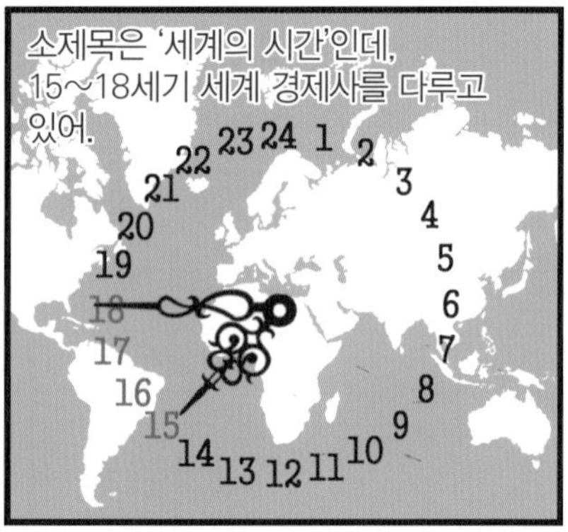
소제목은 '세계의 시간'인데, 15~18세기 세계 경제사를 다루고 있어.
23 24 1 2 3 4 5 6 7 8 9 10 11 12 13 14 15 16 17 18 19 20 21 22

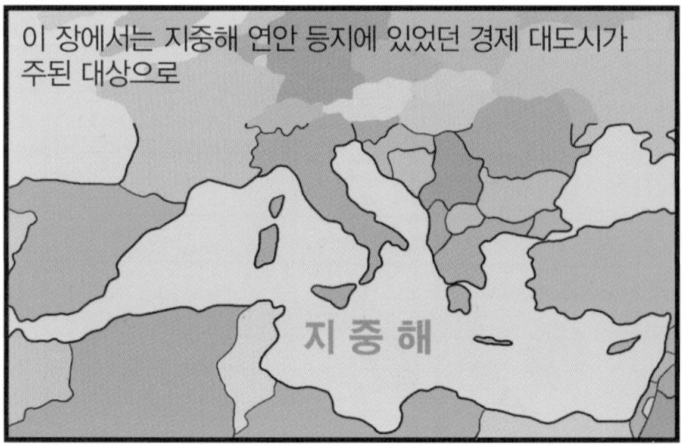
이 장에서는 지중해 연안 등지에 있었던 경제 대도시가 주된 대상으로
지중해

제한된 시간을 다뤄. 즉 장기 지속이나 중기 지속보다 짧은, 관측 가능한 사건에 대해 이야기하지.
단기 지속
중기 지속
장기 지속

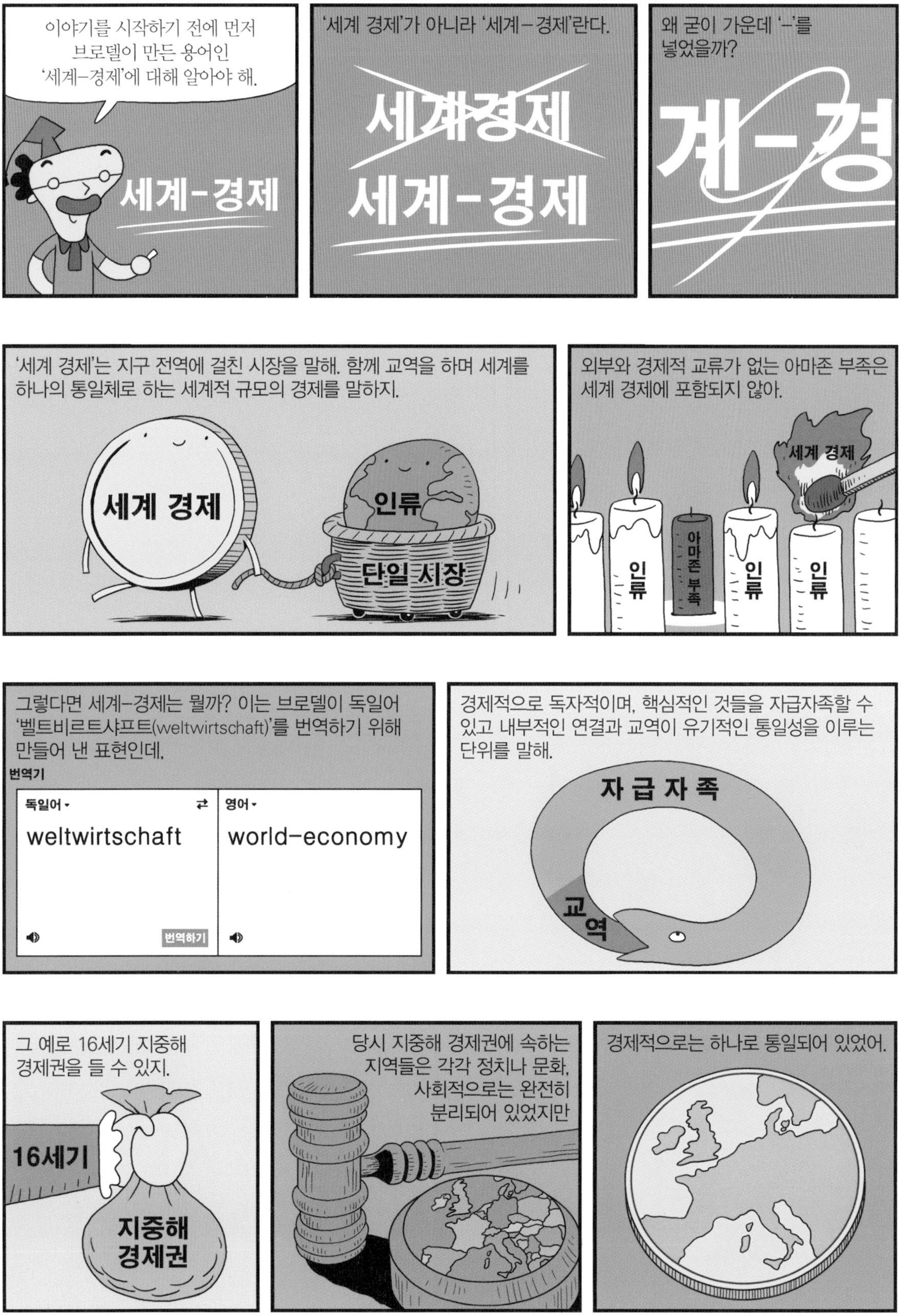
이야기를 시작하기 전에 먼저
브로델이 만든 용어인
'세계–경제'에 대해 알아야 해.
세계–경제
'세계 경제'가 아니라 '세계–경제'란다.
세계경제
세계–경제
왜 굳이 가운데 '–'를
넣었을까?
계–경
'세계 경제'는 지구 전역에 걸친 시장을 말해. 함께 교역을 하며 세계를
하나의 통일체로 하는 세계적 규모의 경제를 말하지.
세계 경제
인류
단일 시장
외부와 경제적 교류가 없는 아마존 부족은
세계 경제에 포함되지 않아.
세계 경제
인류
아마존 부족
인류
인류
그렇다면 세계–경제는 뭘까? 이는 브로델이 독일어
'벨트비르트샤프트(weltwirtschaft)'를 번역하기 위해
만들어 낸 표현인데,
번역기
독일어
weltwirtschaft
영어
world–economy
번역하기
경제적으로 독자적이며, 핵심적인 것들을 자급자족할 수
있고 내부적인 연결과 교역이 유기적인 통일성을 이루는
단위를 말해.
자급자족
교역
그 예로 16세기 지중해
경제권을 들 수 있지.
16세기
지중해
경제권
당시 지중해 경제권에 속하는
지역들은 각각 정치나 문화,
사회적으로는 완전히
분리되어 있었지만
경제적으로는 하나로 통일되어 있었어.

물론 지중해 지역 중에서도 상층 구조에만
해당되긴 했지만 말이야.
상층 구조
지 중 해

그렇더라도 그리스 로마 시대부터 이어진 지중해 경제권은
오랜 역사를 가진 하나의 세계-경제란다.
세계-경제
지중해 경제권
로마
그리스
지 중 해

브로델은 전 지구를 아우르는 세계 경제는 너무나
광범위하여 연구 대상으로서 의미가 없다고
판단했어.
훌쩍
쾅!
세계
경제

게다가 이 책의 연구 범위인 14~18세기에는 세계 경제가
전 지구적으로 확장하지 못했지.
14~18세기
세계 경제

이즈음 유럽은 점차 하나의 경제권으로 묶이기
시작했지만 여전히 교역은 제한적이었어.
교 역
하나의 경제권

또한 아시아, 아메리카와 같은 비유럽은 유럽과
통합된 세계 경제를 이루지 못했지.
세계
경제
아시아
아메리카

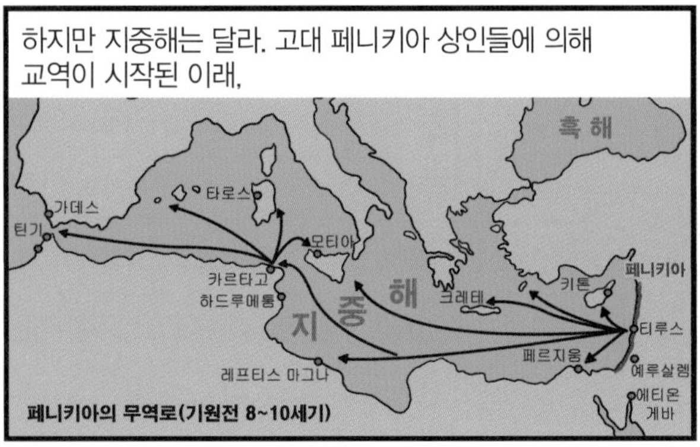
하지만 지중해는 달라. 고대 페니키아 상인들에 의해
교역이 시작된 이래,
흑 해
가데스
타로스
틴기
모티아
카르타고
하드루메툼
지 중 해
크레테
키톤
페니키아
티루스
페르지움
예루살렘
레프티스 마그나
에티온
게바
페니키아의 무역로(기원전 8~10세기)

16세기는 물론 지금까지도 하나의 통일된 경제권으로
자리매김하고 있단다.
로마
카르타고
지 중 해

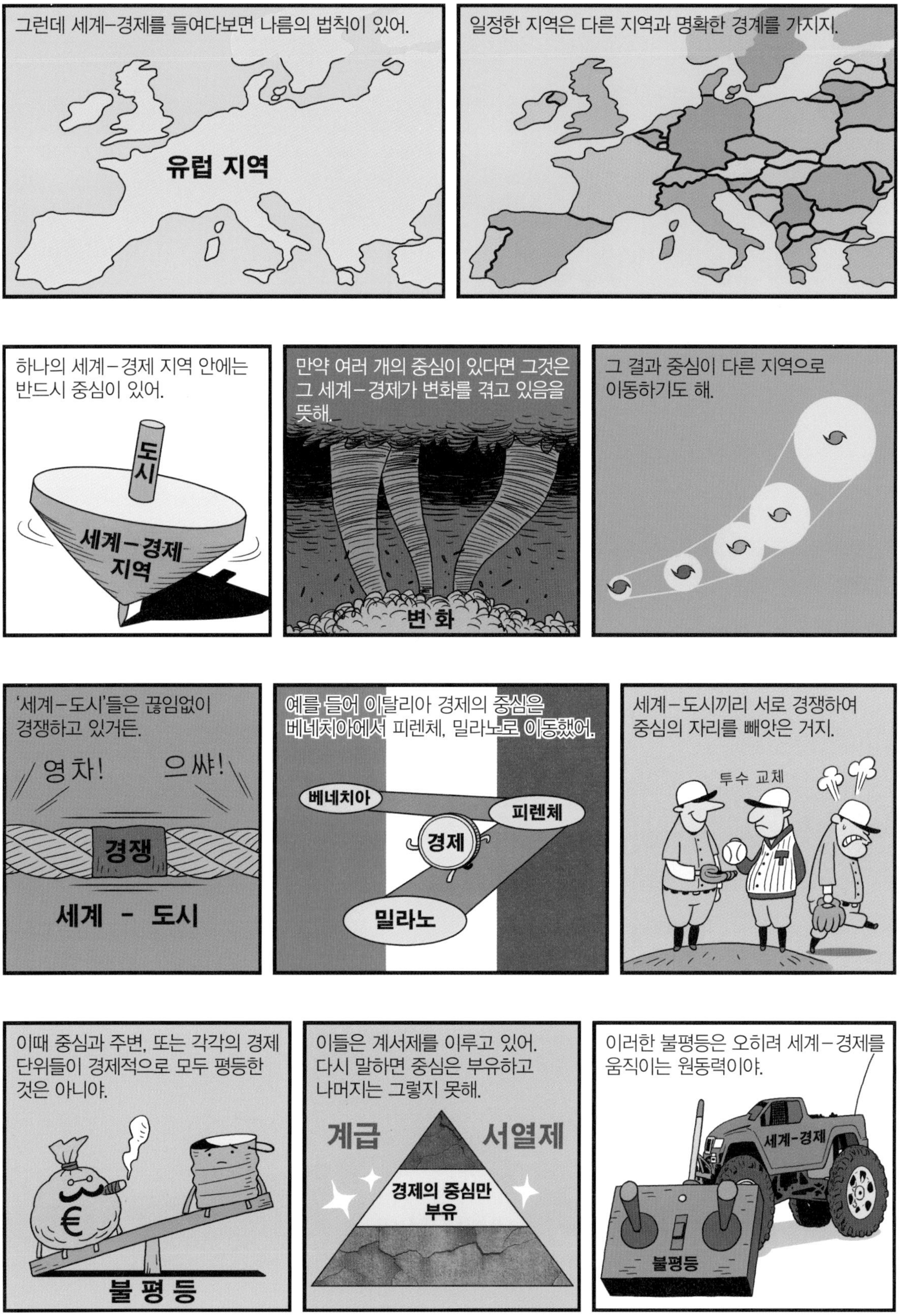
그런데 세계-경제를 들여다보면 나름의 법칙이 있어.
유럽 지역
일정한 지역은 다른 지역과 명확한 경계를 가지지.
하나의 세계-경제 지역 안에는 반드시 중심이 있어.
도시
세계-경제 지역
만약 여러 개의 중심이 있다면 그것은 그 세계-경제가 변화를 겪고 있음을 뜻해.
변화
그 결과 중심이 다른 지역으로 이동하기도 해.
'세계-도시'들은 끊임없이 경쟁하고 있거든.
영차!
으쌰!
경쟁
세계 - 도시
예를 들어 이탈리아 경제의 중심은 베네치아에서 피렌체, 밀라노로 이동했어.
베네치아
피렌체
경제
밀라노
세계-도시끼리 서로 경쟁하여 중심의 자리를 빼앗은 거지.
투수 교체
이때 중심과 주변, 또는 각각의 경제 단위들이 경제적으로 모두 평등한 것은 아니야.
€
불평등
이들은 계서제를 이루고 있어. 다시 말하면 중심은 부유하고 나머지는 그렇지 못해.
계급
서열제
경제의 중심만 부유
이러한 불평등은 오히려 세계-경제를 움직이는 원동력이야.
세계-경제
불평등

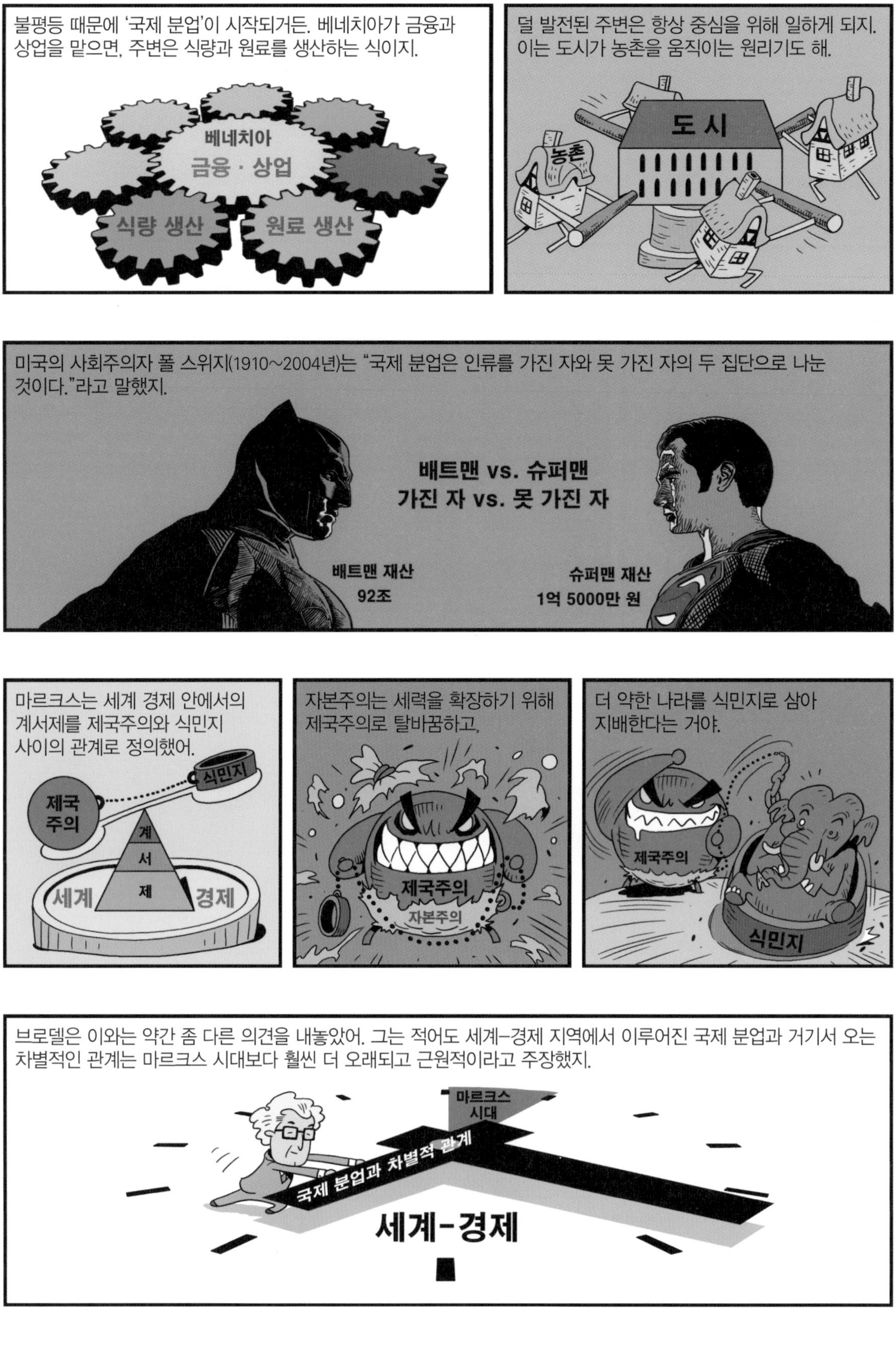
불평등 때문에 '국제 분업'이 시작되거든. 베네치아가 금융과 상업을 맡으면, 주변은 식량과 원료를 생산하는 식이지.
베네치아
금융 · 상업
식량 생산
원료 생산
덜 발전된 주변은 항상 중심을 위해 일하게 되지. 이는 도시가 농촌을 움직이는 원리기도 해.
도시
농촌
미국의 사회주의자 폴 스위지(1910~2004년)는 "국제 분업은 인류를 가진 자와 못 가진 자의 두 집단으로 나눈 것이다."라고 말했지.
배트맨 vs. 슈퍼맨
가진 자 vs. 못 가진 자
배트맨 재산
92조
슈퍼맨 재산
1억 5000만 원
마르크스는 세계 경제 안에서의 계서제를 제국주의와 식민지 사이의 관계로 정의했어.
식민지
제국주의
계
서
제
세계
경제
자본주의는 세력을 확장하기 위해 제국주의로 탈바꿈하고,
제국주의
자본주의
더 약한 나라를 식민지로 삼아 지배한다는 거야.
제국주의
식민지
브로델은 이와는 약간 좀 다른 의견을 내놓았어. 그는 적어도 세계-경제 지역에서 이루어진 국제 분업과 거기서 오는 차별적인 관계는 마르크스 시대보다 훨씬 더 오래되고 근원적이라고 주장했지.
마르크스 시대
국제 분업과 차별적 관계
세계-경제

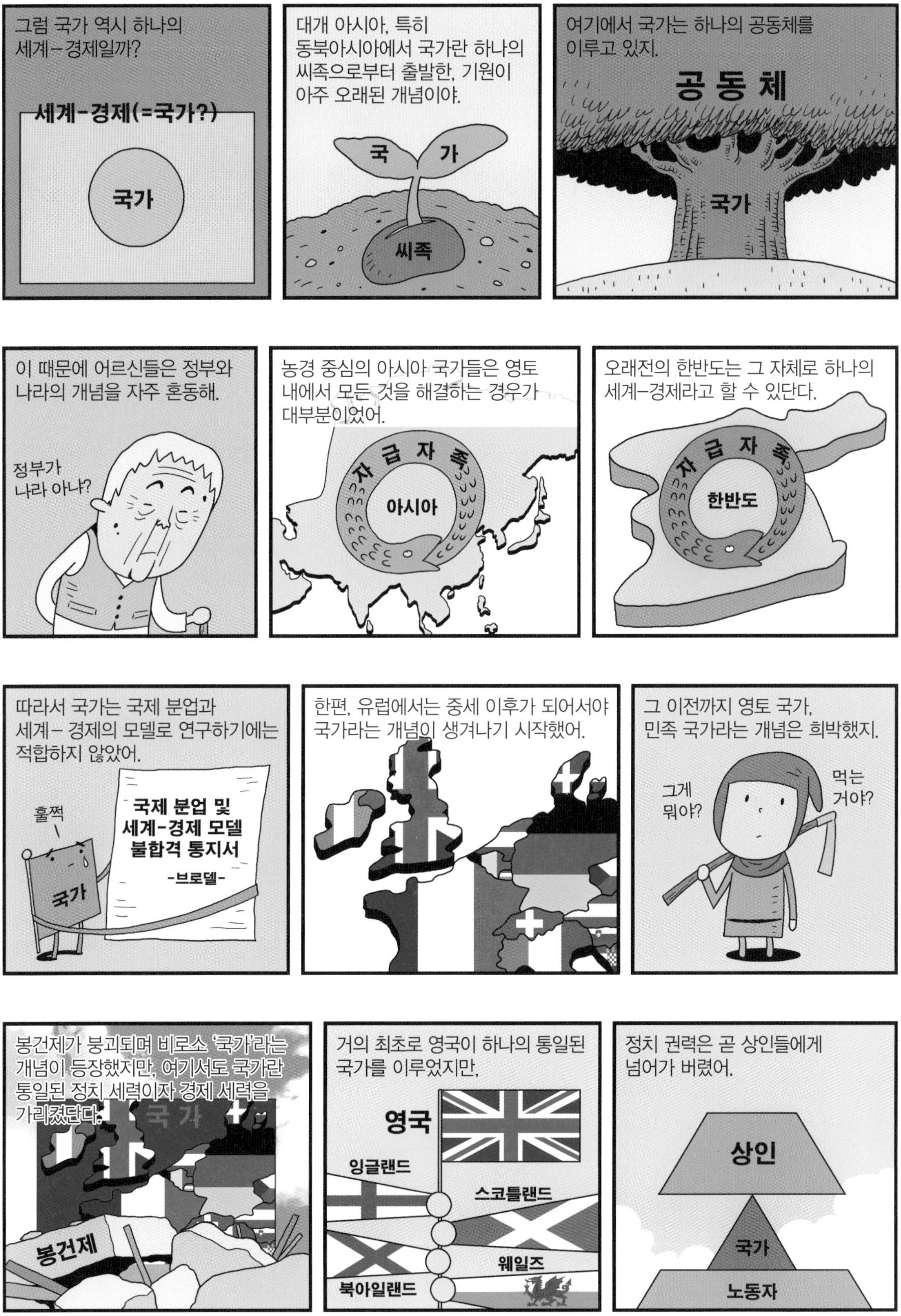
그럼 국가 역시 하나의 세계-경제일까?
세계-경제(=국가?)
국가
대개 아시아, 특히 동북아시아에서 국가란 하나의 씨족으로부터 출발한, 기원이 아주 오래된 개념이야.
국
가
씨족
여기에서 국가는 하나의 공동체를 이루고 있지.
공동체
국가
이 때문에 어르신들은 정부와 나라의 개념을 자주 혼동해.
정부가 나라 아냐?
농경 중심의 아시아 국가들은 영토 내에서 모든 것을 해결하는 경우가 대부분이었어.
자급자족
아시아
오래전의 한반도는 그 자체로 하나의 세계-경제라고 할 수 있단다.
자급자족
한반도
따라서 국가는 국제 분업과 세계-경제의 모델로 연구하기에는 적합하지 않았어.
훌쩍
국제 분업 및 세계-경제 모델 불합격 통지서
-브로델-
국가
한편, 유럽에서는 중세 이후가 되어서야 국가라는 개념이 생겨나기 시작했어.
그 이전까지 영토 국가, 민족 국가라는 개념은 희박했지.
그게 뭐야?
먹는 거야?
봉건제가 붕괴되며 비로소 '국가'라는 개념이 등장했지만, 여기서도 국가란 통일된 정치 세력이자 경제 세력을 가리켰단다.
국가
봉건제
거의 최초로 영국이 하나의 통일된 국가를 이루었지만,
영국
잉글랜드
스코틀랜드
웨일즈
북아일랜드
정치 권력은 곧 상인들에게 넘어가 버렸어.
상인
국가
노동자

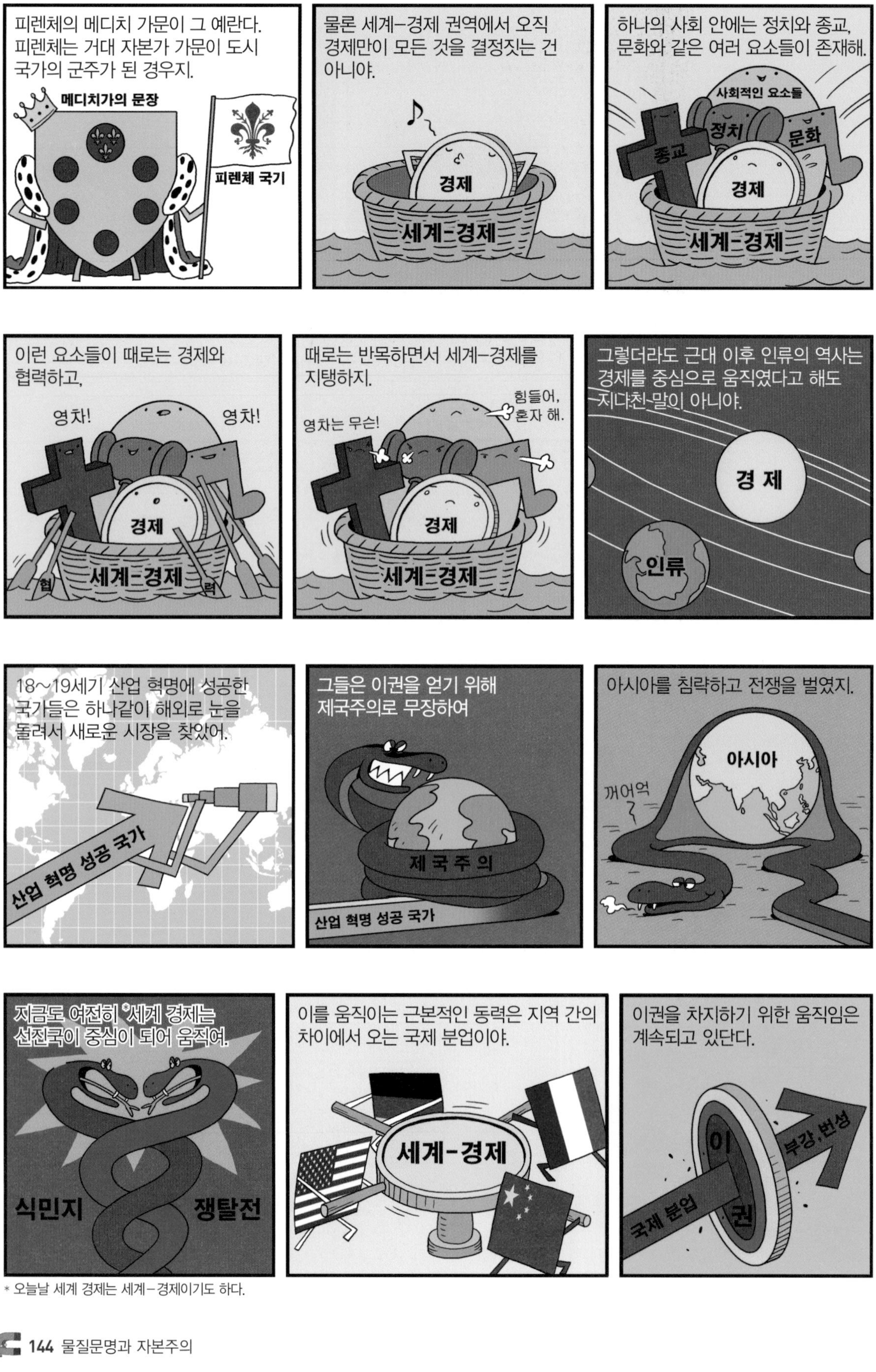
피렌체의 메디치 가문이 그 예란다.
피렌체는 거대 자본가 가문이 도시 국가의 군주가 된 경우지.
메디치가의 문장
피렌체 국기
물론 세계-경제 권역에서 오직 경제만이 모든 것을 결정짓는 건 아니야.
경제
세계-경제
하나의 사회 안에는 정치와 종교, 문화와 같은 여러 요소들이 존재해.
사회적인 요소들
종교
정치
문화
경제
세계-경제
이런 요소들이 때로는 경제와 협력하고,
영차!
영차!
경제
세계-경제
협
력
때로는 반목하면서 세계-경제를 지탱하지.
영차는 무슨!
힘들어, 혼자 해.
경제
세계-경제
그렇더라도 근대 이후 인류의 역사는 경제를 중심으로 움직였다고 해도 지나친 말이 아니야.
경 제
인류
18~19세기 산업 혁명에 성공한 국가들은 하나같이 해외로 눈을 돌려서 새로운 시장을 찾았어.
산업 혁명 성공 국가
그들은 이권을 얻기 위해 제국주의로 무장하여
제 국 주 의
산업 혁명 성공 국가
아시아를 침략하고 전쟁을 벌였지.
아시아
꺼어억
지금도 여전히 *세계 경제는 선진국이 중심이 되어 움직여.
식민지
쟁탈전
이를 움직이는 근본적인 동력은 지역 간의 차이에서 오는 국제 분업이야.
세계-경제
이권을 차지하기 위한 움직임은 계속되고 있단다.
이
권
부강,번성
국제 분업

* 오늘날 세계 경제는 세계-경제이기도 하다.

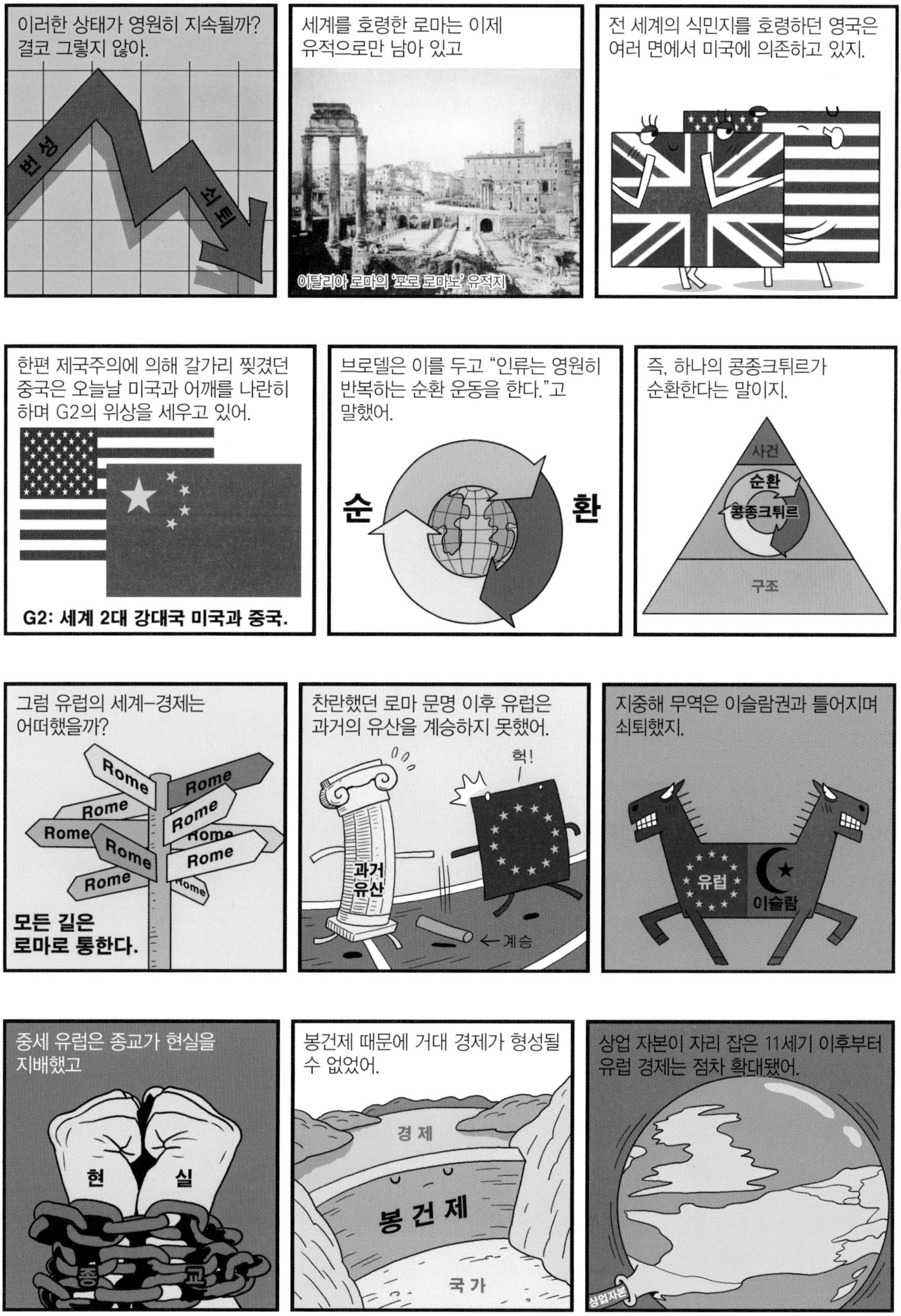
이러한 상태가 영원히 지속될까? 결코 그렇지 않아.
번성
쇠퇴
세계를 호령한 로마는 이제 유적으로만 남아 있고
이탈리아 로마의 '포로 로마노' 유적지
전 세계의 식민지를 호령하던 영국은 여러 면에서 미국에 의존하고 있지.
한편 제국주의에 의해 갈가리 찢겼던 중국은 오늘날 미국과 어깨를 나란히 하며 G2의 위상을 세우고 있어.
G2: 세계 2대 강대국 미국과 중국.
브로델은 이를 두고 "인류는 영원히 반복하는 순환 운동을 한다."고 말했어.
순
환
즉, 하나의 콩종크튀르가 순환한다는 말이지.
사건
순환
콩종크튀르
구조
그럼 유럽의 세계–경제는 어떠했을까?
Rome
모든 길은 로마로 통한다.
찬란했던 로마 문명 이후 유럽은 과거의 유산을 계승하지 못했어.
헉!
과거 유산
← 계승
지중해 무역은 이슬람권과 틀어지며 쇠퇴했지.
유럽
이슬람
중세 유럽은 종교가 현실을 지배했고
현실
종교
봉건제 때문에 거대 경제가 형성될 수 없었어.
경제
봉건제
국가
상업 자본이 자리 잡은 11세기 이후부터 유럽 경제는 점차 확대됐어.
상업자본

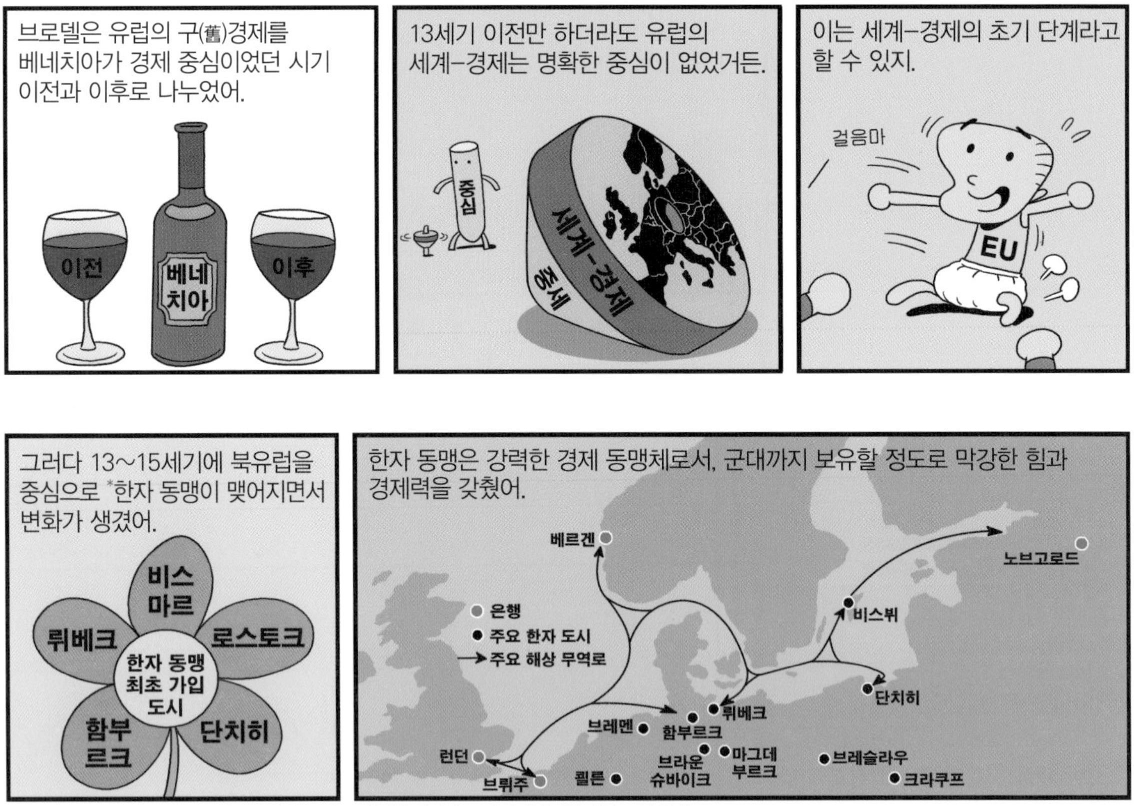
브로델은 유럽의 구(舊)경제를 베네치아가 경제 중심이었던 시기 이전과 이후로 나누었어.
이전
베네치아
이후
13세기 이전만 하더라도 유럽의 세계-경제는 명확한 중심이 없었거든.
중심
세계-경제
중세
이는 세계-경제의 초기 단계라고 할 수 있지.
걸음마
EU
그러다 13~15세기에 북유럽을 중심으로 *한자 동맹이 맺어지면서 변화가 생겼어.
비스마르
뤼베크
로스토크
한자 동맹 최초 가입 도시
함부르크
단치히
한자 동맹은 강력한 경제 동맹체로서, 군대까지 보유할 정도로 막강한 힘과 경제력을 갖췄어.
베르겐
노브고로드
은행
주요 한자 도시
주요 해상 무역로
비스뷔
단치히
뤼베크
브레멘
함부르크
런던
브라운슈바이크
마그데부르크
브레슬라우
브뤼주
쾰른
크라쿠프

* 한자 동맹: 13~15세기에 독일 북부 연안과 발트 해 연안의 여러 도시 사이에 이루어진 도시 연맹. 해상 교통의 안전 보장, 공동 방호, 상권 확장 따위를 목적으로 하였다.

15세기 무렵에는 이탈리아가 지중해 무역을 장악했지.
무역
지중해
특히 이탈리아 상인들은 이슬람과의 향료 무역 등을 독점하며 막대한 부를 쌓았어.
빨리 안 나와?
부
향료 무역 독점
무역을 이끈 주요 도시들로는 베네치아와 제노바, 피렌체 등을 들 수 있지.
베네치아
제노바
피렌체
이 도시들은 지금 보면 아주 작은 도시에 불과하지만
베네치아
제노바
피렌체
당시는 막대한 부를 바탕으로 한 경제와 문화, 학문의 중심으로서 오랫동안 위세를 떨쳤단다.
하지만 봉건제가 무너지고 하나의 국가로 통합되면서 이탈리아 도시들의 힘도 급격히 약화되었지.
제노바
베네치아
피렌체

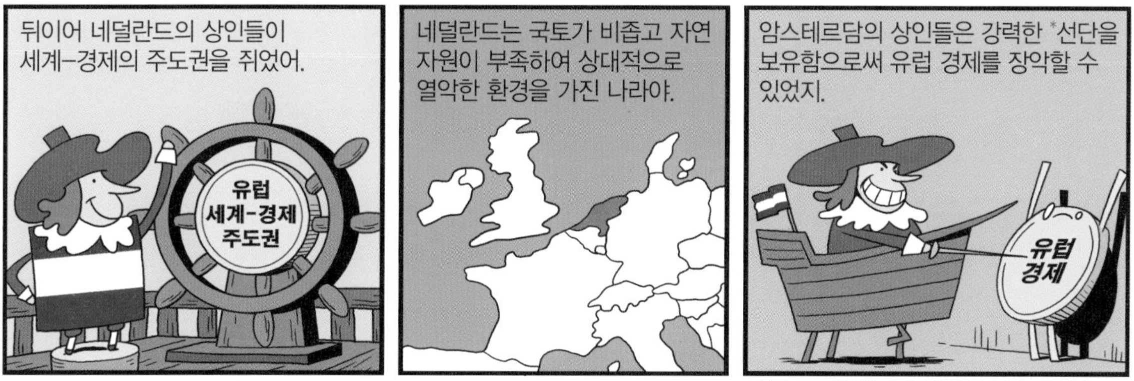

뒤이어 네덜란드의 상인들이 세계-경제의 주도권을 쥐었어.
유럽 세계-경제 주도권
네덜란드는 국토가 비좁고 자연 자원이 부족하여 상대적으로 열악한 환경을 가진 나라야.
암스테르담의 상인들은 강력한 *선단을 보유함으로써 유럽 경제를 장악할 수 있었지.
유럽 경제

* 선단: 조업 따위의 일을 공동으로 하는 배의 무리.

연합 공화국이라는 형태를 취했던 네덜란드는
흐로닝언 주
프리슬란트 주
노르트홀란트 주
오버레이설 주
네덜란드 7개 주 연합 공화국 (1581~1795년)
위트레흐트 주
헬데를란트 주
제일란트 주
독일
벨기에
'사업이 왕이다'란 생각으로
사업이 왕이다.
유럽뿐만 아니라 세계를 개척했지.
...
세계 무대

네덜란드 동인도 회사는 유럽과 인도의 엄청난 거리를 잇는 국제 무역을 통해 이익을 얻었어. 동인도 회사는 경제적 수완이 굉장히 뛰어났지.
17세기 네덜란드의 무역 경로
하지만 그들의 정치적인 능력은 그리 뛰어나지 못했어.
정 치

18세기 말 무렵 동인도 회사는 국가 규모의 거대 산업 세력과의 싸움에서 참패하게 되지.
그 이후 국제 무역은 정치적, 군사적 주도권을 함께 갖고 움직인 스페인, 영국 등에 의해 주도되었지.
국제 무역
이때부터 유럽의 중심은 곧 세계의 중심이 되었단다.

전국 시장

'전국 시장'은 오늘날 경제학 사전에도 나오지 않는 고전적인 경제 개념이야.
경제학 사전

전국 시장은 하나의 정치적 공간 속에서 경제적 응집성이 획득되는 것을 뜻해.
전국 시장

여기서 말하는 '공간'은 영토 국가, 민족 국가라 불렸던 국가를 가리키지.

이전까지는 중요 도시들이 주도권을 쥐고 경제 활동을 했어. 이 도시들은 정치적인 힘까지 가지고 있었지.
정치적 힘
도시
경제

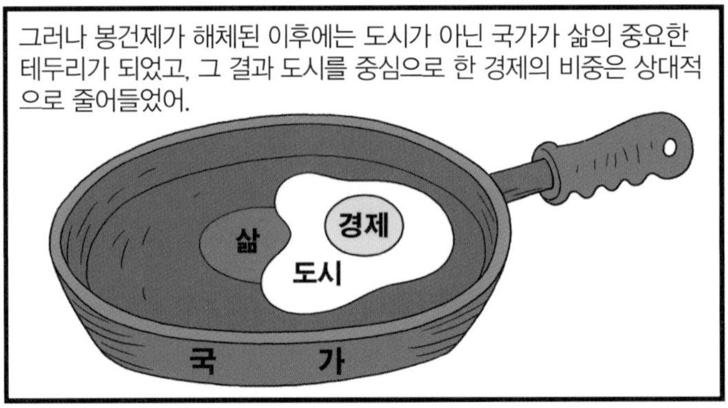
그러나 봉건제가 해체된 이후에는 도시가 아닌 국가가 삶의 중요한 테두리가 되었고, 그 결과 도시를 중심으로 한 경제의 비중은 상대적으로 줄어들었어.
삶
경제
도시
국 가

국가가 먼저 등장했는지 전국 시장이 먼저 등장했는지는 그다지 중요하지 않아. 둘은 상호 보완적이기 때문이야.
닭이 먼저냐 달걀이 먼저냐는 중요하지 않아.
국가
전국 시장

하나의 영토 국가가 성립하는 데는 여러 가지 내적·외적 요인이 작용해. 국제 교역이 늘어나 산업 혁명이 촉발되고, 봉건제가 해체되는 등 다양한 요인들로 인해 영토 국가가 성립되었어.
자본주의의 압력
국제 교역
영토 국가 성립 조건
정치적 통합
영 토 국 가
기술 발전
산업 혁명의 촉발

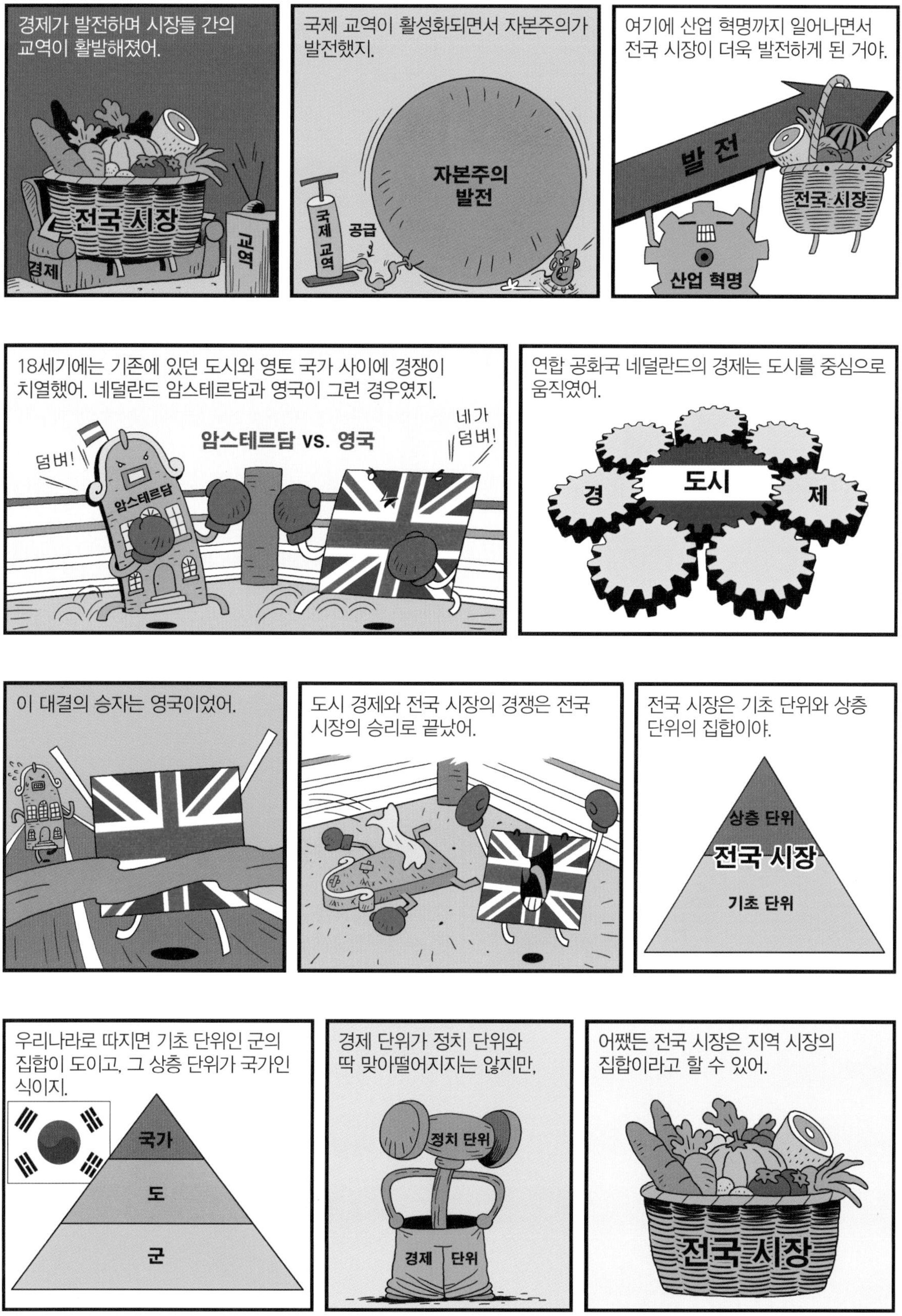

경제가 발전하며 시장들 간의 교역이 활발해졌어.
전국 시장
경제
교역
국제 교역이 활성화되면서 자본주의가 발전했지.
자본주의의 발전
국제 교역
공급
여기에 산업 혁명까지 일어나면서 전국 시장이 더욱 발전하게 된 거야.
발전
전국 시장
산업 혁명
18세기에는 기존에 있던 도시와 영토 국가 사이에 경쟁이 치열했어. 네덜란드 암스테르담과 영국이 그런 경우였지.
암스테르담 vs. 영국
덤벼!
네가 덤벼!
암스테르담
연합 공화국 네덜란드의 경제는 도시를 중심으로 움직였어.
경
도시
제
이 대결의 승자는 영국이었어.
도시 경제와 전국 시장의 경쟁은 전국 시장의 승리로 끝났어.
전국 시장은 기초 단위와 상층 단위의 집합이야.
상층 단위
전국 시장
기초 단위
우리나라로 따지면 기초 단위인 군의 집합이 도이고, 그 상층 단위가 국가인 식이지.
국가
도
군
경제 단위가 정치 단위와 딱 맞아떨어지지는 않지만,
정치 단위
경제 단위
어쨌든 전국 시장은 지역 시장의 집합이라고 할 수 있어.
전국 시장

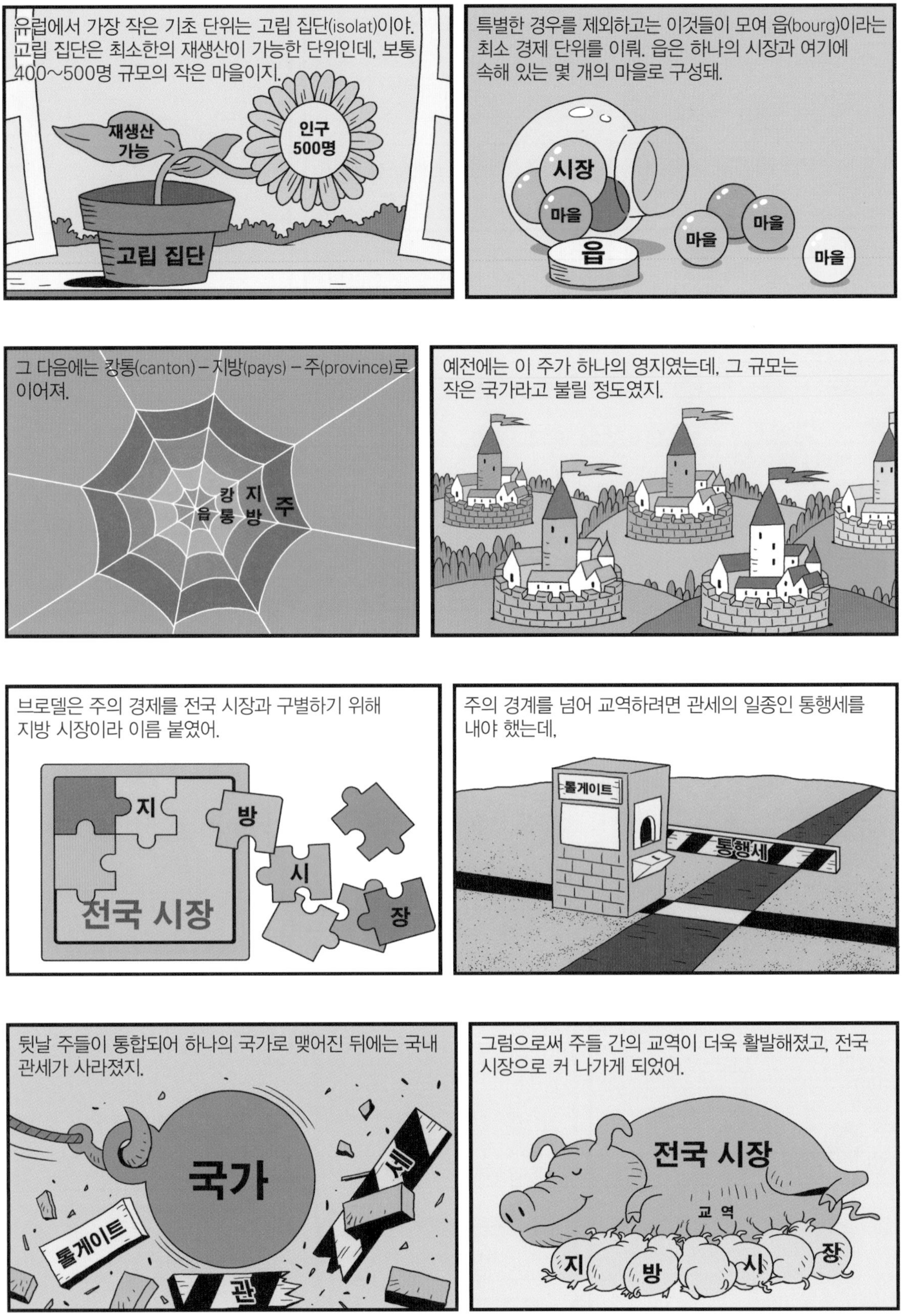
유럽에서 가장 작은 기초 단위는 고립 집단(isolat)이야. 고립 집단은 최소한의 재생산이 가능한 단위인데, 보통 400~500명 규모의 작은 마을이지.
재생산 가능
인구 500명
고립 집단
특별한 경우를 제외하고는 이것들이 모여 읍(bourg)이라는 최소 경제 단위를 이뤄. 읍은 하나의 시장과 여기에 속해 있는 몇 개의 마을로 구성돼.
시장
마을
읍
마을
마을
마을
그 다음에는 캉통(canton) – 지방(pays) – 주(province)로 이어져.
읍
캉통
지방
주
예전에는 이 주가 하나의 영지였는데, 그 규모는 작은 국가라고 불릴 정도였지.
브로델은 주의 경제를 전국 시장과 구별하기 위해 지방 시장이라 이름 붙였어.
지
방
시
장
전국 시장
주의 경계를 넘어 교역하려면 관세의 일종인 통행세를 내야 했는데,
톨게이트
통행세
훗날 주들이 통합되어 하나의 국가로 맺어진 뒤에는 국내 관세가 사라졌지.
국가
톨게이트
세
관
그럼으로써 주들 간의 교역이 더욱 활발해졌고, 전국 시장으로 커 나가게 되었어.
전국 시장
교 역
지
방
시
장

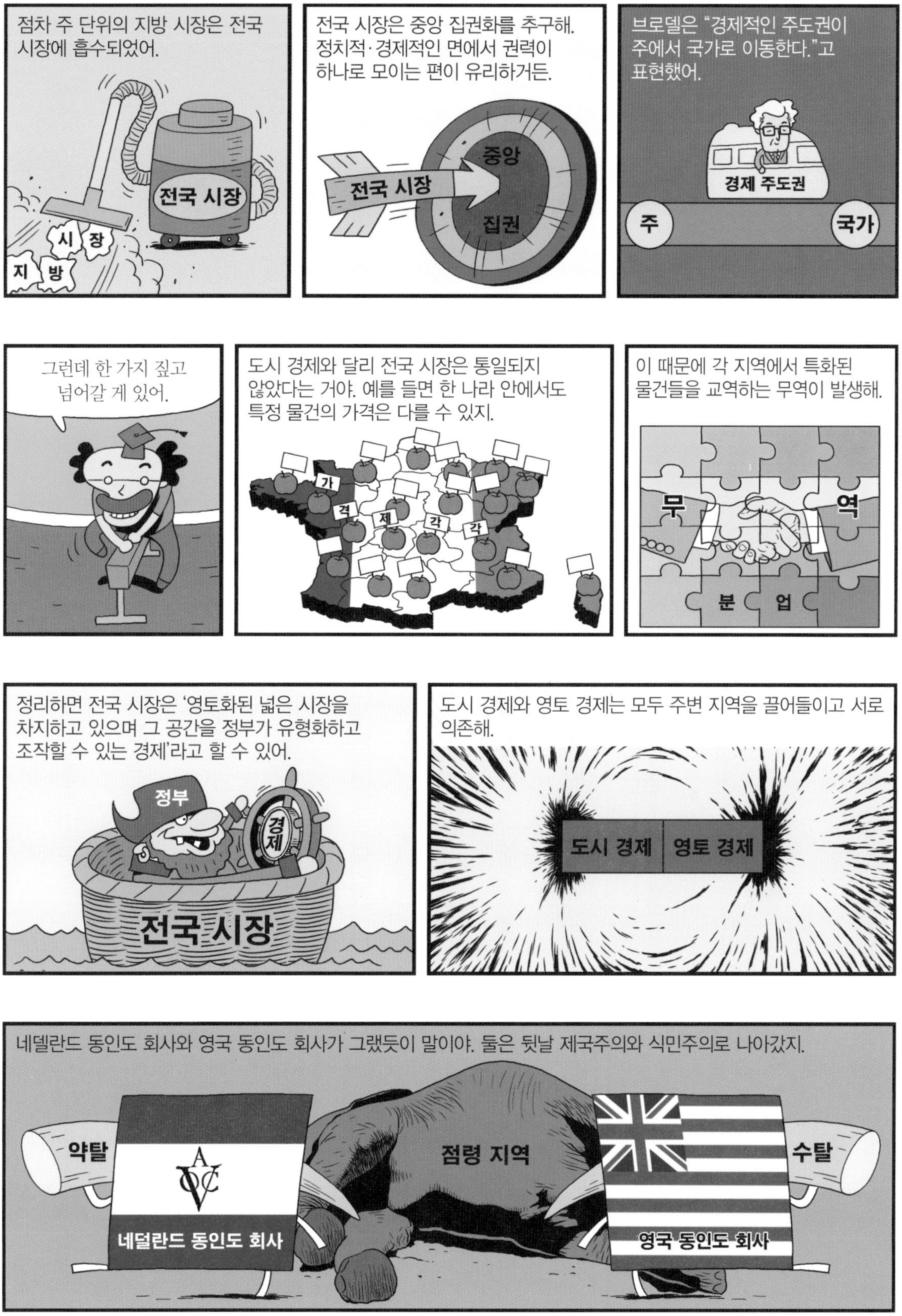
점차 주 단위의 지방 시장은 전국 시장에 흡수되었어.
전국 시장
지방 시장
전국 시장은 중앙 집권화를 추구해. 정치적·경제적인 면에서 권력이 하나로 모이는 편이 유리하거든.
전국 시장
중앙 집권
브로델은 "경제적인 주도권이 주에서 국가로 이동한다."고 표현했어.
경제 주도권
주
국가
그런데 한 가지 짚고 넘어갈 게 있어.
도시 경제와 달리 전국 시장은 통일되지 않았다는 거야. 예를 들면 한 나라 안에서도 특정 물건의 가격은 다를 수 있지.
가격제각각
이 때문에 각 지역에서 특화된 물건들을 교역하는 무역이 발생해.
무역
분업
정리하면 전국 시장은 '영토화된 넓은 시장을 차지하고 있으며 그 공간을 정부가 유형화하고 조작할 수 있는 경제'라고 할 수 있어.
정부
경제
전국 시장
도시 경제와 영토 경제는 모두 주변 지역을 끌어들이고 서로 의존해.
도시 경제
영토 경제
네델란드 동인도 회사와 영국 동인도 회사가 그랬듯이 말이야. 둘은 뒷날 제국주의와 식민주의로 나아갔지.
약탈
점령 지역
수탈
네덜란드 동인도 회사
영국 동인도 회사

그런데 도시 국가는 1차 산업에 주력하지 않아. 브로델은 "도시 국가는 1차 산업의 무거움을 회피한다."고 꼬집었어.
도시 국가
1차 산업
그의 말처럼 베네치아와 제노바, 암스테르담은 해외 무역을 통해서 밀과 소금, 육류를 얻었고
꺼억~ 잘~먹었다.
밀
소금
육류
제노바
베네치아
암스테르담
해외 무역
목재, 원재료, 수공업 제품 수입도 모두 외부에 의존했어.
원재료 수입
수공업 제품 수입
목재 수입
그들에게는 이런 것들이 어디에서 어떤 방식으로 생산되는지는 중요하지 않았어. 다만 제때에 얼마나 값싸게 제공받을 수 있는지만 따졌지.
공급
생산
이렇듯 도시 국가들은 주변의 시골과 매우 근대적인 관계를 맺고 있었어.
도시
시골
근대적인 관계란 '공급자와 수요자 사이의 관계이자 수익으로 맺어지는 관계'를 말해.
시골
공급자
수요자(도시)
오늘날 우리나라도 상황은 크게 다르지 않아.
생산성이 낮은 쌀은 수입하고 마진율이 높은 공업 제품은 수출하고!
반면에 영토 국가는 농업 경제에 머물러 있었어.
농업 경제
영토 국가
국가의 영토를 늘리고 발전시키려면 많은 돈이 필요하지.
영토
발전
국가
국가는 그 비용을 세금으로 충당해.
국가
조세 수입

국가는 인구의 90퍼센트를 차지하는 농민들에게 세금을 걷었어.
국
가
농 민
세금

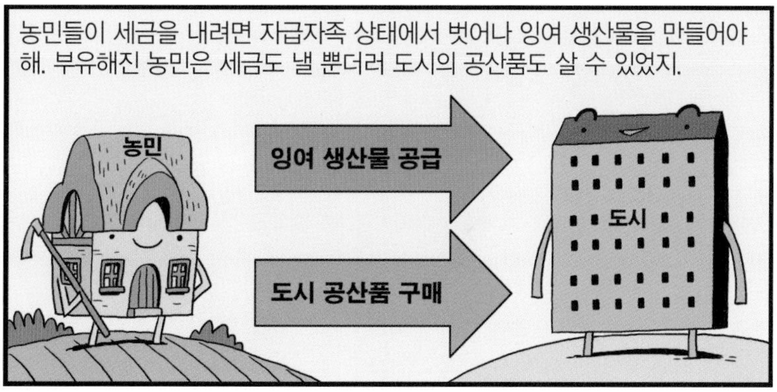
농민들이 세금을 내려면 자급자족 상태에서 벗어나 잉여 생산물을 만들어야 해. 부유해진 농민은 세금도 낼 뿐더러 도시의 공산품도 살 수 있었지.
농민
잉여 생산물 공급
도시 공산품 구매
도시

영토 국가는 꾸준히 발전했어. 영토 국가의 발전을 측정하는 척도로는 국부(國富)와 국민 소득, 일인당 국민 소득을 들 수 있단다.
영토 국가
국부
국민 소득
일인당 국민 소득

국부는 총체적인 부로, 한 국민 경제에서 누적된 부의 총량이야.
국부

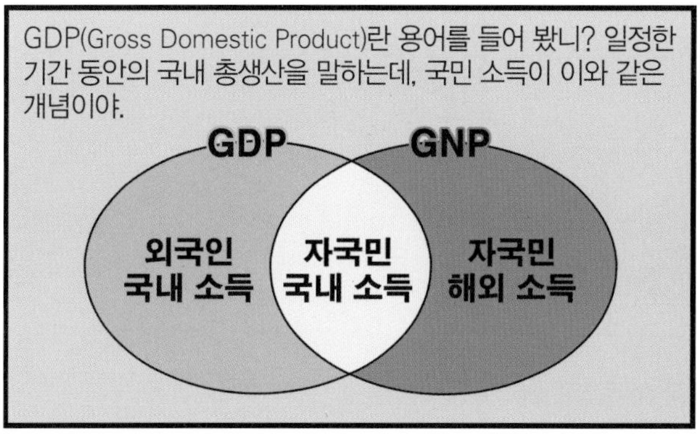
GDP(Gross Domestic Product)란 용어를 들어 봤니? 일정한 기간 동안의 국내 총생산을 말하는데, 국민 소득이 이와 같은 개념이야.
GDP
GNP
외국인 국내 소득
자국민 국내 소득
자국민 해외 소득

일인당 국민 소득은 *국민 총생산(gross national product)을 인구수로 나눈 거야.
일인당 국민 소득 = GNP ÷ 인구수

* 국민 총생산: 국내외에서 그 나라 국적을 가진 국민이 생산·취득한 최종 생산물의 가치 총액.

근대화 이전의 국가를 대상으로 이런 항목들의 수치를 계측하기는 매우 어려워. 사실 영토 경제가 존재하지 않았기에 불가능에 가깝지.
불 가 능

그럼에도 불구하고 경제학자들은 국민 소득을 측정하여, 나라의 발전을 과학적으로 연구하려고 해.
방법
과학적
국민 소득
경제 학자
브로델은 국민 총생산을 기준으로 할 때는 '발전'의 개념을,
GNP
발전
일인당 국민 소득에 주목할 때는 '성장'의 개념을 적용했어.
1인당 GNI
성장
영토 국가의 발전을 파악할 수 있는 객관적인 자료로 국채를 들 수 있어. 국채 또는 공채는 나라가 지는 빚이야.
국채·공채 : 나라가 지는 빚
공채는 공공 재정에 속하는 영역이어서 관련 자료가 잘 남아 있는 편이지.
공채
공공 재정
유통기한: 하단 표기일까지
보통 공채가 국민 총생산의 2배를 넘어서면 그 나라는 경제적으로 매우 위험한 시기를 맞고 있다고 봐.
큰일이다!
GNP
공채
이외에 시장에 유통되는 화폐량과 국가 예산 사이의 비율을 따져 보는 방법도 있어.
국가 예산
비율
시장에 유통되는 화폐량
또한 조세 수입이 얼마인지 측정해 보기도 하지.
조세 수입
측정
이러한 지표들을 연구하여 다음과 같은 유럽 경제의 흐름을 확인할 수 있단다.
유럽사
지표
첫째, 어떠한 위기 속에서도 유럽 국가들의 국민 총생산은 규칙적으로 상승했어.
GNP
난관 극복
난관
난관
난관
유럽을 덮친 여러 번의 재난에도 국민 총생산은 계속해서 상승했지.
재난 극복
GNP
재 난
물론 제1차·제2차 세계 대전이 일어났던 시기를 제외하고 말이야.
GNP
제1차 세계 대전
제2차 세계 대전

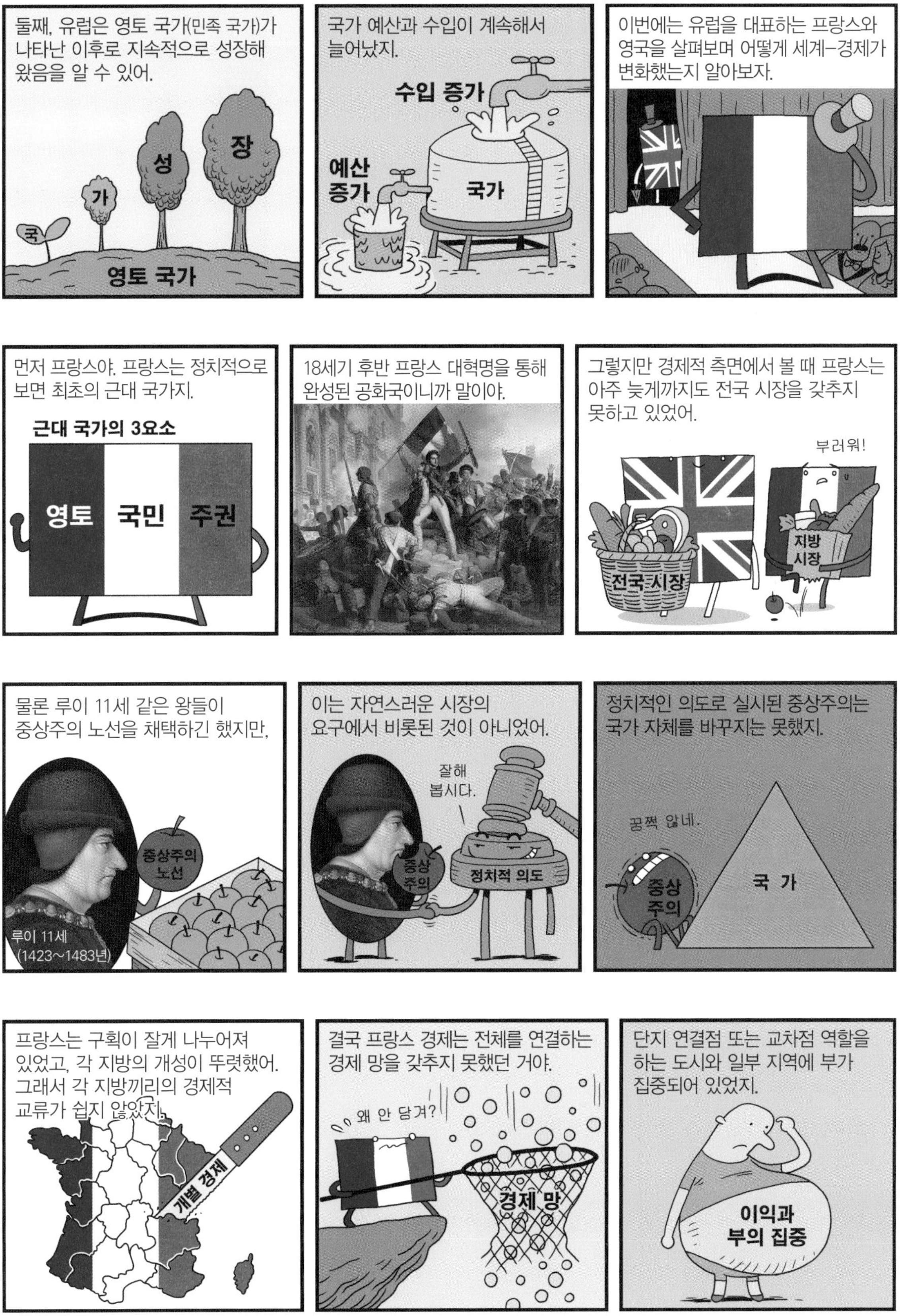
둘째, 유럽은 영토 국가(민족 국가)가 나타난 이후로 지속적으로 성장해 왔음을 알 수 있어.
국
가
성
장
영토 국가
국가 예산과 수입이 계속해서 늘어났지.
수입 증가
예산 증가
국가
이번에는 유럽을 대표하는 프랑스와 영국을 살펴보며 어떻게 세계-경제가 변화했는지 알아보자.
먼저 프랑스야. 프랑스는 정치적으로 보면 최초의 근대 국가지.
근대 국가의 3요소
영토
국민
주권
18세기 후반 프랑스 대혁명을 통해 완성된 공화국이니까 말이야.
그렇지만 경제적 측면에서 볼 때 프랑스는 아주 늦게까지도 전국 시장을 갖추지 못하고 있었어.
부러워!
전국 시장
지방 시장
물론 루이 11세 같은 왕들이 중상주의 노선을 채택하긴 했지만,
중상주의의 노선
루이 11세 (1423~1483년)
이는 자연스러운 시장의 요구에서 비롯된 것이 아니었어.
잘해 봅시다.
중상 주의
정치적 의도
정치적인 의도로 실시된 중상주의는 국가 자체를 바꾸지는 못했지.
꿈쩍 않네.
중상 주의
국 가
프랑스는 구획이 잘게 나누어져 있었고, 각 지방의 개성이 뚜렷했어. 그래서 각 지방끼리의 경제적 교류가 쉽지 않았지.
개별 경제
결국 프랑스 경제는 전체를 연결하는 경제 망을 갖추지 못했던 거야.
왜 안 담겨?
경제 망
단지 연결점 또는 교차점 역할을 하는 도시와 일부 지역에 부가 집중되어 있었지.
이익과 부의 집중

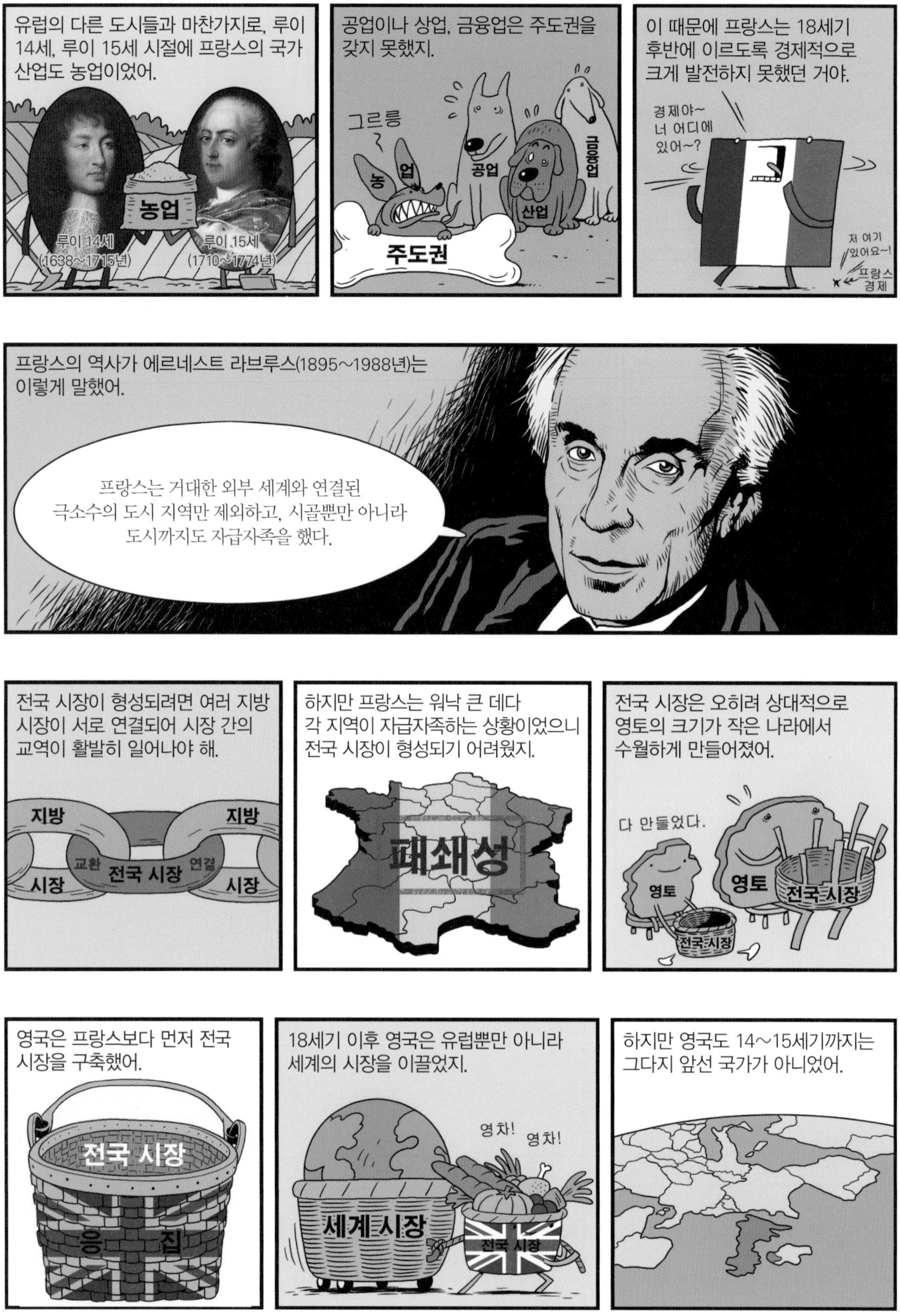
유럽의 다른 도시들과 마찬가지로, 루이 14세, 루이 15세 시절에 프랑스의 국가 산업도 농업이었어.
농업
루이 14세 (1638~1715년)
루이 15세 (1710~1774년)
공업이나 상업, 금융업은 주도권을 갖지 못했지.
그르릉
농업
공업
산업
금융업
주도권
이 때문에 프랑스는 18세기 후반에 이르도록 경제적으로 크게 발전하지 못했던 거야.
경제야~ 너 어디에 있어~?
저 여기 있어요~!
프랑스 경제
프랑스의 역사가 에르네스트 라브루스(1895~1988년)는 이렇게 말했어.
프랑스는 거대한 외부 세계와 연결된 극소수의 도시 지역만 제외하고, 시골뿐만 아니라 도시까지도 자급자족을 했다.
전국 시장이 형성되려면 여러 지방 시장이 서로 연결되어 시장 간의 교역이 활발히 일어나야 해.
지방 시장
교환
전국 시장
연결
지방 시장
하지만 프랑스는 워낙 큰 데다 각 지역이 자급자족하는 상황이었으니 전국 시장이 형성되기 어려웠지.
폐쇄성
전국 시장은 오히려 상대적으로 영토의 크기가 작은 나라에서 수월하게 만들어졌어.
다 만들었다.
영토
전국 시장
영토
전국 시장
영국은 프랑스보다 먼저 전국 시장을 구축했어.
전국 시장
응집
18세기 이후 영국은 유럽뿐만 아니라 세계의 시장을 이끌었지.
영차! 영차!
세계 시장
전국 시장
하지만 영국도 14~15세기까지는 그다지 앞선 국가가 아니었어.

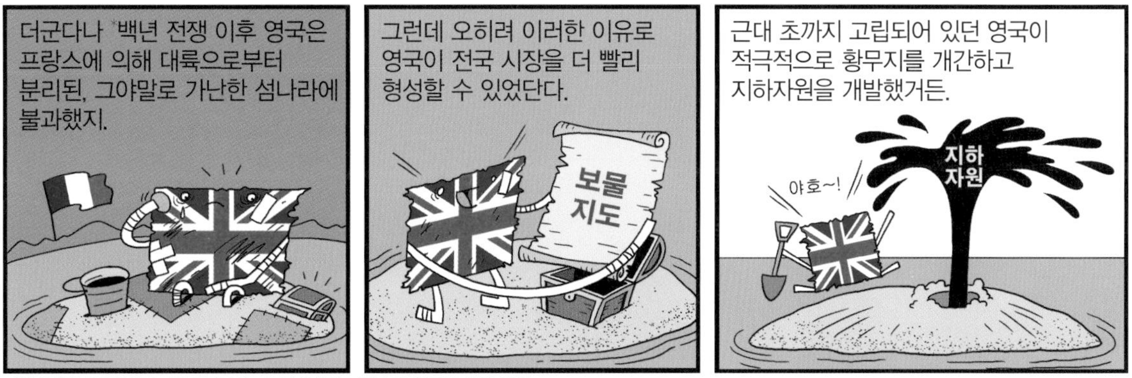
더군다나 *백년 전쟁 이후 영국은 프랑스에 의해 대륙으로부터 분리된, 그야말로 가난한 섬나라에 불과했지.
그런데 오히려 이러한 이유로 영국이 전국 시장을 더 빨리 형성할 수 있었단다.
보물 지도
근대 초까지 고립되어 있던 영국이 적극적으로 황무지를 개간하고 지하자원을 개발했거든.
야호~!
지하 자원

* 백년전쟁: 중세 말기, 1337년부터 1453년까지 프랑스와 영국이 벌인 전쟁.

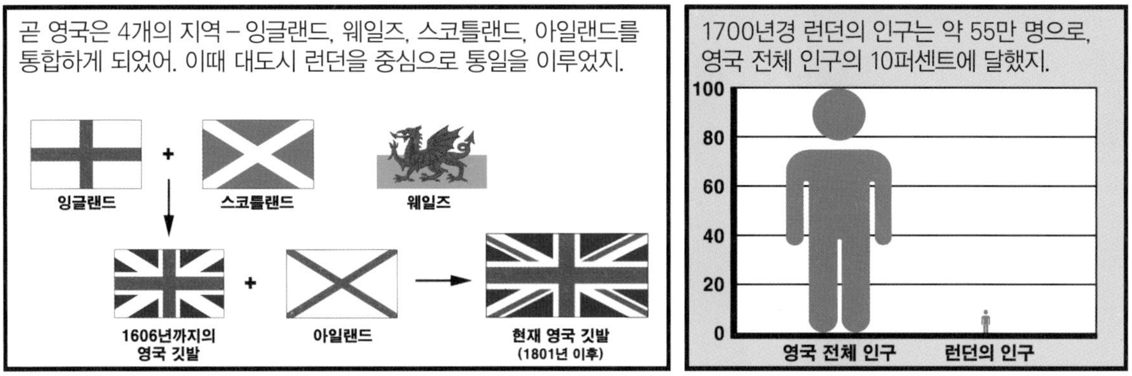
곧 영국은 4개의 지역 – 잉글랜드, 웨일즈, 스코틀랜드, 아일랜드를 통합하게 되었어. 이때 대도시 런던을 중심으로 통일을 이루었지.
잉글랜드
스코틀랜드
웨일즈
1606년까지의 영국 깃발
아일랜드
현재 영국 깃발 (1801년 이후)
1700년경 런던의 인구는 약 55만 명으로, 영국 전체 인구의 10퍼센트에 달했지.
100
80
60
40
20
0
영국 전체 인구
런던의 인구

프랑스는 대도시인 파리와 리옹 간에 힘겨루기가 있었지만, 영국은 그런 일도 없었어.
파리
리옹
런던
요크
순탄하게 전국 시장을 형성한 영국은 *간접세 제도를 도입하면서 더욱 빠르게 성장했어.
간접세
경제 규모는 프랑스보다 훨씬 작았지만 영국은 국가를 효율적으로 관리하며 부를 지속적으로 키워 나갔지.

* 간접세 : 납세 의무자와 조세 부담자가 다른 조세. 우리가 물건을 살 때 이미 물건에 포함되어 있는 세금이다.

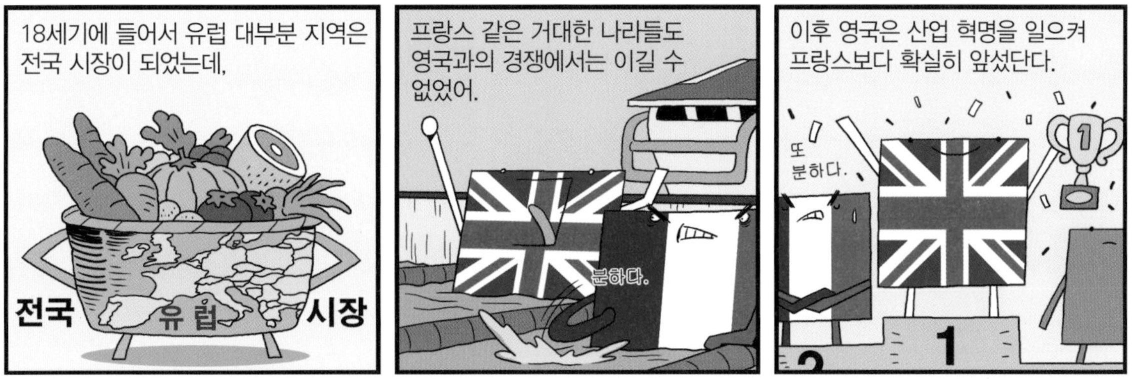
18세기에 들어서 유럽 대부분 지역은 전국 시장이 되었는데,
전국
유럽
시장
프랑스 같은 거대한 나라들도 영국과의 경쟁에서는 이길 수 없었어.
분하다.
이후 영국은 산업 혁명을 일으켜 프랑스보다 확실히 앞섰단다.
또 분하다.
1
2

10장 부의 축적 – 지배와 저항

지배
?
식민지

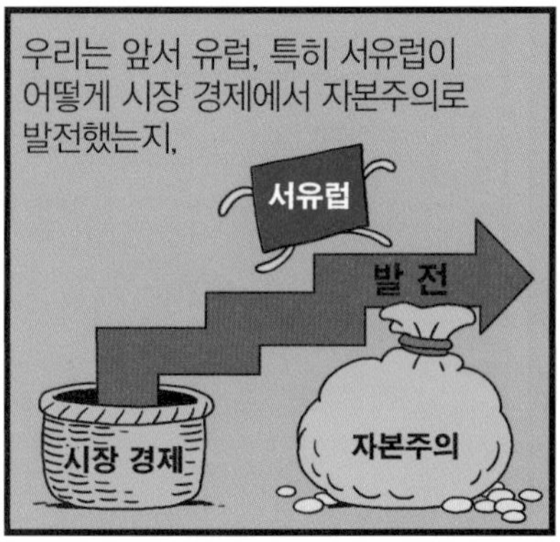

우리는 앞서 유럽, 특히 서유럽이 어떻게 시장 경제에서 자본주의로 발전했는지,
서유럽
발전
시장 경제
자본주의

또 어떻게 지방 시장이 전국 시장으로 되었고, 세계 경제를 장악했는지를 알아보았어.
서유럽
국부 증가
전국 시장
세계 경제

이번 장에서는 그 뒤로 유럽과 세계 시장의 관계가 어떠했는지 살펴볼 거야.
유럽과 세계 시장의 관계

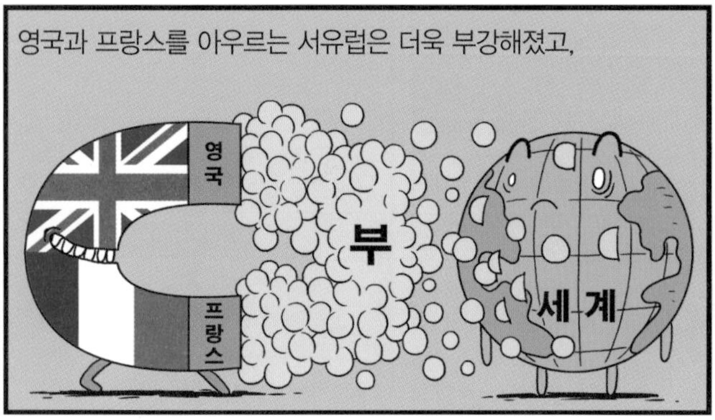

영국과 프랑스를 아우르는 서유럽은 더욱 부강해졌고,
영국
프랑스
부
세계

세계에 제국주의적 영향력을 과시했지.
넌 내 것. 킥,킥.
혼자 독차지할 생각은 말라고.
식민지

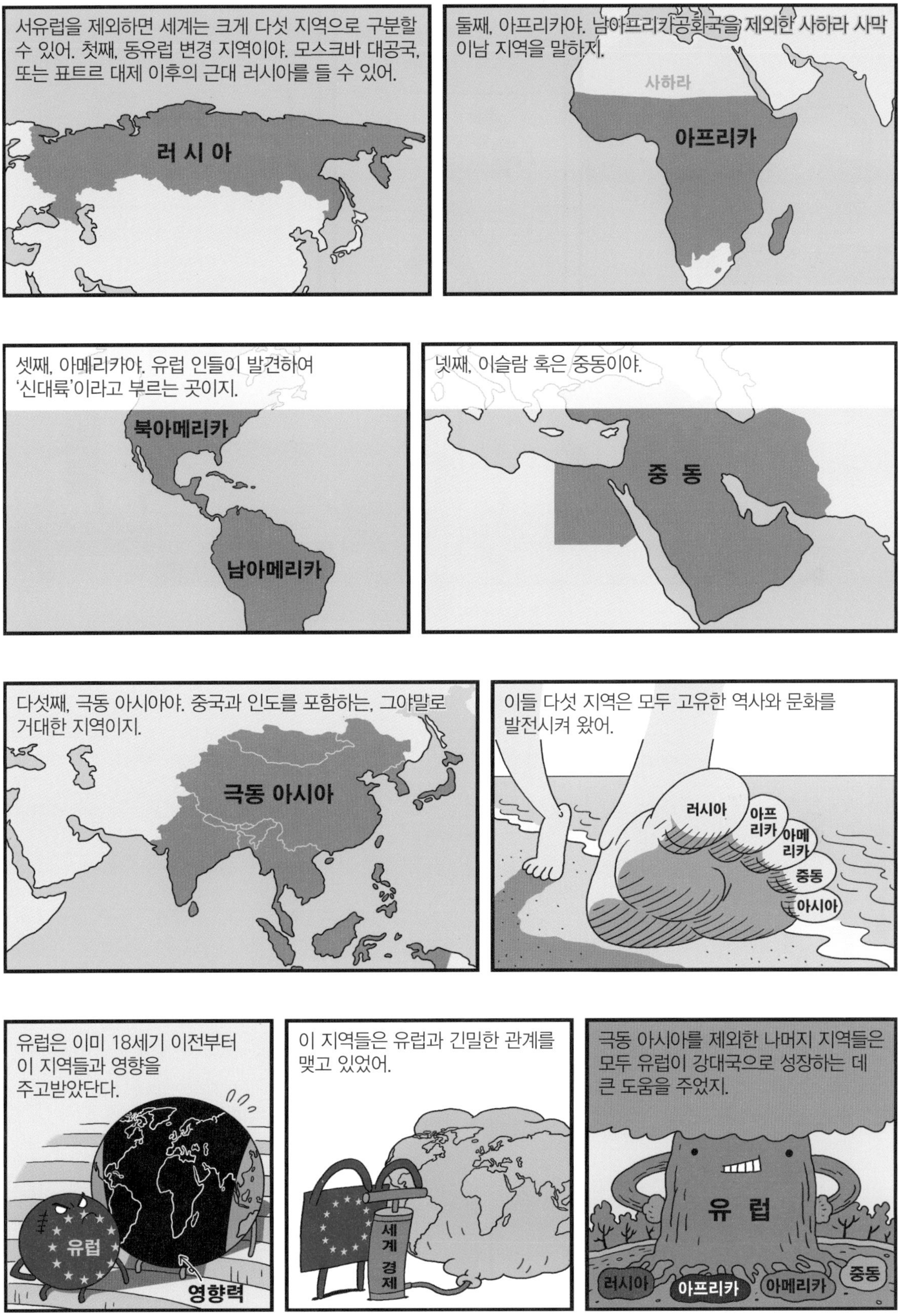
서유럽을 제외하면 세계는 크게 다섯 지역으로 구분할 수 있어. 첫째, 동유럽 변경 지역이야. 모스크바 대공국, 또는 표트르 대제 이후의 근대 러시아를 들 수 있어.
러 시 아
둘째, 아프리카야. 남아프리카공화국을 제외한 사하라 사막 이남 지역을 말하지.
사하라
아프리카
셋째, 아메리카야. 유럽 인들이 발견하여 '신대륙'이라고 부르는 곳이지.
북아메리카
남아메리카
넷째, 이슬람 혹은 중동이야.
중 동
다섯째, 극동 아시아야. 중국과 인도를 포함하는, 그야말로 거대한 지역이지.
극동 아시아
이들 다섯 지역은 모두 고유한 역사와 문화를 발전시켜 왔어.
러시아
아프리카
아메리카
중동
아시아
유럽은 이미 18세기 이전부터 이 지역들과 영향을 주고받았단다.
유럽
영향력
이 지역들은 유럽과 긴밀한 관계를 맺고 있었어.
세계 경제
극동 아시아를 제외한 나머지 지역들은 모두 유럽이 강대국으로 성장하는 데 큰 도움을 주었지.
유 럽
러시아
아프리카
아메리카
중동

이들 세계 시장의 도움이 없었다면
유럽의 산업 혁명은 성공하지 못했을
거야.
유럽의 산업 혁명
세계 시장
성 공

그런데 왜 유럽이 이 시기에
성공을 거두었을까?

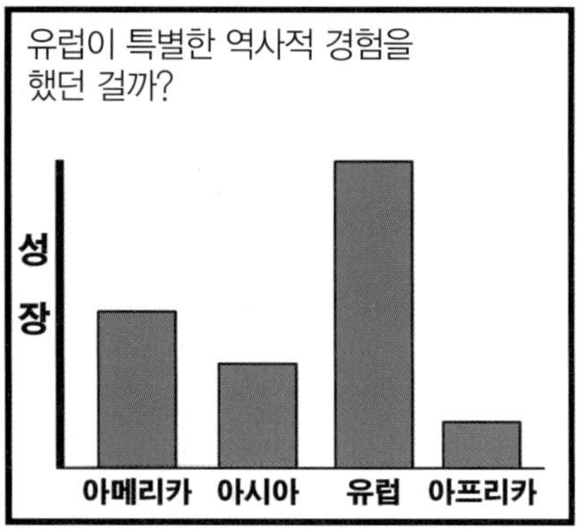
유럽이 특별한 역사적 경험을
했던 걸까?
성장
아메리카
아시아
유럽
아프리카

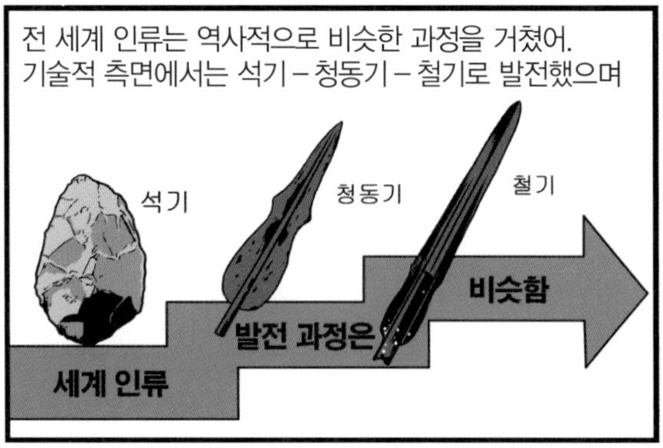
전 세계 인류는 역사적으로 비슷한 과정을 거쳤어.
기술적 측면에서는 석기 – 청동기 – 철기로 발전했으며
석기
청동기
철기
세계 인류
발전 과정은
비슷함

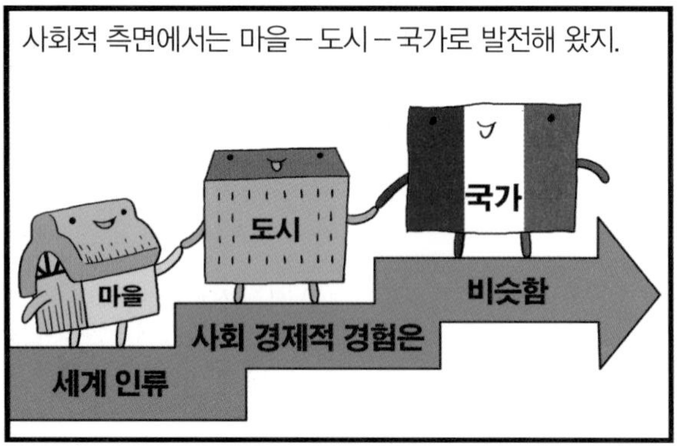
사회적 측면에서는 마을 – 도시 – 국가로 발전해 왔지.
마을
도시
국가
세계 인류
사회 경제적 경험은
비슷함

물론 차이는 있어. 브로델은 그 첫 번째 차이로
유럽의 응집성과 효율성을 들었어.
유럽

유럽에서 각 지역의 영토가 다른 지역들에 비해 상대적으로
좁기 때문일 거야.

이보다 더 중요한 차이가 있어. 유럽은 자본을
쌓도록 장려하는 특별한 사회 구조를 갖고
있었다는 점이야.
사회 구조
자본
자본 축적
장려

이 시기 대부분의 유럽 국가들은 중상주의를 기본 이념으로
삼아, 자본의 축적을 장려했어.
중상주의
기본 이념
자본 축적
장려
보
호

유럽의 상인과 자본가들은 국가의 든든한 지원을 받으며 역량을 키웠지.
국가 지원
역량
이번에는 다른 지역들이 어떻게 유럽과 관계를 맺었는지 살펴보자.
아메리카
오세아니아
유럽화
아프리카
아시아
1492년 콜럼버스가 아메리카를 발견한 이후, 유럽은 아메리카를 차지했어.
드디어 인도에 도착했다~!!
?
얘 콜럼버스
아메리카
인도
그런 뒤 잉카를 무너뜨리고,
스페인
남아메리카에서 학살과 약탈을 일삼았지.
남아메리카
스페인
학 살
약탈
스페인은 남아메리카로부터 엄청난 양의 금과 은을 빼앗았어.
남아메리카
아메리카 대륙은 광대한 땅과 자원, 거대한 시장을 유럽에 제공해 주었어.
시장
아메리카
땅
자 원
유럽 인들은 자신들의 고국보다 훨씬 넓은 지역을 정복하고 유럽화했지.
물론 처음에 그들이 개발한 땅은 일부 지역에 불과했어.
스페인 사람들이 인디오 문명을 정복하는 데는 30년이 걸렸지만
정복
30년
아메리카의 광대한 지역을 유럽화하는 데는 수 세기가 걸렸어.
아메리카

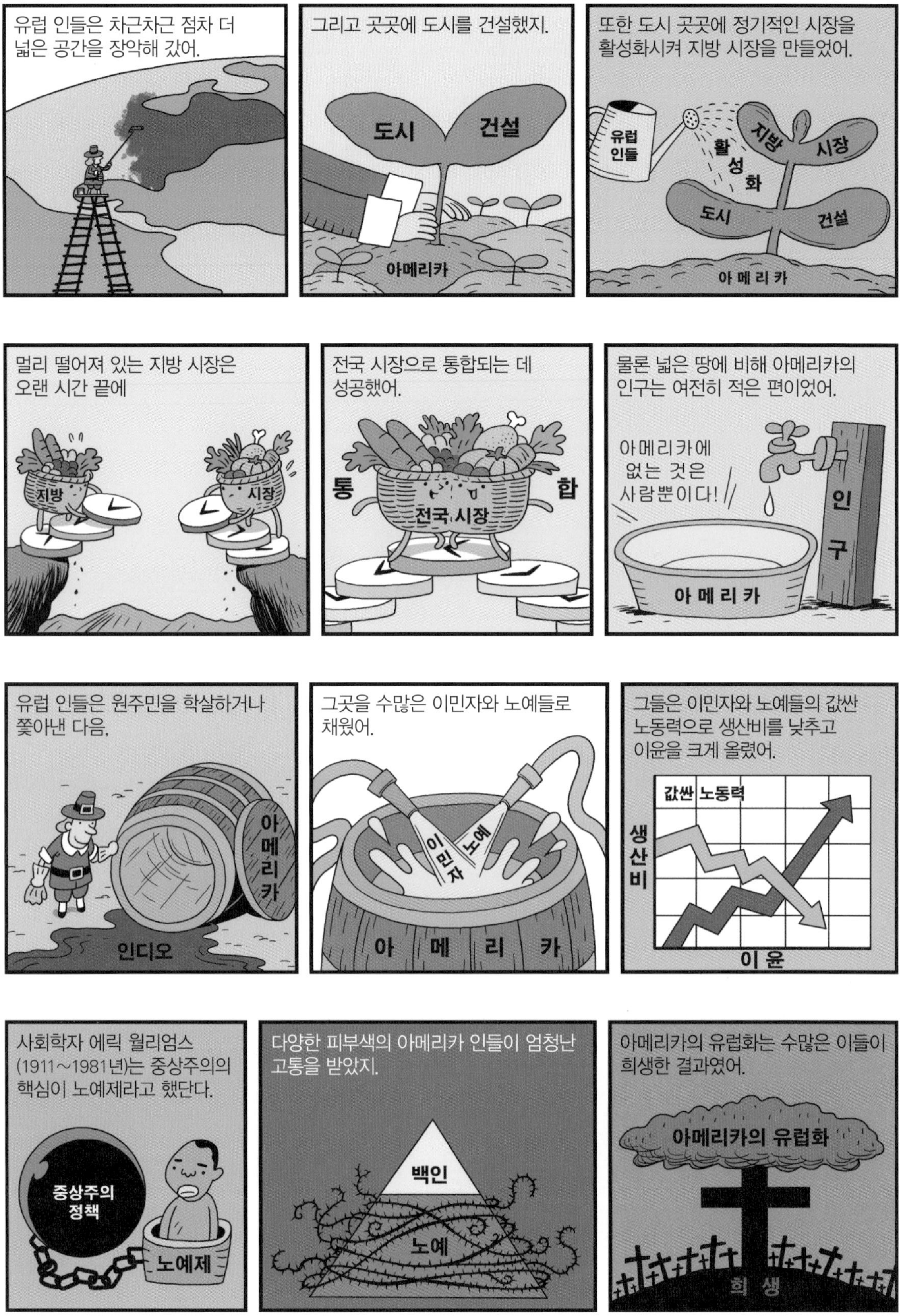
유럽 인들은 차근차근 점차 더 넓은 공간을 장악해 갔어.
그리고 곳곳에 도시를 건설했지.
도시
건설
아메리카
또한 도시 곳곳에 정기적인 시장을 활성화시켜 지방 시장을 만들었어.
유럽 인들
활성화
지방
시장
도시
건설
아 메 리 카
멀리 떨어져 있는 지방 시장은 오랜 시간 끝에
지방
시장
전국 시장으로 통합되는 데 성공했어.
통
합
전국 시장
물론 넓은 땅에 비해 아메리카의 인구는 여전히 적은 편이었어.
아메리카에 없는 것은 사람뿐이다!
인구
아 메 리 카
유럽 인들은 원주민을 학살하거나 쫓아낸 다음,
아메리카
인디오
그곳을 수많은 이민자와 노예들로 채웠어.
이민자
노예
아 메 리 카
그들은 이민자와 노예들의 값싼 노동력으로 생산비를 낮추고 이윤을 크게 올렸어.
값싼 노동력
생산비
이 윤
사회학자 에릭 윌리엄스 (1911~1981년)는 중상주의의 핵심이 노예제라고 했단다.
중상주의의 정책
노예제
다양한 피부색의 아메리카 인들이 엄청난 고통을 받았지.
백인
노예
아메리카의 유럽화는 수많은 이들이 희생한 결과였어.
아메리카의 유럽화
희 생

아메리카 지방 시장들의
교역량은 계속해서
증가했고
교역량
지방 시장
지방 시장
점차 하나로 통합되었지.
통 합
그런 와중에도 유럽 인들은 여전히
아메리카를 착취했어.
무리한 세금 징수
본국
초기 아메리카의 비공식 국기
그들은 아메리카를 *1차 산업의
생산지이자 공업 생산품들을 비싼
값에 팔 수 있는 시장으로 여겼어.
아메리카를 식민지로 남겨 두고 탈탈 털어야지.
....
하지만 이제 더 이상 아메리카
인들은 유럽의 식민지로서
만족할 수 없었고,
세금 징수!
저 항
곧 '보스턴 차 사건'을 일으켰어.
식민지 아메리카가 본국으로부터
자립하고자 했던 움직임이었지.

* 1차 산업: 농업·목축업·임업·어업 등 직접 자연에 작용하는 산업을 통틀어 이르는 말.

북아메리카를 시작으로, 아메리카의 식민지들은 점차
독립을 쟁취했고,
독립
식민지
독립 초기의 국기
자신들만의 국가 – 전국 시장을 만들어 갔지.
전국 시장
아메리카는 무한히 넓은 땅과 인구수를 무기로 점차
세계 시장에서 영향력을 확대했어.
인구수
영향력
세계 시장
마침내 당당히 세계 시장에서 유럽의 경쟁자로
우뚝 서게 되었지.
세계 시장

'아프리카 인' 하면 우리는 풀잎으로 만든 하의를 걸치고 나무창을 들고 다니는 원주민을 떠올려.

많은 영화들이 원주민을 그렇게 그리고 있기 때문일 거야.
THE GODS MUST BE CRAZY
AN EPIC COMEDY

하지만 아프리카는 일찌감치 문명이 발전했던 지역이야.

최근 중앙아프리카 지역에 고대 유적들이 속속들이 발견되는 것만 봐도 알 수 있어. 또한 아프리카 북동부 이집트는 문명의 발상지로 불리지.
고대 문명의 유적이다!
개똥 말라붙은 건데.

이 책에서는 이슬람 영향권에 있었던 북부 아프리카(화이트 아프리카)와 동부 연안 지역은 제외하고 사하라 사막 이남 지역, 블랙 아프리카만을 다룰 거야.
사하라 사막
블랙 아프리카

이곳은 인구 밀도가 매우 낮고 낙후된 지역이야. 당시 유럽 인들은 블랙 아프리카를 매우 미개한 지역이라고 생각했어.
?
응~

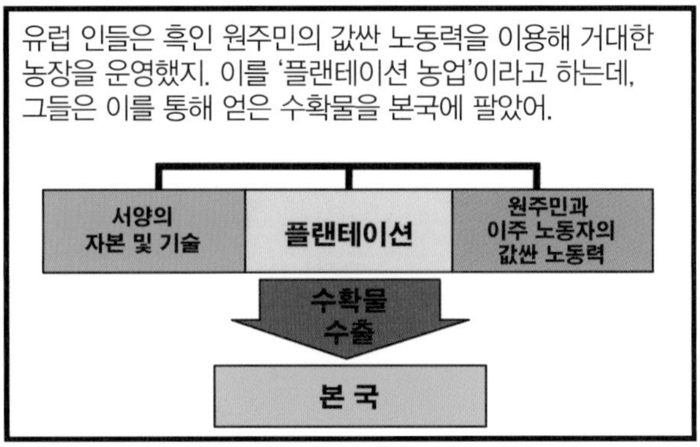
유럽 인들은 흑인 원주민의 값싼 노동력을 이용해 거대한 농장을 운영했지. 이를 '플랜테이션 농업'이라고 하는데, 그들은 이를 통해 얻은 수확물을 본국에 팔았어.
서양의 자본 및 기술
플랜테이션
원주민과 이주 노동자의 값싼 노동력
수확물 수출
본 국

한편 러시아는 서유럽에 비해 전제 왕권의 힘이 오래도록 남아 있던 곳이야.
전제
러 시 아

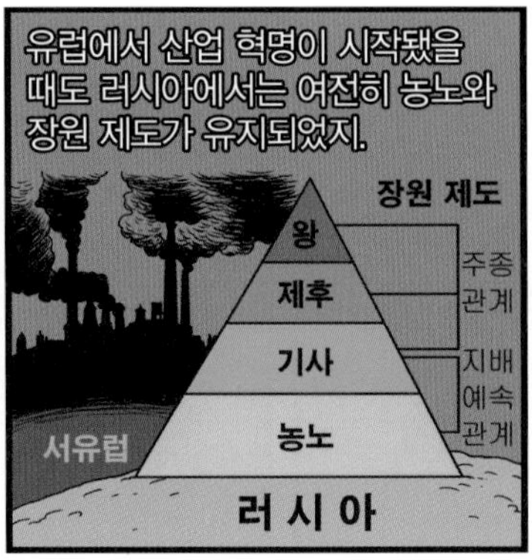
유럽에서 산업 혁명이 시작됐을 때도 러시아에서는 여전히 농노와 장원 제도가 유지되었지.
장원 제도
왕
제후
기사
농노
주종 관계
지배 예속 관계
서유럽
러 시 아

서유럽에 비해 발전이 늦은 러시아는 점차 국력도 약해졌어.
발
전
국가의
힘
서유럽
러 시 아

표트르 대제는 이러한 상황에 변화를 꾀했어.
개
혁
표트르 대제(1672~1725년)
그는 일찍부터 유럽을 여행하며 발전된 문물을 몸소 체험했어.
유럽 문물 체험
또한 국가적 차원에서 산업 발전을 주도했고, 이 덕분에 러시아는 근대 경제로 나아갈 수 있었지.
러시아
산업 발전
근대 경제

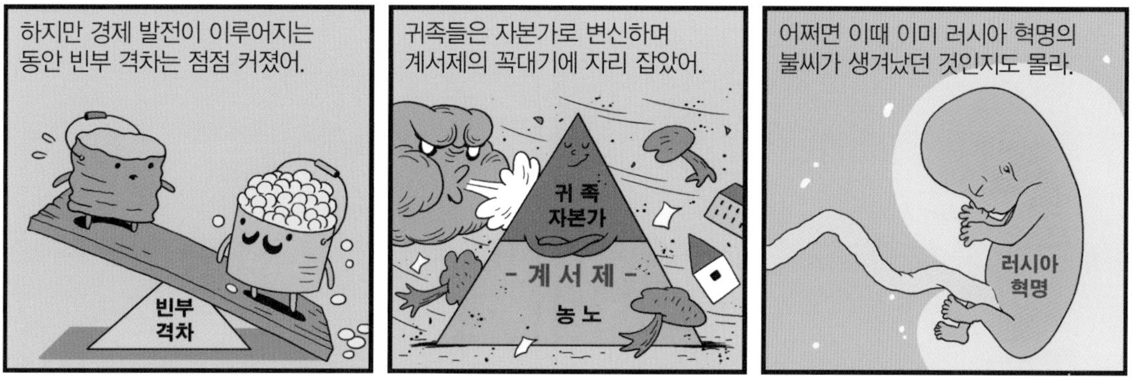

하지만 경제 발전이 이루어지는 동안 빈부 격차는 점점 커졌어.
빈부 격차
귀족들은 자본가로 변신하며 계서제의 꼭대기에 자리 잡았어.
귀족 자본가
- 계 서 제 -
농 노
어쩌면 이때 이미 러시아 혁명의 불씨가 생겨났던 것인지도 몰라.
러시아 혁명

아시아와 유럽을 아우르는 터키 제국은 오랫동안 상업 제국으로서의 영광을 지켜 왔어.
흑 해
지 중 해
터키 제국은 고대에 해상 무역으로 지중해를 지배했지.
지중해 해상 무역
터키는 인도와 중국, 유럽을 잇는 *카라반의 고향이야.
카라반 상인
터 키
유 럽
인도 & 중국

* 카라반: 낙타나 말 등에 짐을 싣고 떼 지어 다니면서 특산물을 사고파는 상인의 집단.

이들은 상업 분야에서 뛰어난 재능을 발휘했어.
닭장 속에는 암탉이! 꼬꼬댁~
꽥, 꽥~
상업적 재능
10
10
10
유럽의 향신료 무역을 독점하며 오랫동안 막대한 이익과 권세를 누렸지.
Money
이익
독점
유럽의 향신료 무역
하지만 유럽 인들이 새로운 해상 항로를 통해 직접 무역을 시작하면서 그들의 영향력이 작아졌어.
뭐냐?
내가 무역을 직접 해 보려고.
유 럽
무역선
지중해 해상 무역

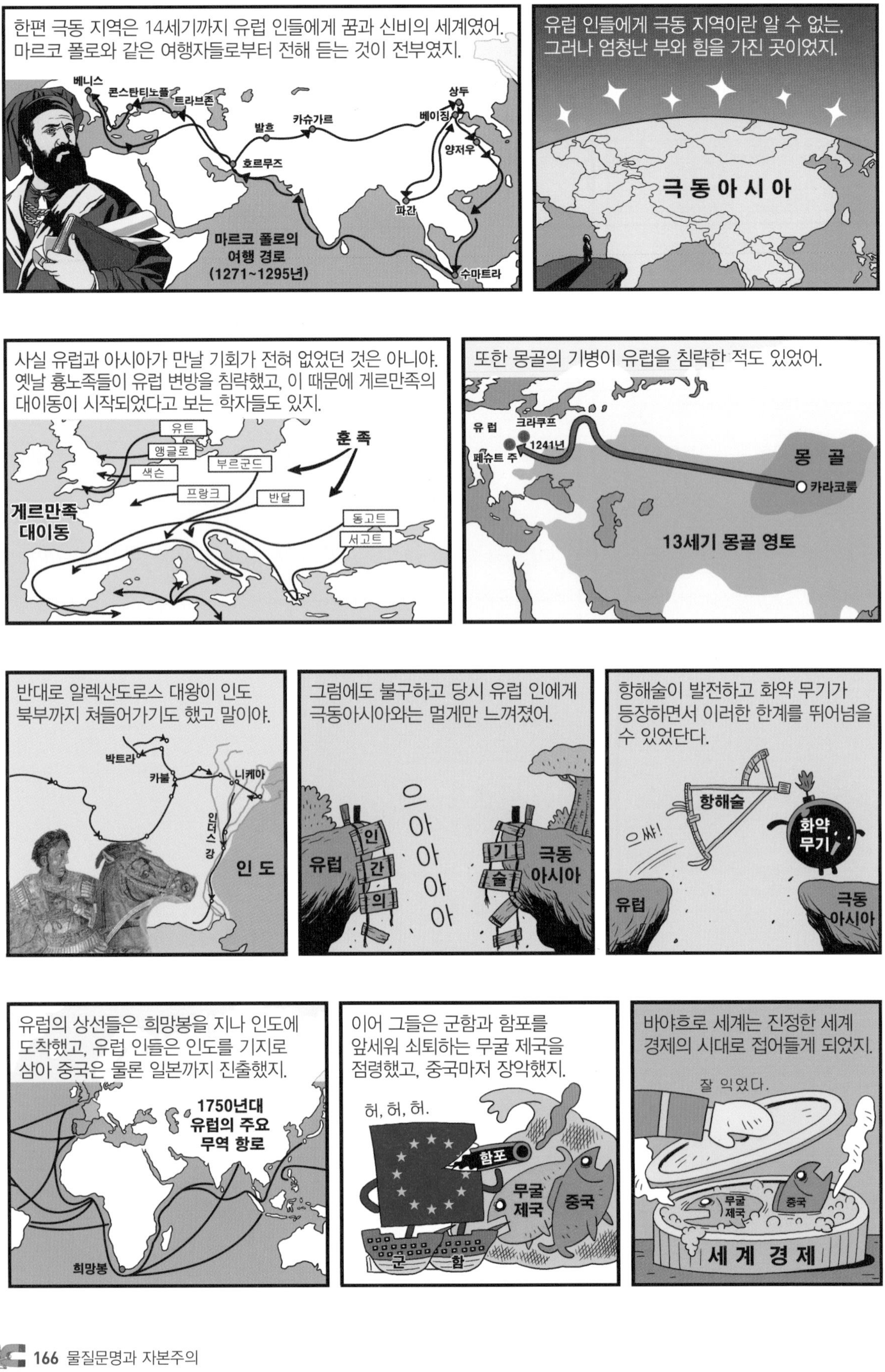
한편 극동 지역은 14세기까지 유럽 인들에게 꿈과 신비의 세계였어. 마르코 폴로와 같은 여행자들로부터 전해 듣는 것이 전부였지.
베니스
콘스탄티노플
트라브존
발흐
카슈가르
상두
베이징
양저우
호르무즈
파간
수마트라
마르코 폴로의 여행 경로 (1271~1295년)
유럽 인들에게 극동 지역이란 알 수 없는, 그러나 엄청난 부와 힘을 가진 곳이었지.
극동아시아
사실 유럽과 아시아가 만날 기회가 전혀 없었던 것은 아니야. 옛날 흉노족들이 유럽 변방을 침략했고, 이 때문에 게르만족의 대이동이 시작되었다고 보는 학자들도 있지.
유트
앵글로
색슨
부르군드
훈족
프랑크
반달
동고트
서고트
게르만족 대이동
또한 몽골의 기병이 유럽을 침략한 적도 있었어.
유럽
크라쿠프
1241년
페슈트 주
몽골
카라코룸
13세기 몽골 영토
반대로 알렉산도로스 대왕이 인도 북부까지 쳐들어가기도 했고 말이야.
박트라
카불
니케아
인더스 강
인도
그럼에도 불구하고 당시 유럽 인에게 극동아시아와는 멀게만 느껴졌어.
으아아아아아
유럽
인간의
기술
극동아시아
항해술이 발전하고 화약 무기가 등장하면서 이러한 한계를 뛰어넘을 수 있었단다.
항해술
으쌰!
화약 무기
유럽
극동아시아
유럽의 상선들은 희망봉을 지나 인도에 도착했고, 유럽 인들은 인도를 기지로 삼아 중국은 물론 일본까지 진출했지.
1750년대 유럽의 주요 무역 항로
희망봉
이어 그들은 군함과 함포를 앞세워 쇠퇴하는 무굴 제국을 점령했고, 중국마저 장악했지.
허, 허, 허.
함포
무굴 제국
중국
군함
바야흐로 세계는 진정한 세계 경제의 시대로 접어들게 되었지.
잘 익었다.
무굴 제국
중국
세계 경제

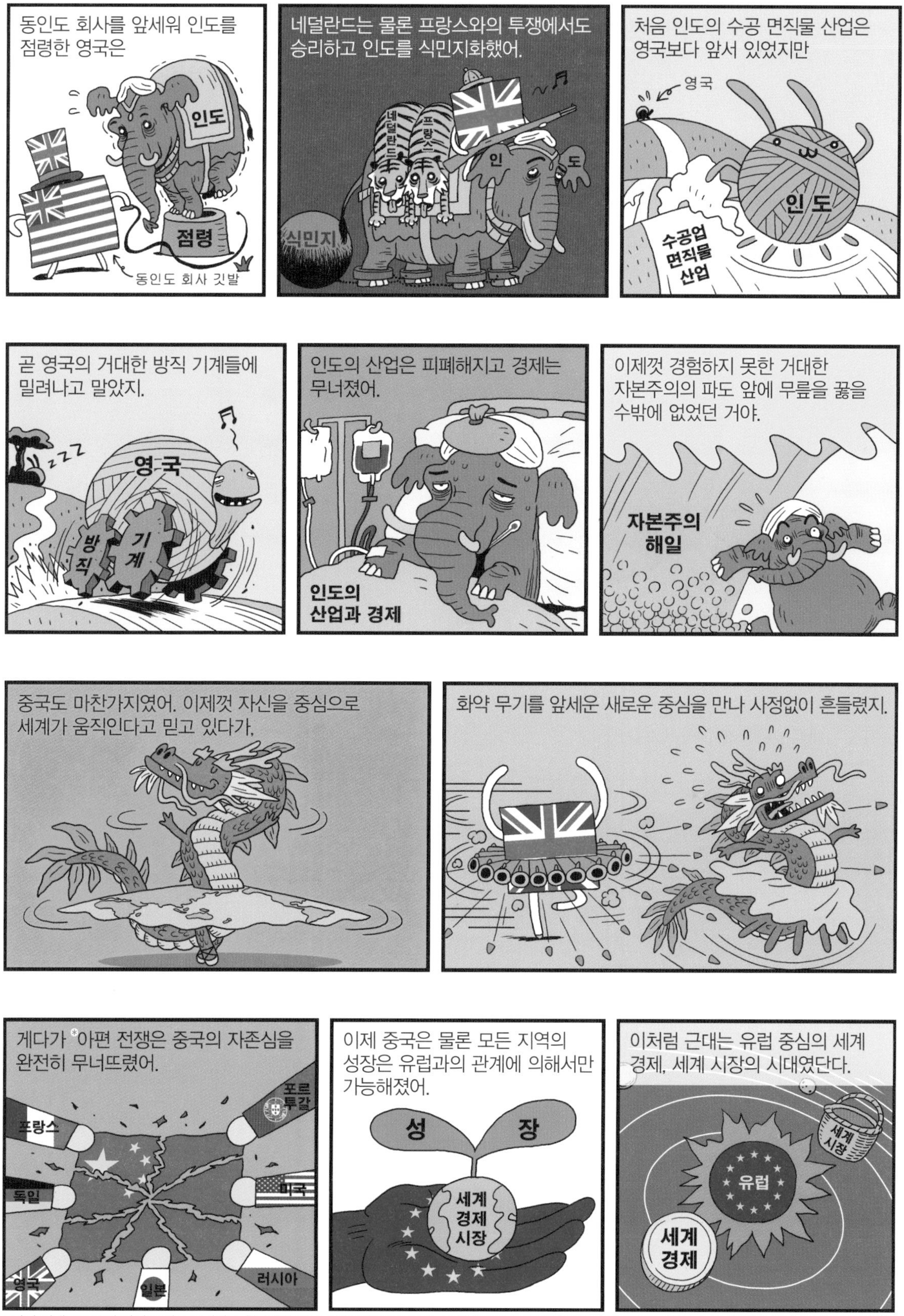
동인도 회사를 앞세워 인도를 점령한 영국은
인도
점령
동인도 회사 깃발
네덜란드는 물론 프랑스와의 투쟁에서도 승리하고 인도를 식민지화했어.
네덜란드
프랑스
인도
식민지
처음 인도의 수공 면직물 산업은 영국보다 앞서 있었지만
영국
인도
수공업 면직물 산업
곧 영국의 거대한 방직 기계들에 밀려나고 말았지.
영국
방직
기계
인도의 산업은 피폐해지고 경제는 무너졌어.
인도의 산업과 경제
이제껏 경험하지 못한 거대한 자본주의의 파도 앞에 무릎을 꿇을 수밖에 없었던 거야.
자본주의의 해일
중국도 마찬가지였어. 이제껏 자신을 중심으로 세계가 움직인다고 믿고 있다가,
화약 무기를 앞세운 새로운 중심을 만나 사정없이 흔들렸지.
게다가 *아편 전쟁은 중국의 자존심을 완전히 무너뜨렸어.
포르투갈
프랑스
독일
미국
영국
일본
러시아
이제 중국은 물론 모든 지역의 성장은 유럽과의 관계에 의해서만 가능해졌어.
성
장
세계 경제 시장
이처럼 근대는 유럽 중심의 세계 경제, 세계 시장의 시대였단다.
세계 시장
유럽
세계 경제

* 아편 전쟁: 1840년 아편 문제를 둘러싸고 청나라와 영국 사이에 일어난 전쟁. 1842년에 청나라가 패하여 난징 조약을 맺음으로써 끝이 났다.

11장 산업 혁명

이번 장에서는 산업 혁명에 대해 알아볼 거야.
산업 혁명
산업 혁명이 어떻게 시작되었고,
산업 혁명
START
어떻게 세계 질서를 다시 세웠는지 살펴보려고 해.
산업
세 계 질 서
재 편
산업 혁명은 수 세기 전에 시작된 산업화의 마지막 과정일까?
정상
산업 혁명
산 업 화
혹시 오늘날도 지속되는 변화는 아닐까?
오 늘 날
산 업 화
어쩌면 미래를 함축하는 결과이자 시작일 수도 있지 않을까?
산업 혁명

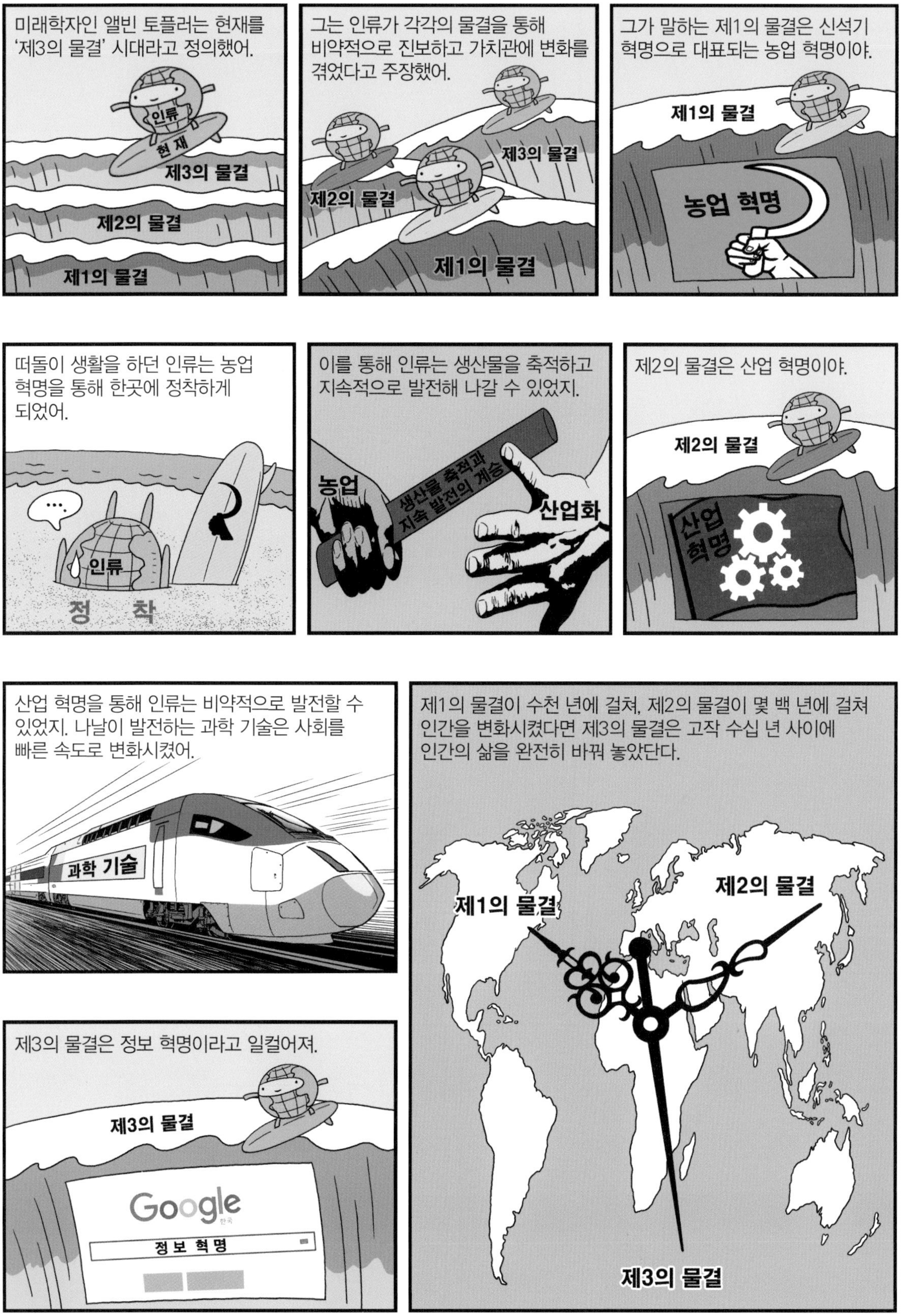
미래학자인 앨빈 토플러는 현재를
'제3의 물결' 시대라고 정의했어.
인류
현재
제3의 물결
제2의 물결
제1의 물결
그는 인류가 각각의 물결을 통해
비약적으로 진보하고 가치관에 변화를
겪었다고 주장했어.
제3의 물결
제2의 물결
제1의 물결
그가 말하는 제1의 물결은 신석기
혁명으로 대표되는 농업 혁명이야.
제1의 물결
농업 혁명
떠돌이 생활을 하던 인류는 농업
혁명을 통해 한곳에 정착하게
되었어.
....
인류
정 착
이를 통해 인류는 생산물을 축적하고
지속적으로 발전해 나갈 수 있었지.
농업
생산물 축적과
지속 발전의 계승
산업화
제2의 물결은 산업 혁명이야.
제2의 물결
산업
혁명
산업 혁명을 통해 인류는 비약적으로 발전할 수
있었지. 나날이 발전하는 과학 기술은 사회를
빠른 속도로 변화시켰어.
과학 기술
제1의 물결이 수천 년에 걸쳐, 제2의 물결이 몇 백 년에 걸쳐
인간을 변화시켰다면 제3의 물결은 고작 수십 년 사이에
인간의 삶을 완전히 바꿔 놓았단다.
제1의 물결
제2의 물결
제3의 물결
제3의 물결은 정보 혁명이라고 일컬어져.
제3의 물결
Google
한국
정 보 혁 명

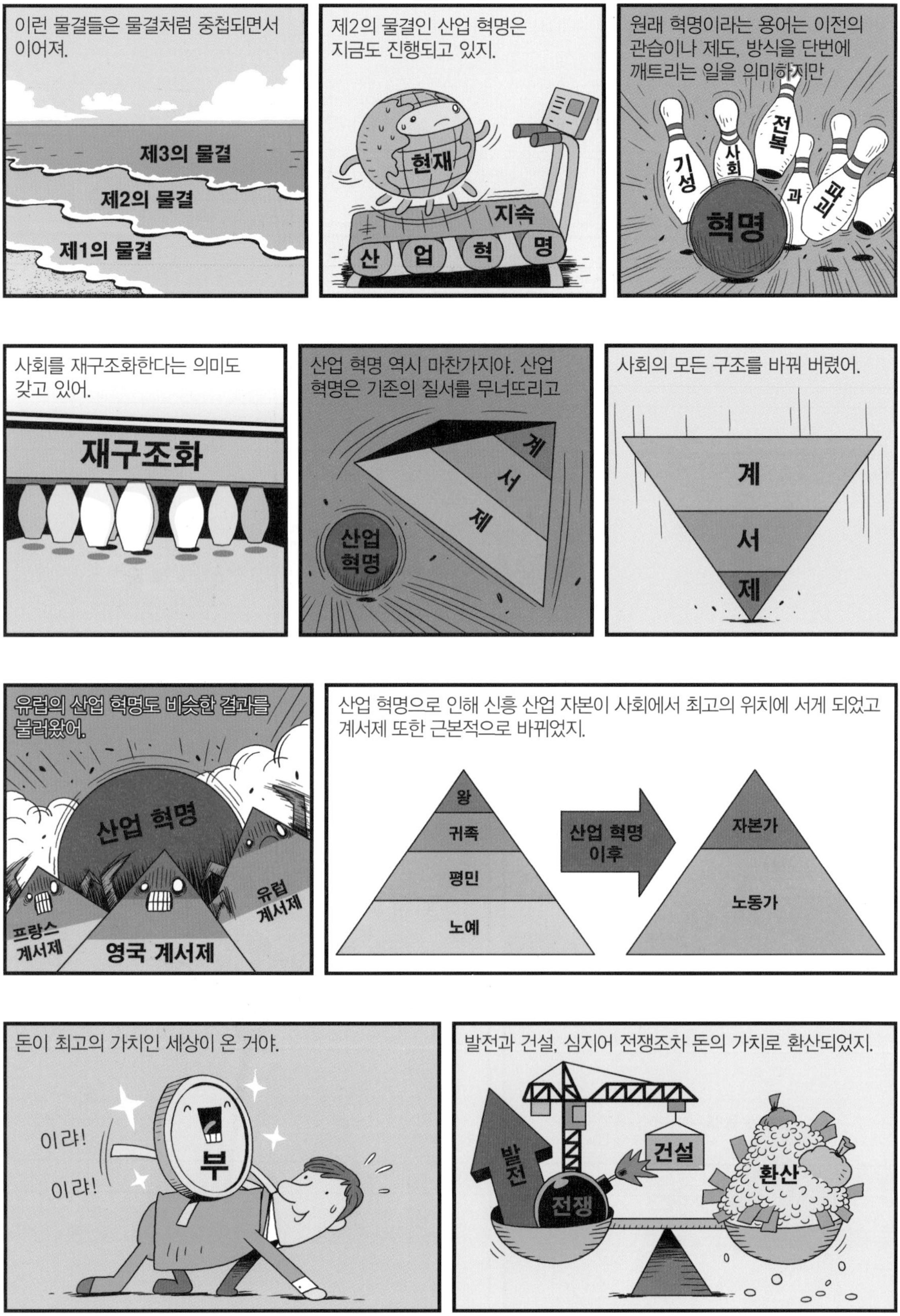
이런 물결들은 물결처럼 중첩되면서 이어져.
제3의 물결
제2의 물결
제1의 물결
제2의 물결인 산업 혁명은 지금도 진행되고 있지.
현재
지속
산 업 혁 명
원래 혁명이라는 용어는 이전의 관습이나 제도, 방식을 단번에 깨트리는 일을 의미하지만
기성
사회
전복
과
파괴
혁명
사회를 재구조화한다는 의미도 갖고 있어.
재구조화
산업 혁명 역시 마찬가지야. 산업 혁명은 기존의 질서를 무너뜨리고
계
서
제
산업 혁명
사회의 모든 구조를 바꿔 버렸어.
계
서
제
유럽의 산업 혁명도 비슷한 결과를 불러왔어.
산업 혁명
프랑스 계서제
영국 계서제
유럽 계서제
산업 혁명으로 인해 신흥 산업 자본이 사회에서 최고의 위치에 서게 되었고 계서제 또한 근본적으로 바뀌었지.
왕
귀족
평민
노예
산업 혁명 이후
자본가
노동가
돈이 최고의 가치인 세상이 온 거야.
이랴!
이랴!
부
발전과 건설, 심지어 전쟁조차 돈의 가치로 환산되었지.
발전
건설
전쟁
환산

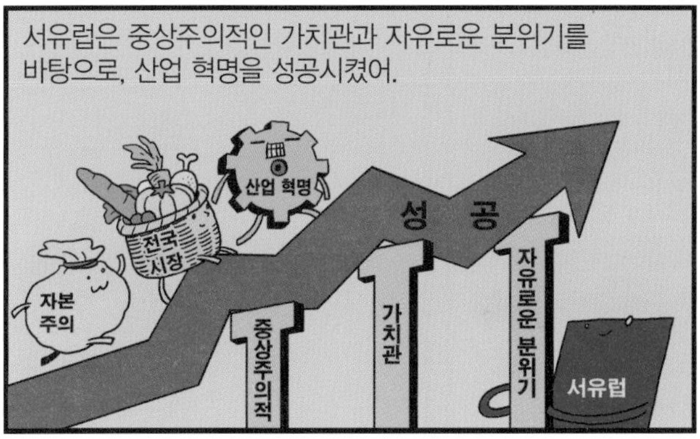
서유럽은 중상주의적인 가치관과 자유로운 분위기를
바탕으로, 산업 혁명을 성공시켰어.
산업 혁명
전국 시장
자본 주의
성 공
중상주의적
가치관
자유로운 분위기
서유럽

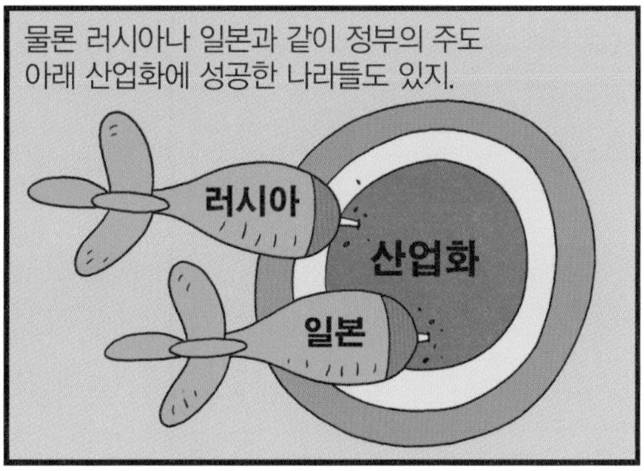
물론 러시아나 일본과 같이 정부의 주도
아래 산업화에 성공한 나라들도 있지.
러시아
산업화
일본

하지만 산업 혁명이 무조건
성공하는 것은 아니야.
산업화

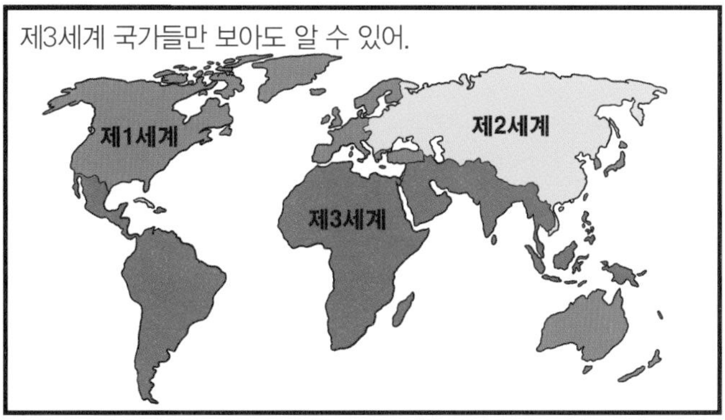
제3세계 국가들만 보아도 알 수 있어.
제1세계
제2세계
제3세계

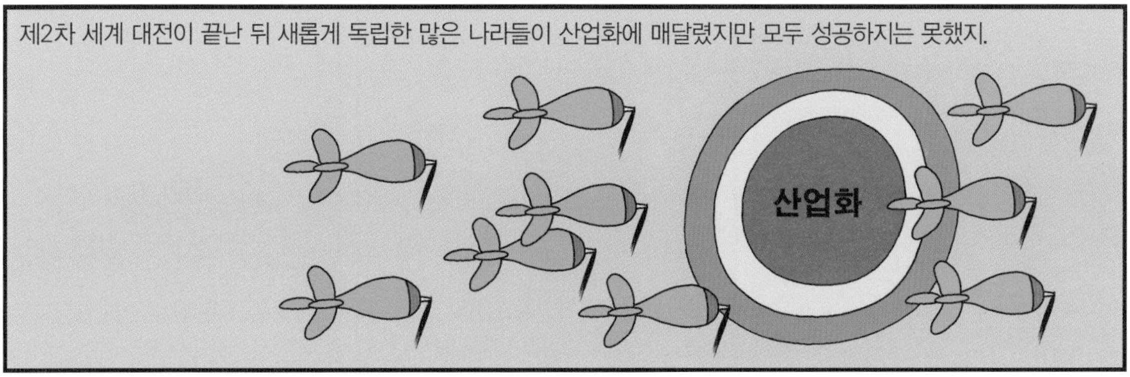
제2차 세계 대전이 끝난 뒤 새롭게 독립한 많은 나라들이 산업화에 매달렸지만 모두 성공하지는 못했지.
산업화

산업 혁명이 성공하는 데는 사회 전체적인 분위기와 가치관,
사회 구조, 부의 축적 정도 등 다양한 변수가 작용하거든.
산업화

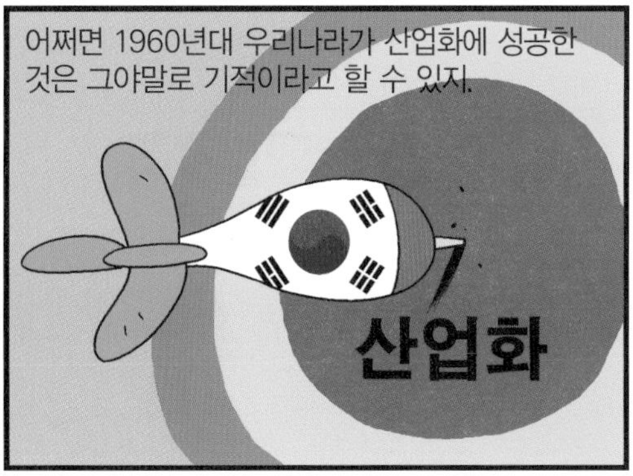
어쩌면 1960년대 우리나라가 산업화에 성공한
것은 그야말로 기적이라고 할 수 있지.
산업화

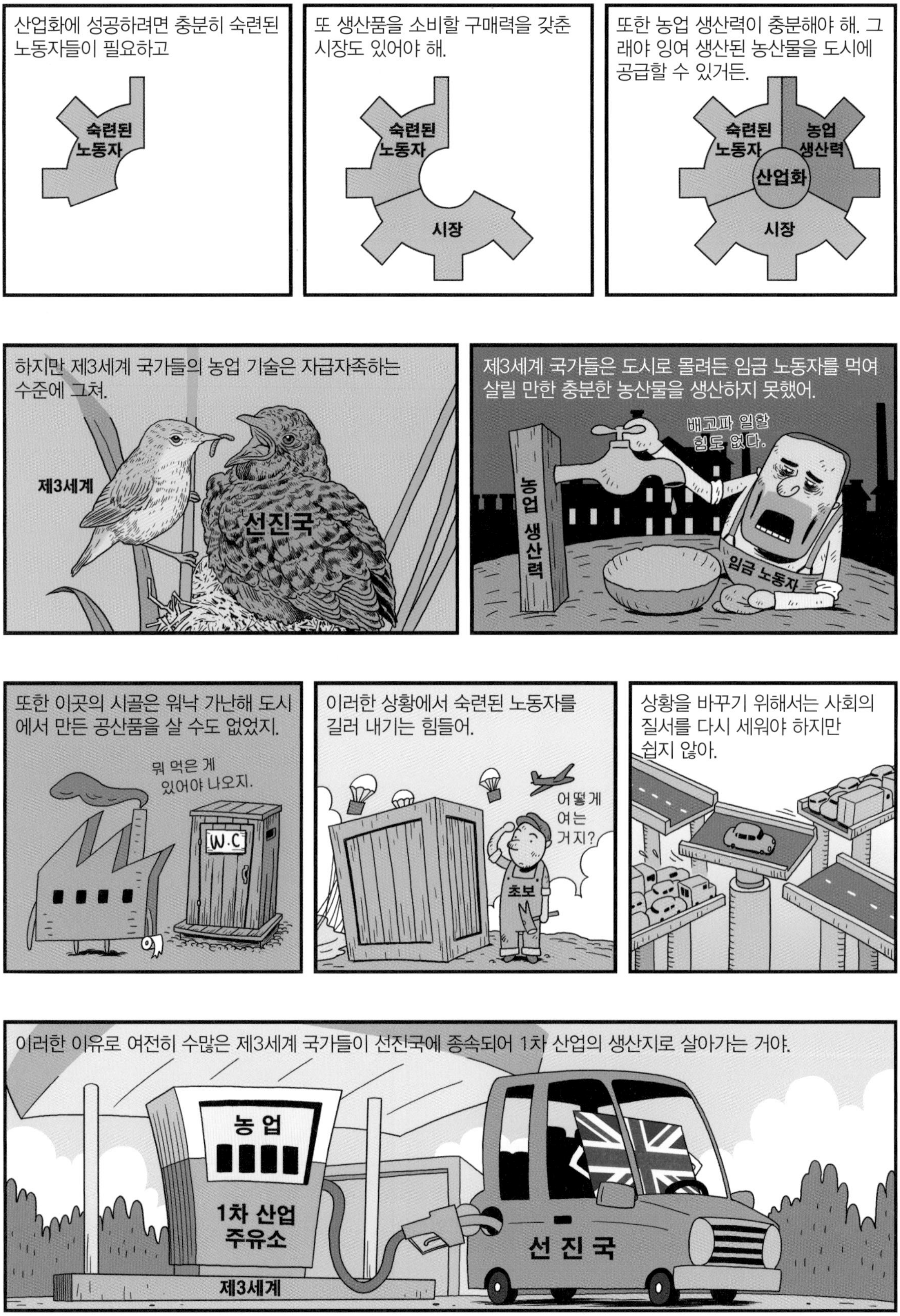
산업화에 성공하려면 충분히 숙련된 노동자들이 필요하고
숙련된 노동자
또 생산품을 소비할 구매력을 갖춘 시장도 있어야 해.
숙련된 노동자
시장
또한 농업 생산력이 충분해야 해. 그래야 잉여 생산된 농산물을 도시에 공급할 수 있거든.
숙련된 노동자
농업 생산력
산업화
시장
하지만 제3세계 국가들의 농업 기술은 자급자족하는 수준에 그쳐.
제3세계
선진국
제3세계 국가들은 도시로 몰려든 임금 노동자를 먹여 살릴 만한 충분한 농산물을 생산하지 못했어.
배고파 일할 힘도 없다.
농업 생산력
임금 노동자
또한 이곳의 시골은 워낙 가난해 도시에서 만든 공산품을 살 수도 없었지.
뭐 먹은 게 있어야 나오지.
W.C
이러한 상황에서 숙련된 노동자를 길러 내기는 힘들어.
어떻게 여는 거지?
초보
상황을 바꾸기 위해서는 사회의 질서를 다시 세워야 하지만 쉽지 않아.
이러한 이유로 여전히 수많은 제3세계 국가들이 선진국에 종속되어 1차 산업의 생산지로 살아가는 거야.
농업
1차 산업 주유소
제3세계
선진국

흔히 산업 혁명은 증기 기관과 방직기의 발명 덕분에 성공했다고 생각하지.
방직기
증기 기관

하지만 이것이 전부는 아니야.
꿀꺽
꿀꺽
기술의 발전
산업 혁명

증기 기관은 이미 기원전 이집트의 프톨레마이오스 왕조 때 발명되었고

물레방아 역시 훨씬 이전부터 있었는걸.

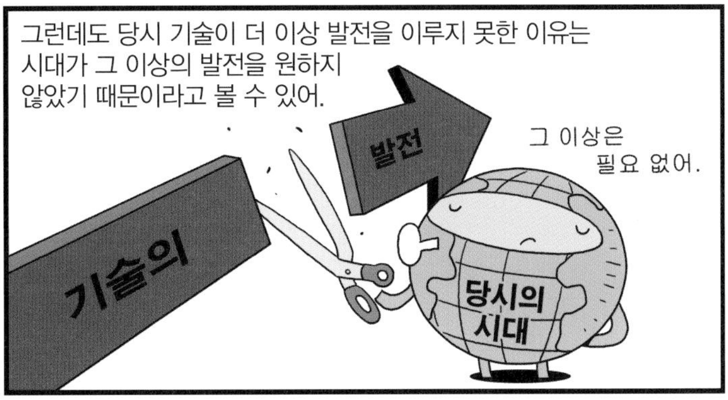
그런데도 당시 기술이 더 이상 발전을 이루지 못한 이유는 시대가 그 이상의 발전을 원하지 않았기 때문이라고 볼 수 있어.
발전
그 이상은 필요 없어.
기술의
당시의 시대

어떤 학자들은 우리나라의 근대화가 시작된 시기를 영조·정조 때라고 보기도 해.
조선 21대 왕 영조
조선 22대 왕 정조

당시에 상업 자본이 공업을 지배하고 시민 의식이 싹트기 시작했거든.
상업 자본의 공업 지배
시민 의식
영·정조 시대

하지만 그 뒤로는 세도 정치가 나타나 사회가 부패했고
정치
세도
사회
통제

세상은 더 이상 기술과 자본의 발전을 원하지 않았지.
발전
기술과 자본의
세도 정치

사회는 정체되었고 많은 지식과 기술이 묻혀 버렸어.
기술
지식
기술
지식
기술
지식
지식
기술

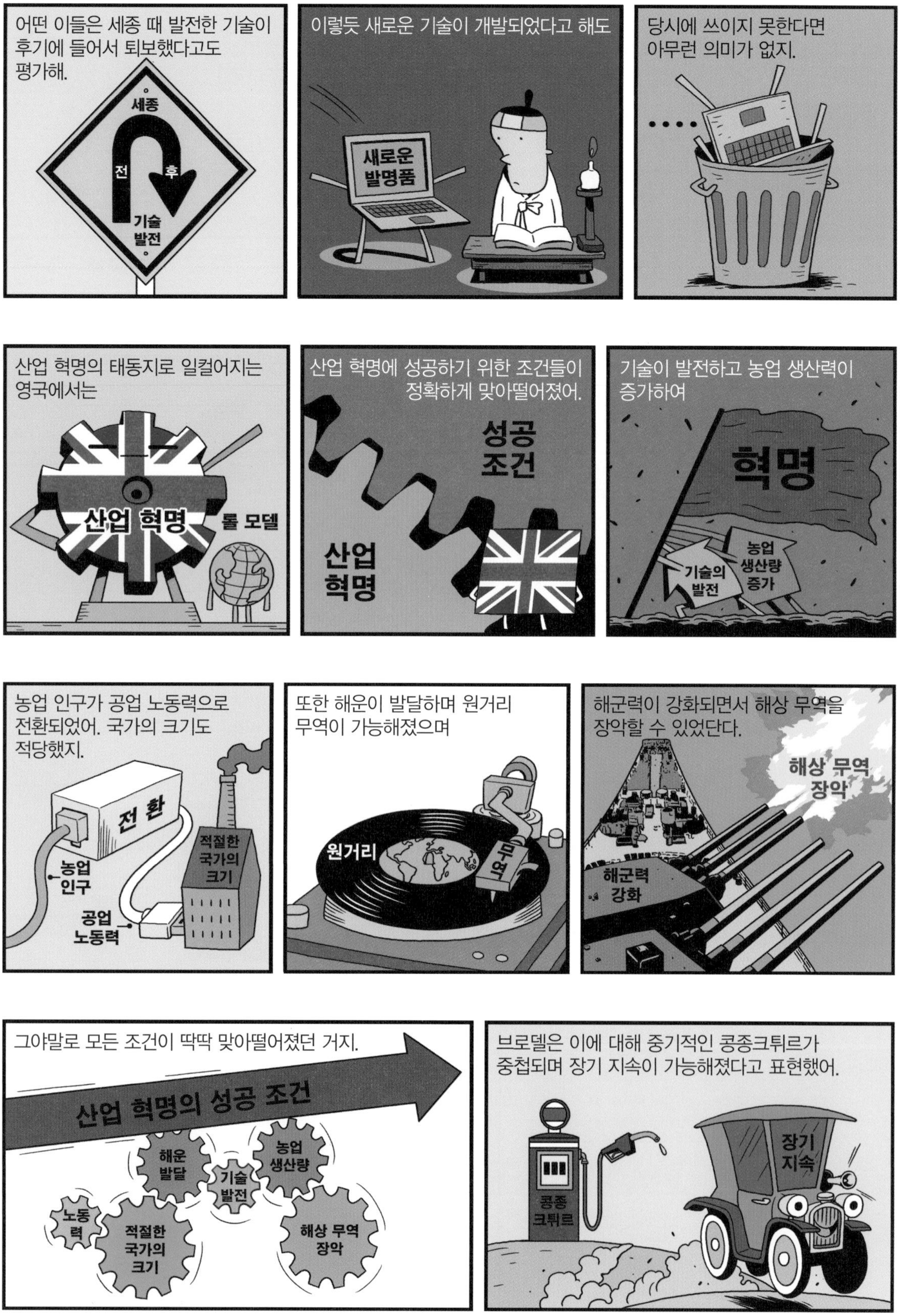
어떤 이들은 세종 때 발전한 기술이 후기에 들어서 퇴보했다고도 평가해.
세종
전
후
기술 발전
이렇듯 새로운 기술이 개발되었다고 해도
새로운 발명품
당시에 쓰이지 못한다면 아무런 의미가 없지.
....
산업 혁명의 태동지로 일컬어지는 영국에서는
산업 혁명
롤 모델
산업 혁명에 성공하기 위한 조건들이 정확하게 맞아떨어졌어.
성공 조건
산업 혁명
기술이 발전하고 농업 생산력이 증가하여
혁명
기술의 발전
농업 생산량 증가
농업 인구가 공업 노동력으로 전환되었어. 국가의 크기도 적당했지.
전환
농업 인구
공업 노동력
적절한 국가의 크기
또한 해운이 발달하며 원거리 무역이 가능해졌으며
원거리
무역
해군력이 강화되면서 해상 무역을 장악할 수 있었단다.
해상 무역 장악
해군력 강화
그야말로 모든 조건이 딱딱 맞아떨어졌던 거지.
산업 혁명의 성공 조건
해운 발달
농업 생산량
기술 발전
노동력
적절한 국가의 크기
해상 무역 장악
브로델은 이에 대해 중기적인 콩종크튀르가 중첩되며 장기 지속이 가능해졌다고 표현했어.
콩종크튀르
장기 지속

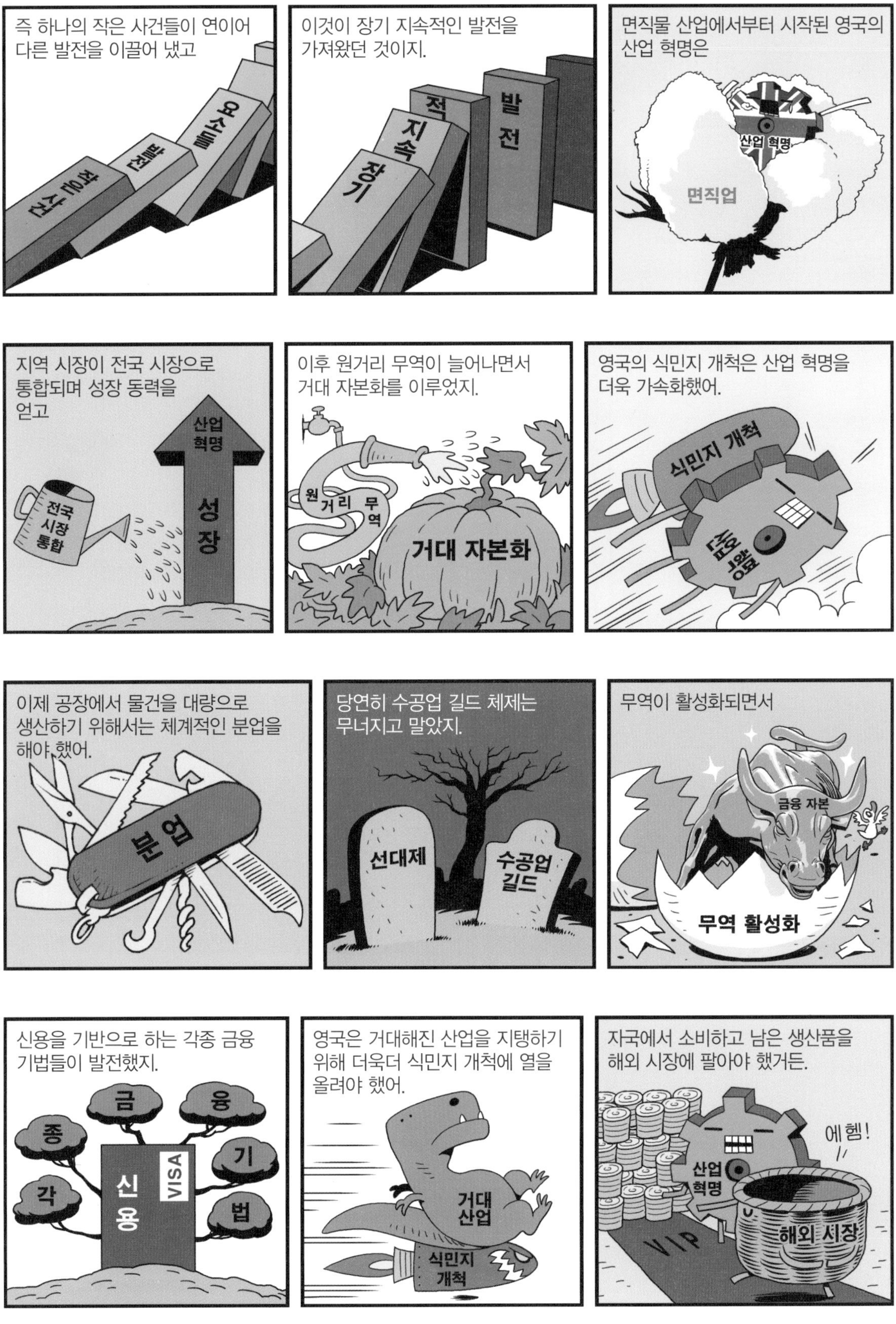

즉 하나의 작은 사건들이 연이어 다른 발전을 이끌어 냈고
작은 사건
발전
요소들
이것이 장기 지속적인 발전을 가져왔던 것이지.
장기
지속
적
발전
면직물 산업에서부터 시작된 영국의 산업 혁명은
산업 혁명
면직업
지역 시장이 전국 시장으로 통합되며 성장 동력을 얻고
전국 시장 통합
산업 혁명
성장
이후 원거리 무역이 늘어나면서 거대 자본화를 이루었지.
원거리 무역
거대 자본화
영국의 식민지 개척은 산업 혁명을 더욱 가속화했어.
식민지 개척
산업 혁명
이제 공장에서 물건을 대량으로 생산하기 위해서는 체계적인 분업을 해야 했어.
분업
당연히 수공업 길드 체제는 무너지고 말았지.
선대제
수공업 길드
무역이 활성화되면서
금융 자본
무역 활성화
신용을 기반으로 하는 각종 금융 기법들이 발전했지.
금
융
종
기
각
법
신용
VISA
영국은 거대해진 산업을 지탱하기 위해 더욱더 식민지 개척에 열을 올려야 했어.
거대 산업
식민지 개척
자국에서 소비하고 남은 생산품을 해외 시장에 팔아야 했거든.
에헴!
산업 혁명
VIP
해외 시장

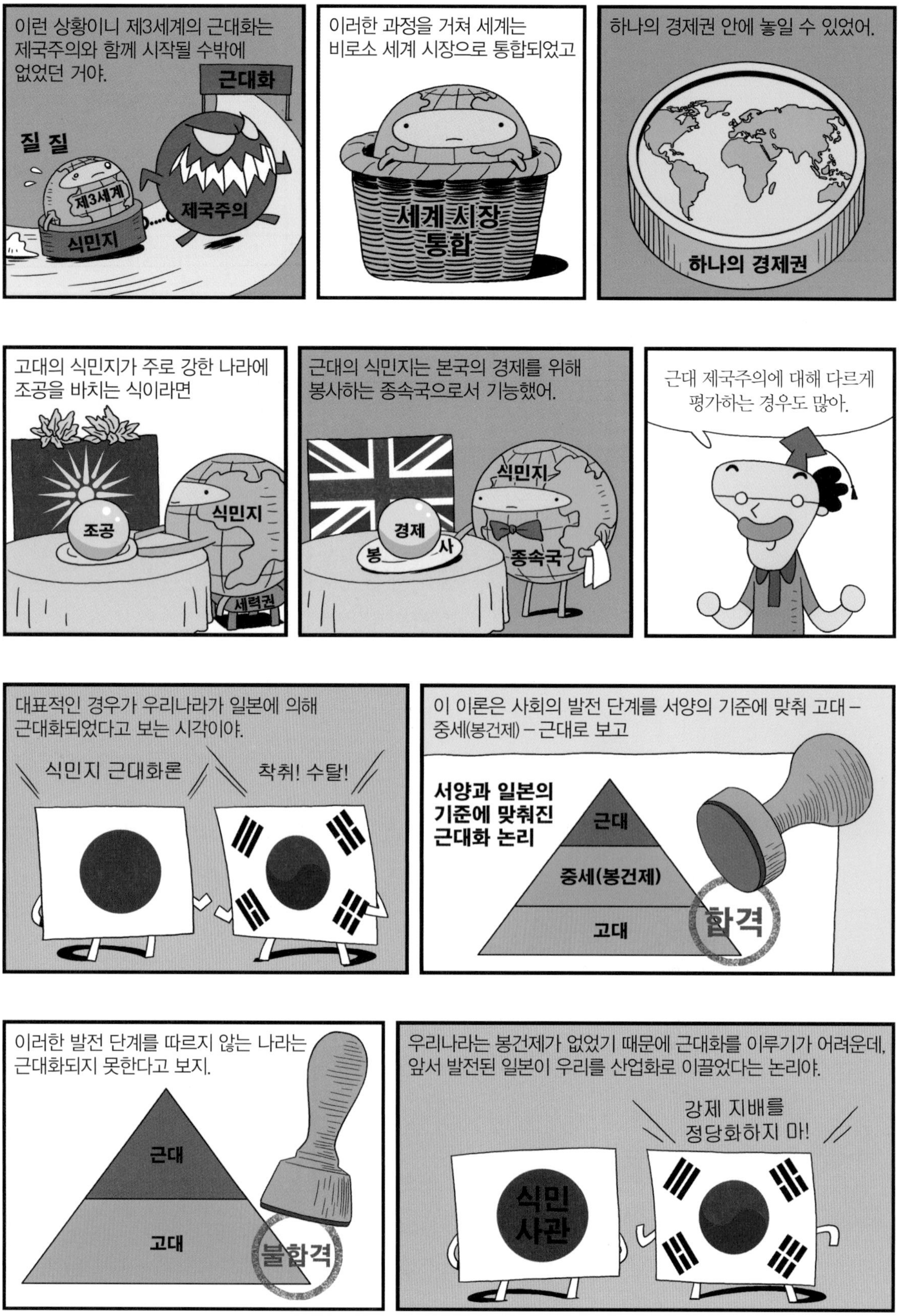
이런 상황이니 제3세계의 근대화는 제국주의와 함께 시작될 수밖에 없었던 거야.
근대화
질 질
제3세계
식민지
제국주의
이러한 과정을 거쳐 세계는 비로소 세계 시장으로 통합되었고
세계 시장 통합
하나의 경제권 안에 놓일 수 있었어.
하나의 경제권
고대의 식민지가 주로 강한 나라에 조공을 바치는 식이라면
조공
식민지
세력권
근대의 식민지는 본국의 경제를 위해 봉사하는 종속국으로서 기능했어.
식민지
경제
봉
사
종속국
근대 제국주의에 대해 다르게 평가하는 경우도 많아.
대표적인 경우가 우리나라가 일본에 의해 근대화되었다고 보는 시각이야.
식민지 근대화론
착취! 수탈!
이 이론은 사회의 발전 단계를 서양의 기준에 맞춰 고대 – 중세(봉건제) – 근대로 보고
서양과 일본의 기준에 맞춰진 근대화 논리
근대
중세(봉건제)
고대
합격
이러한 발전 단계를 따르지 않는 나라는 근대화되지 못한다고 보지.
근대
고대
불합격
우리나라는 봉건제가 없었기 때문에 근대화를 이루기가 어려운데, 앞서 발전된 일본이 우리를 산업화로 이끌었다는 논리야.
강제 지배를 정당화하지 마!
식민 사관

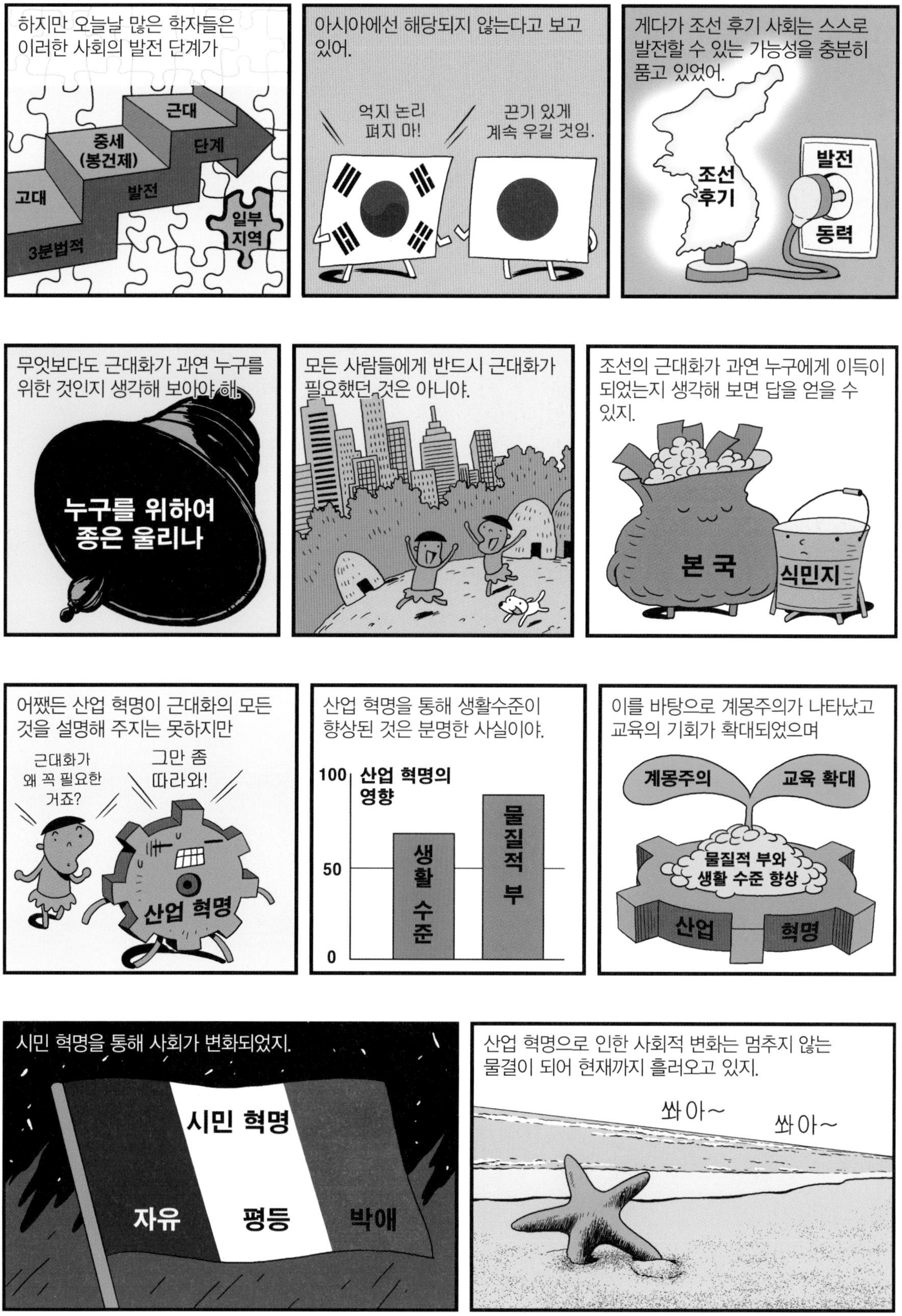
하지만 오늘날 많은 학자들은 이러한 사회의 발전 단계가
고대
중세 (봉건제)
근대
단계
발전
3분법적
일부 지역
아시아에선 해당되지 않는다고 보고 있어.
억지 논리 펴지 마!
끈기 있게 계속 우길 것임.
게다가 조선 후기 사회는 스스로 발전할 수 있는 가능성을 충분히 품고 있었어.
조선 후기
발전 동력
무엇보다도 근대화가 과연 누구를 위한 것인지 생각해 보아야 해.
누구를 위하여 종은 울리나
모든 사람들에게 반드시 근대화가 필요했던 것은 아니야.
조선의 근대화가 과연 누구에게 이득이 되었는지 생각해 보면 답을 얻을 수 있지.
본 국
식민지
어쨌든 산업 혁명이 근대화의 모든 것을 설명해 주지는 못하지만
근대화가 왜 꼭 필요한 거죠?
그만 좀 따라와!
산업 혁명
산업 혁명을 통해 생활수준이 향상된 것은 분명한 사실이야.
산업 혁명의 영향
100
50
0
생활 수준
물질적 부
이를 바탕으로 계몽주의가 나타났고 교육의 기회가 확대되었으며
계몽주의
교육 확대
물질적 부와 생활 수준 향상
산업
혁명
시민 혁명을 통해 사회가 변화되었지.
시민 혁명
자유
평등
박애
산업 혁명으로 인한 사회적 변화는 멈추지 않는 물결이 되어 현재까지 흘러오고 있지.
쏴아~
쏴아~

12장

자본주의는 지속될 것인가?

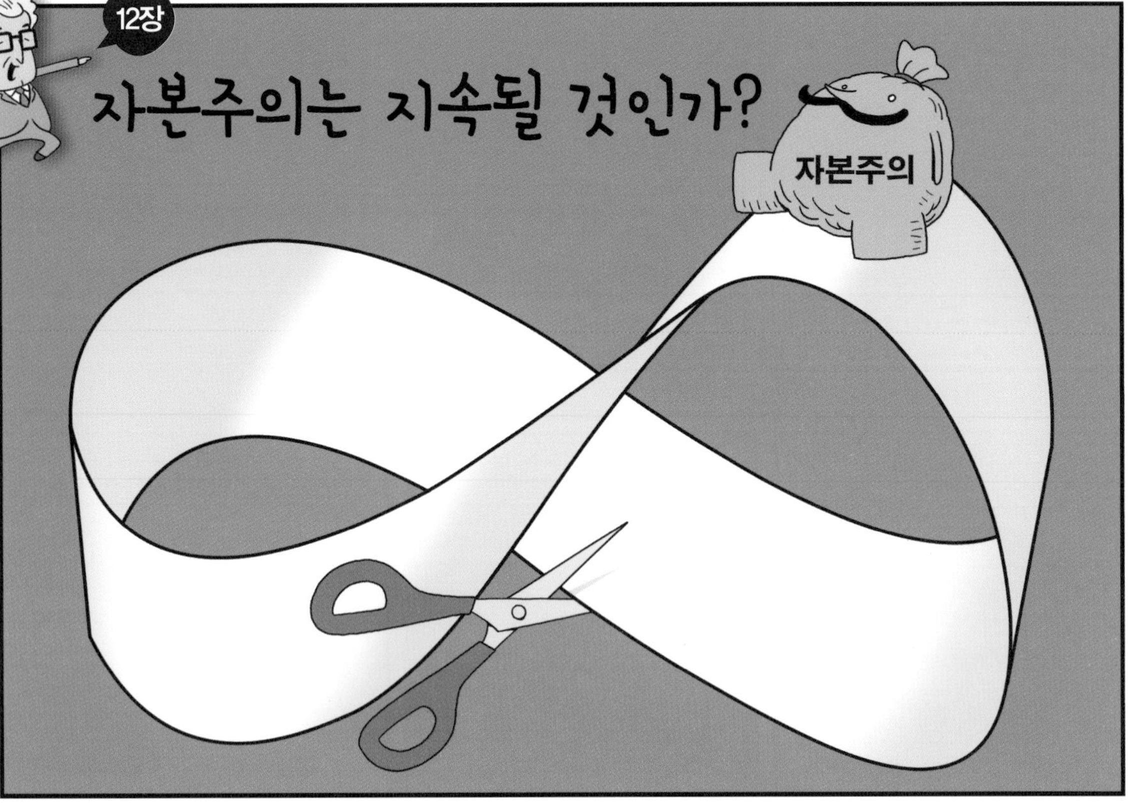
자본주의

《물질문명과 자본주의》는 '자본주의'라는 화두를 중심으로 잡고 있어.
어딜 빠져나가려고!
15~18세기 사회, 경제의 극심한 변화
서 유 럽

특히 서유럽 역사에서 가장 역동적인 변화가 일어났던 15~18세기까지의 사회와 경제를 살펴보고 있지.
거기 안 서?
거대 기업 거대 자본
경제 체제
자본주의 경제

이 책에서 말하는 자본주의는 경제 체제이자, 자본주의 경제를 움직이는 거대 기업과 거대 자본을 말해. 브로델은 전체 역사를 관통하는 핵심적인 모델을 만들고자 했어.
전체 역사

그는 자본주의야말로 장기 지속, 중기 지속, 사건으로 이어지는 역사 체계를 세우기에 알맞은 개념이라고 생각했지.
그래, 바로 저거야!
사 건
중기 지속
자본주의
장기 지속

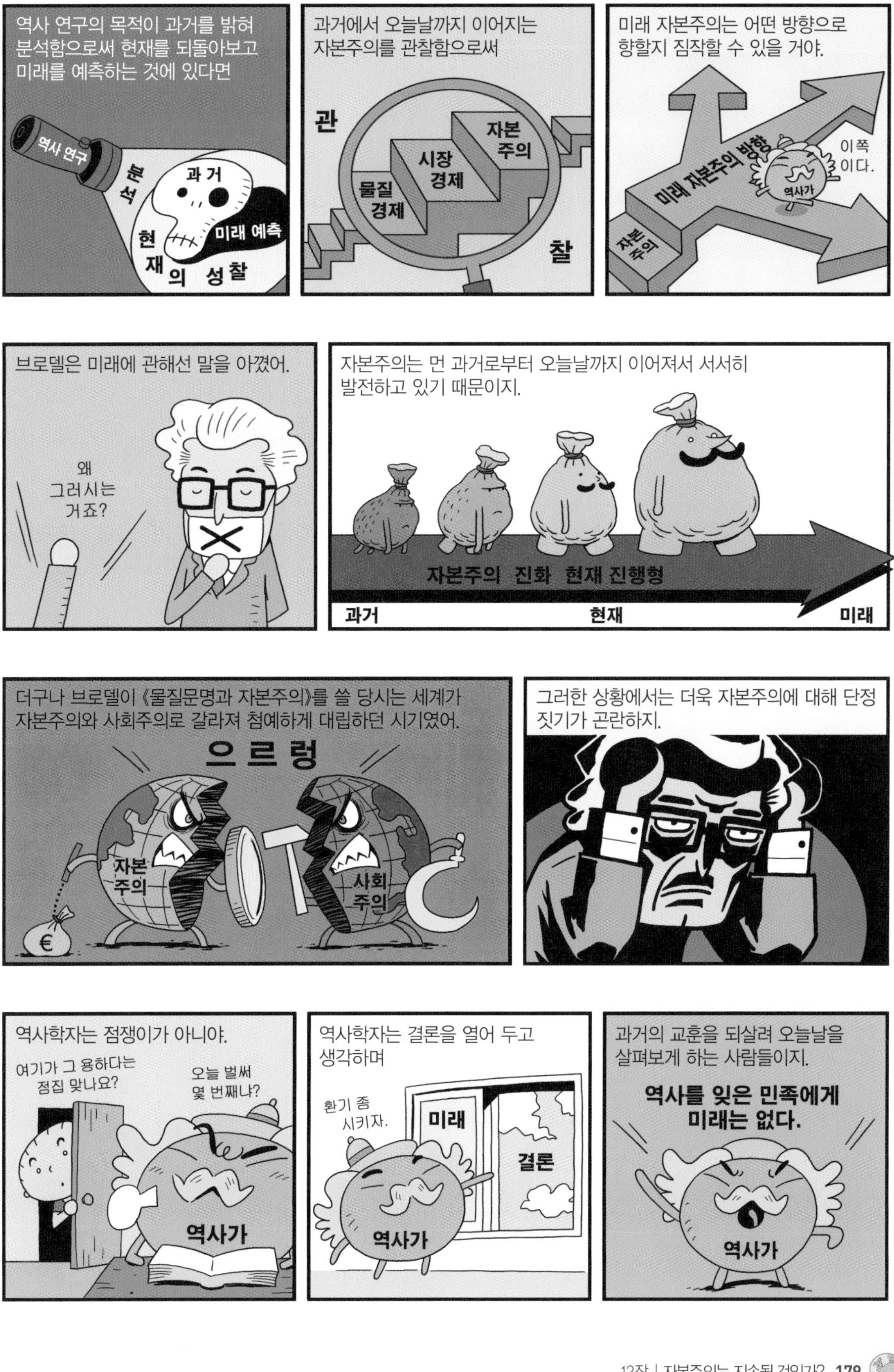
역사 연구의 목적이 과거를 밝혀 분석함으로써 현재를 되돌아보고 미래를 예측하는 것에 있다면
역사 연구
분석
과거
미래 예측
현재의 성찰
과거에서 오늘날까지 이어지는 자본주의를 관찰함으로써
관찰
물질 경제
시장 경제
자본 주의
미래 자본주의는 어떤 방향으로 향할지 짐작할 수 있을 거야.
미래 자본주의 방향
자본 주의
역사가
이쪽이다.
브로델은 미래에 관해선 말을 아꼈어.
왜 그러시는 거죠?
자본주의는 먼 과거로부터 오늘날까지 이어져서 서서히 발전하고 있기 때문이지.
자본주의 진화 현재 진행형
과거
현재
미래
더구나 브로델이 《물질문명과 자본주의》를 쓸 당시는 세계가 자본주의와 사회주의로 갈라져 첨예하게 대립하던 시기였어.
으르렁
자본 주의
사회 주의
그러한 상황에서는 더욱 자본주의에 대해 단정 짓기가 곤란하지.
역사학자는 점쟁이가 아니야.
여기가 그 용하다는 점집 맞나요?
오늘 벌써 몇 번째냐?
역사가
역사학자는 결론을 열어 두고 생각하며
환기 좀 시키자.
미래
결론
역사가
과거의 교훈을 되살려 오늘날을 살펴보게 하는 사람들이지.
역사를 잊은 민족에게 미래는 없다.
역사가

지금도 많은 나라들이 사회주의 체제를 유지하고 있어.
■ 사회주의 사회
자본주의가 꽃핀 유럽과 미국조차도 순수한 의미의 자본주의 경제 체제를 유지하고 있지는 않아.
자본주의
유럽과 미국
브로델이 알았든 몰랐든 자본주의 역시 계속 진화해 왔어.
자본주의의 진화
많은 노동자들이 부당한 대우에서 벗어나기 위해 힘을 합쳐 노동조합을 만들었고
노동조합 결성
자신들의 권리를 지키기 위해 노력했어.
총파업
자본가는 그들의 요구를 어느 정도 받아들여야 했지.
타 협
노동자
자본가
국가는 국민 대다수를 차지하고 있는 노동자들의 권리와 최저 생활을 보장하려고 하지.
자본가
자본가
노동자들의 권리와 최저 생활 보장
국 가
노동자
시장에서의 무조건적인 경쟁이 계층 간에 격차를 심화시키고, 그것이 사회 불안으로 이어진다는 사실을 깨달았기 때문이야.
경
쟁
불
안
사회
이처럼 자본주의 체제에 사회주의적 요소가 더해져
사회 주의적 요소
자본 주의 체제
복지와 인권 등이 제도적으로 보장된 사회 체제를
법률
사회 복지 인권
제도
노동자
경제학자 슘페터(1883~1951년)는 *'사회 민주주의'라 불렀어.
사회 민주주의의 상징 "붉은 장미"

* 사회 민주주의: 민주주의 체제 하에서 경제적 평등도 달성하자는 사상

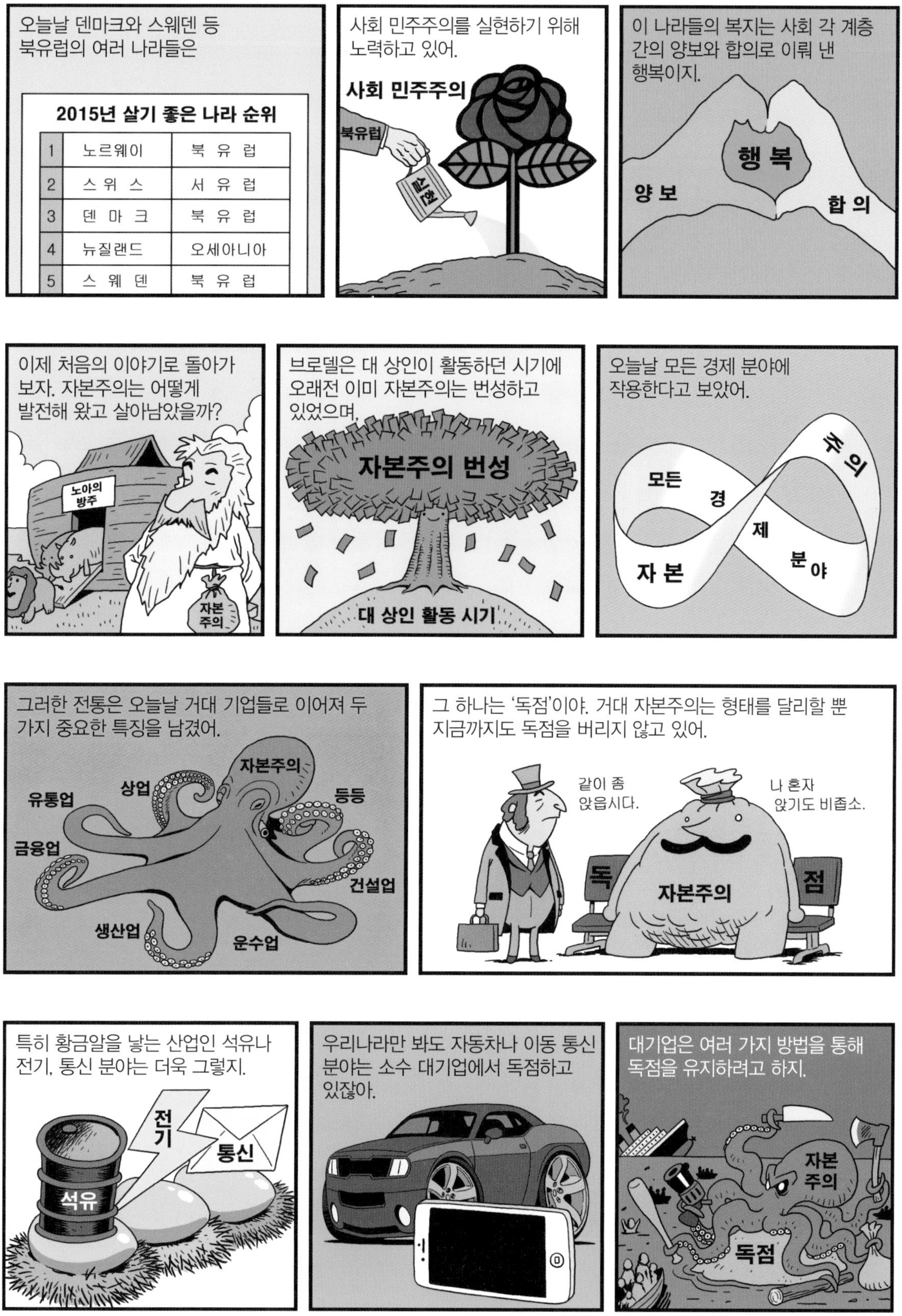

오늘날 덴마크와 스웨덴 등 북유럽의 여러 나라들은
2015년 살기 좋은 나라 순위
1 노르웨이 북유럽
2 스위스 서유럽
3 덴마크 북유럽
4 뉴질랜드 오세아니아
5 스웨덴 북유럽
사회 민주주의를 실현하기 위해 노력하고 있어.
사회 민주주의
북유럽
실현
이 나라들의 복지는 사회 각 계층 간의 양보와 합의로 이뤄 낸 행복이지.
행복
양보
합의
이제 처음의 이야기로 돌아가 보자. 자본주의는 어떻게 발전해 왔고 살아남았을까?
노아의 방주
자본주의
브로델은 대 상인이 활동하던 시기에 오래전 이미 자본주의는 번성하고 있었으며,
자본주의 번성
대 상인 활동 시기
오늘날 모든 경제 분야에 작용한다고 보았어.
모든 경제 분야
자본주의
그러한 전통은 오늘날 거대 기업들로 이어져 두 가지 중요한 특징을 남겼어.
자본주의
유통업
상업
등등
금융업
건설업
생산업
운수업
그 하나는 '독점'이야. 거대 자본주의는 형태를 달리할 뿐 지금까지도 독점을 버리지 않고 있어.
같이 좀 앉읍시다.
나 혼자 앉기도 비좁소.
독점
자본주의
특히 황금알을 낳는 산업인 석유나 전기, 통신 분야는 더욱 그렇지.
전기
통신
석유
우리나라만 봐도 자동차나 이동 통신 분야는 소수 대기업에서 독점하고 있잖아.
대기업은 여러 가지 방법을 통해 독점을 유지하려고 하지.
자본주의
독점

자본주의의 또 다른 특징은 '선택의 자유'를 추구하는 거야.
가격
가격
가격
자본주의
냉장고 전문 마트
가격
자본주의는 사회 내에서 지배적인 위치를 갖고 대자본, 정보 등을 무기로 하여
자본주의
모든 산업 분야에서 선택의 자유를 누리고 있어.
사회
산업
자본주의
선택의 자유
그들은 국가를 상대로 하여 엄청난 세금 혜택과 자금 지원을 받으면서
국가
세금 혜택
자금 지원
자본주의
최대한의 이윤을 추구하기 위해 국적을 넘나들어.
이 윤
이 윤
자본주의
현대의 자본주의는 국가를 초월하여 더욱 강력한 존재가 되었지.
초국적 자본주의
국 가
국가가 사회 복지를 제공하는 등 사회주의적인 역할을 한다고 해서 자본에게 등을 돌렸다고 생각해서는 안 돼.
국 가
자 본
과거는 물론 오늘날에도 국가와 자본은 늘 밀접한 관계를 유지하며 공생하고 있어.
공 생
자본
국가
미국의 방위 산업만 보아도 이를 잘 알 수 있어. 국가는 자본에게 천문학적 규모의 무기를 주문하고, 상품을 팔기 위해 전 세계를 상대로 압력과 로비를 벌이며, 극단적인 경우 전쟁까지 불사하지.
록히드 마틴

자본주의는 이렇듯 국가와의 밀접한 관계를 무기 삼아 더욱더 독점을 심화하고 사회 전체에 걸쳐 선택의 자유를 누리지.
국 가
자유
선택의
자본주의
독 점

많은 사람들은 여전히 자본주의가 사회주의보다 훨씬 더 효율적이고, 사유 재산을 보호해 주며 개인의 자발성을 옹호한다고 믿고 있어.
너 효율적이다.
사회주의
자본주의

영국의 경제학자 케인즈(1883~1946년)는 이에 대해 "무조건적으로 부의 불평등한 분배에 찬성한다."고 말했어.
부의 불평등
분 배
케 인 즈
무조건 찬성

그는 부의 불평등한 분배야말로 경제의 활력을 유지시키며
부의
불평등
분배
경제
활
력

자본을 축적시키는 최상의 수단이라고 보았지.
부의
불평등
분배
자본의 축적

자본주의 사회는 자신의 힘으로 성공한 사람을 최고의 영웅으로 떠받들지.
?
자수성가
자본주의
난 언제
저런 집
장만하나?
부럽다.

미국은 '아메리칸 드림'이라는 신화에 빠져 있어.
미국은 누구나
열심히 하면
성공하는 곳.
그건…
옛말이야!
아메리칸 드림

애플을 세운 스티브 잡스, 페이스 북을 설립한 마크 주커버그는
자수성가
face book
스티브 잡스
마크 주커버그
개인의 노력으로 성공을 거둔 대표적인 영웅이지. 하지만 실제로 미국 사회에서 스스로 성공한 사람은 극히 드물어.
자수성가
대부분의 경우는 수백 년 동안 축적된 자본으로 성공했어.
성공
야호!
수백 년 축적된 자본
결국 집안의 재산을 바탕으로 더욱 큰 부를 이룬 거야.
성공
조상의 재산
이렇게 보면 부르주아는 이전의 지배 계층이 변화한 모습일 뿐이야.
부
의
대물림
'노블레스 오블리주'는 사회 지도층의 도덕적 의무를 말하는 대표적인 개념이야.
신분에 걸맞은 행동을 하시오!
노블리스 오블리주
소변금지
저항에 직면하여 체제가 위험해지면 가진 자들의 기부와 봉사가 강조되지.
부
기부와 봉사 사회적 순기능
이거 먹고 떨어져.
하지만 브로델은 이것이 기득권 유지를 위한 퍼포먼스일 뿐이라고 날카롭게 지적했지.
기득권
봉사
기부
노블리스 오블리주
퍼포먼스
지난날 자본주의는 이러한 계급적 차이로 인해 혁명으로 이어지고,
혁명
국가 자체가 전복될 위기에 처하기도 했어.
국가
그러나 혁명은 다시금 사회의 완만한 흐름 속에 편입되어 역사 속에 묻혔지.
사회의 완만한 흐름
역사

마르크스는 자본주의가 심화되어
사회적 불평등이 심해지면
자 본 주 의
일조권 침해..
불 평 등
결국 자본주의는 프롤레타리아
혁명을 통해 붕괴되고
자본주의
노동
계급
혁명
이 세상은 사회주의를 거쳐 공산주의
사회가 될 것이라고
예언했어.
공산
주의
자본주의
사회주의
그러나 오히려 그의 이론을 따른 사회주의 국가들이
내부적인 문제들로 인해 붕괴되고, 급속하게
자본주의 세계 경제로 편입되고 있어.
사회주의
자본주의 세계
브로델은 자본주의가 저절로 붕괴할 거라고 생각하지 않았어.
오히려 자본주의는 위기가 닥칠수록 더욱더 강화되며 발전될
것이라 보았지.
위 기
강화
자본
주의
실제로 전 세계에서 벌어진 모든 사회주의의 승리는
외부적인 충격과 극도의 폭력을 통해서 얻어진 것이지.
폭력
사회주의
마지막으로 브로델은 자본주의가 건강해지려면 그
하층을 이루고 있는 시장 경제와 공존해야 한다고
말해.
공존
으…
쌰!
같이 삽시다!
시장
경제
자본
주의
지배 집단들이 게임의 규칙을 지키면서 활동하고, 경제의 대부분을 차지하고 있는 소기업, 소상인들과 균형을
맞추는 일이야말로 자본주의가 살아남는 길이기 때문이야.
야!
움직이지 마,
움직이지 마!
안 움직였는데?
소기업
소상인
자본주의
균 형

역사와 아날학파

1. 역사를 서술할 때의 기준

역사는 '지나 온 일을 정리하여 기록으로 남기는 행위'를 말합니다. 그런데 모든 일을 기록으로 남기는 것은 불가능하므로 역사를 서술할 때는 기준이 필요합니다.

먼저 어떤 일을 기록할 것인지 기준을 세워야 합니다. 예를 들어 볼게요. 일반적으로 팔순 때는 잔치를 열어 기념하지요. 사회적으로 80번째 생일에 큰 의미를 두고 있기 때문입니다. 이와 같이 역사를 서술할 때도 역사가가 큰 의미를 두는 사건 위주로 서술하게 됩니다.

다음으로 누구의 입장에서 기록할지를 따져야 합니다. 교통사고가 일어났다고 가정해 봅시다. 자신이 어떤 차에 타고 있었는지에 따라 사고를 바라보는 입장이 달라질 것입니다. 역사를 기록할 때도 어떤 입장에 설 것인지에 대한 고민이 필요합니다.

그런가 하면 역사를 정리하는 방식도 중요합니다. 이는 역사 교과서만 봐도 알 수 있어요. 학교에서는 정치 · 사회사를 중심으로 역사를 가르칩니다. 하지만 경제사학자나 미술사학자가 역사 교과서를 집필한다면 그 내용은 전혀 달라질 것입니다.

이제 왜 역사학자들이 역사를 기록할 때 기준을 중요하게 생각하는지 알겠지요? 세계 단위로 역사를 쓸 것인가, 국가 단위로 서술할 것인가, 100년을 기준으로 할 것인가, 1000년을 기준으로 삼을 것인가 등등 역사 서술에는 수많은 방식과 방법이 있습니다. 이처럼 역사를 정리하여 기록으로 남기는 방식에 대한 학문을 역사학이라 합니다. 또한 그 방식의 차이에 따라 역사학파가 나뉩니다.

2. 아날학파

이번에는 역사학파 중에서도 이 책과 관련된 아날학파(Annales)에 대해 알아봅시다. 아날학파는 1929년 프랑스의 역사가인 루시앙 페브르와 마르크 블로크가 공동으로 창간한 잡지인 〈경제 사회사 연보(Annales d'histoire économique et sociale)〉에서 유래한 말입니다. 이 잡지의 이름은 1946년에 〈아날 · 경제 · 사회 · 문명〉으로 바뀌었다가, 1994년에 다시 〈아날 · 역사와 사회 과학〉으로 변경되었습니다. 아날학파는 이 잡지를 중심으로 활동한 역사가들을 가리킵니다.

아날학파는 당시 역사학자들이 지나치게 정치적 사건을 중심으로 역사를 바라보는 데 반대하며,

인류의 역사 전체를 바라보려 노력하였지요. 그들은 인류 사회의 여러 문제들이 서로 유기적으로 연결되며 역사의 흐름이 만들어진다고 생각했어요.

또한 아날학파는 유연한 시각으로 역사를 바라보고, 다양한 시도를 함으로써 현대 역사학의 흐름을 이끌었어요. 같은 시대 마르크스주의 역사학자들이 하나의 관점에서만 역사를 바라보며 경직된 모습을 보였던 것과는 달랐지요. 오늘날까지도 아날학파의 역사적 전통은 계속해서 이어지고 있답니다.

한편 아날학파는 학문을 주도한 학자와 경향에 따라 다음과 같이 구분합니다.

(1) 제1세대(1929~1945년) : 루시앙 페브르, 마르크 블로크

정치를 중심으로 하는 기존의 역사 서술에 반기를 들고, 새로운 역사학으로서 사회 경제사를 제안했습니다. 이들은 역사 연구의 영역을 사회, 경제 분야로 옮겼지요. 또한 뛰어난 업적을 가진 개인을 중심으로 역사를 연구하는 대신, 집단을 중심으로 파악했습니다. 이들은 구조 자체를 통해 역사를 바라보고자 노력했답니다.

루시앙 페브르

(2) 제2세대(1945~1968년) : 페르낭 브로델

페르낭 브로델은 역사에 미치는 힘을 장기 지속적인 구조의 힘, 변덕스러운 사건의 힘, 그리고 그 가운데에 있는 사회와 경제의 주기 순환적인 힘 등으로 나누고, 그 모든 힘을 아우르는 전체사를 지향했습니다. 특히 그는 사회 경제사에 주목했습니다. 브로델은 산업 사회의 경제생활을 물질문명, 경제, 자본주의라는 세 개의 층위로 나누고, 인간의 물질생활을 전체사와 구조사라는 큰 틀에서 다루었습니다.

(3) 제3세대(1968년~) : 조르주 뒤비, 자크 르 고프, E. 르 루아 라뒤리

제2차 세계 대전 직후 아날학파 제3세대는 사회 경제사에서 기초를 다진 뒤, 인류학을 바탕으로 하여 새로운 역사를 개척했습니다. 이들의 역사 세계를 지칭하는 용어로 '인류학적 역사'와 '심성사(心性史)'가 있습니다. 인류학적 역사는 물질생활을 다루고, 심성사는 정신생활을 다루지요. 특히 심성사는 집단의 생각하는 방식과 느끼는 방식을 연구 대상에 포함시켰다는 점에서 매우 독창적이랍니다.

세계적인 역사가

(1) **헤로도토스** (기원전 약 484~425년)

고대 그리스의 역사가 헤로도토스는 페르시아 전쟁(기원전 492년부터 497년까지 이어진, 페르시아의 그리스 원정 전쟁)을 다룬 역사서 《역사》를 펴내, 최초로 역사학의 기틀을 쌓았어요.

헤로도토스의 흉상

헤로도토스는 그리스의 도시 할리카르나소스에서 태어났어요. 그가 언제 태어나고 죽었는지는 확실하게 알 수 없습니다. 다만 아테네에 오래 살았고, 그곳에서 그리스의 3대 비극 시인으로 꼽히는 소포클레스(기원전 496~406년)를 만났으며, 그 뒤 아테네의 이탈리아 식민 도시 투리로 떠났다고 알려져 있지요.

그의 책 《역사》가 최초의 역사서라 평가받는 이유는 무엇일까요? 이전까지는 역사를 기술할 때 권력자의 뜻대로 서술하고는 했어요. 또한 신화와 인간사를 구분하지 않았지요. 하지만 헤로도토스는 방대한 자료를 조사하고, 이성에 의해 합리적으로 연구하여 역사를 서술했습니다. 그는 더욱 정확하고 사실적인 역사서를 쓰고자 노력했답니다.

(2) **사마천** (기원전 약 145~86년)

중국 전한 시대 역사가인 사마천은 《사기(史記)》의 저자입니다.

사마천

기원전 90년경에 편찬된 《사기》는 고대 중국을 무대로 역사와 인간을 탐구한 명저입니다. 《사기》는 군주의 정치와 관련된 기사인 본기와 신하들의 개인 전기인 열전 그리고 통치 제도와 문물, 자연 현상, 경제 등을 내용별로 분류해 쓴 지와 연표 등 네 부분으로 구성되어 있어요. 역사를 본기, 열전, 지, 연표 등으로 구성하여 서술하는 방식을 기전체라고 합니다. 사마천은 동양의 전통적인 역사 서술 방법인 기전체를 확립했어요. 사마천 이후로 중국의 역사서가 모두 기전체의 방식을 따랐답니다.

(3) 랑케 (1795~1886년)

랑케

독일의 사학자 랑케는 《세계사》를 비롯해 수많은 저작을 남겼습니다. 그는 정치사를 중심으로 역사를 서술했는데, 모든 시대는 각각 독특한 가치가 있다고 주장했지요.

한편 랑케는 역사를 기술하는 데 있어 사료의 사실성을 매우 중요하게 생각했습니다. 이런 태도에서 실증주의 사학이 발전했지요. 실증주의란 관찰이나 실험 등 과학적 방법을 통한 검증을 강조하는 철학적 경향을 말해요. 실증주의 사학자들은 객관적으로 역사를 바라보려고 합니다. 랑케 역시 역사를 서술할 때는 감정, 가치 판단 같은 주관을 철저히 배제해야 한다고 믿었습니다. 그에 따르면 역사가의 임무는 비판적인 방법을 엄격히 적용해, 사료 속에 담겨진 순수한 사실을 발견해 내는 것이에요. 랑케는 '있었던 그대로의 과거'를 밝혀내는 것이 역사가의 사명이라고 보았습니다. 그는 많은 제자들과 함께 독일 근대 철학의 전통을 만들어 냈답니다.

(4) E. H. 카 (1892~1982년)

E. H.카

E. H. 카는 《역사란 무엇인가?》를 쓴 세계적인 역사학자입니다. 카는 그의 저서에서 '역사의 기능은 과거와 현재의 상관관계를 통해, 과거와 현재를 깊게 이해하는 데 있다.'라고 말했습니다. 그는 역사 연구란 지나간 일을 그대로 밝히는 것이 아니라, 역사가의 해석을 통해 과거의 일에 새로운 의미를 부여하는 작업이라고 강조했습니다. 이는 '역사가의 과제는 단지 사실을 사실 그대로 보여 주는 것'이라는 랑케의 역사관과는 매우 달랐지요.

E. H. 카는 오늘날 현실주의를 바탕으로 역사를 연구했던, 20세기를 대표하는 역사학자로 평가받고 있습니다. 물론 오늘날 포스트모더니즘 계열의 역사학자들은 카와는 다른 견해를 내놓고 있습니다. 그들은 E. H. 카가 주장한 것처럼 역사에서 원인과 결과가 선명하게 연결되지는 않는다고 주장합니다. 역사는 인간의 다양한 문화와 무수한 우연의 영향을 받는다는 것이지요.

제국주의

우리나라는 1910년부터 1945년 8월 15일까지 일본의 지배를 받았지요. 일본은 이때 우리나라에 철도를 건설하고 신식 건물도 지었습니다. 그러면, 일본이 조선을 강제로 점령했던 것은 우리의 근대화에 도움을 주었을까요? 아니면 그것은 그저 침략이자 수탈일 뿐일까요? 이러한 논쟁은 우리나라뿐만 아니라 과거 제국주의 국가들과 피식민지 국가들 사이에서도 이어지고 있습니다. 오늘날 이에 대한 답을 내리려면 제국주의가 어떤 방식으로 전개되었는지부터 알 필요가 있습니다.

(1) 과거의 제국주의

이미 고대부터 제국주의의 모습을 찾아볼 수 있습니다. 많은 나라의 정복자들이 더 크고 강한 나라를 꿈꾸며 전쟁을 일으켰지요. 정복에 성공한 국가들은 '제국'이 되었습니다. 제국은 한 명의 절대자(황제) 아래 여러 속국이 있는 방식입니다. 속국의 지배자는 '왕' 또는 '영주' 등으로 불렸습니다. 이들은 자신의 영역에서 힘을 행사하더라도, 황제의 부름에는 절대적으로 따라야 합니다. 속국은 본국에 식량, 옷감, 건축재 같은 물자와 더불어 군사력까지 제공해야 했습니다.

제국의 예로는 고대의 아시리아 제국, 페르시아 제국 등을 들 수 있습니다. 물론 제국을 이야기할 때 로마 제국을 빼놓을 수는 없지요. 로마 제국은 아일랜드에서 이집트에 이르는 대제국을 건설했습니다. 동양에서는 인도의 무굴 제국이나 중국의 여러 왕조가 고대 제국이라고 할 수 있습니다.

(2) 근대의 제국주의

고대의 제국은 속국과 느슨한 동맹 관계로 이어져 있었지만, 근대의 제국주의는 양상이 전혀 다릅니다. 18세기 중엽 이후에 과학 기술이 발달하고 산업 혁명이 일어나면서, 인류는 새로운 시대를 맞았습니다. 처음으로 물자가 넘쳐 나게 되었고, 사람들은 부(富)를 무엇보다도 중요한 가치로 여기게 되었지요.

그리하여 서양 열강들은 더 큰 부를 안겨 줄 새로운 시장을 찾아 나서기에 이릅니다. 그들은 더 많은 물건을 만들 수 있는 자원을 공급해 줄 곳과, 그렇게 만든 물건을 팔아 줄 시장이 필요했습니다. 서양 열강들은 과학 기술과 군사력을 바탕으로 하여, 유럽 바깥으로 눈을 돌렸지요. 처음에 아메리카와 아프리카를 바라보던 유럽 인의 시선은 점차 아시아로 향합니다. 유럽은 인도에 이어서 중국까지 침략했답니다.

뒤늦게 산업 혁명에 성공한 후발 제국주의 국가들도 가만히 있을 수는 없었습니다. 후발 제국주의 국가들로는 독일과 일본, 미국과 같은 나라들을 들 수 있습니다. 이들 역시 더 큰 부와 힘을 가져다줄 식민지를 원했습니다. 하지만 대부분의 땅은 이미 선발 제국주의 국가들이 장악하고 있었고, 이 때문에 전쟁이 벌어졌습니다. 그것이 바로 제1차 · 제2차 세계 대전이지요.

영국의 제국주의를 풍자한 그림

막강한 군사력을 가진 제국주의 국가들은 종교를 앞세워 식민지 국가에 진출했습니다. 그런 뒤 피식민지 국가의 여러 이권을 가로채더니, 모든 권리를 빼앗아 완전히 통치했지요. 피식민지 국가들은 제2차 세계 대전이 끝난 뒤에야 독립할 수 있었어요.

(3) 제국주의와 근대화

다시 처음의 문제로 돌아가 봅시다. 제국주의는 과연 피지배국가의 근대화와 산업화에 기여했을까요? 겉으로 드러나는 현상만을 바라보면 그렇다고도 볼 수 있습니다.

서구 열강이 중국을 제멋대로 나누며 이익을 챙기고 있다.

하지만 예를 들어 봅시다. 잘 살고 있는 우리 집에 강도가 쳐들어와 재산을 몽땅 빼앗은 뒤, 가족에게 새로운 기술을 가르쳐 준다고 말이에요. 강도는 식구들을 집 안에 가두고, 그 기술로 새로운 물건을 만들게 하지요. 그 물건을 내다 팔아 돈을 버는 거예요. 수십 년이 지나서야 강도는 자기 집으로 돌아갑니다. 강도는 말합니다. "나 아니었으면 너희들은 기술이고 뭐고 없었어!"

자, 이제 다시 생각해 봐요. 근대 사회의 제국주의가 본질적으로 누구를 위한 것이었는지 말입니다. 제국주의 국가들의 관심은 오로지 이익을 챙기고 세력을 확장하는 데 있었습니다. 철도를 놓았다 한들, 어디까지나 그것은 수탈을 위한 행위였음을 알아야 합니다.

서양사 속 지중해

서양사에서 지중해의 의미

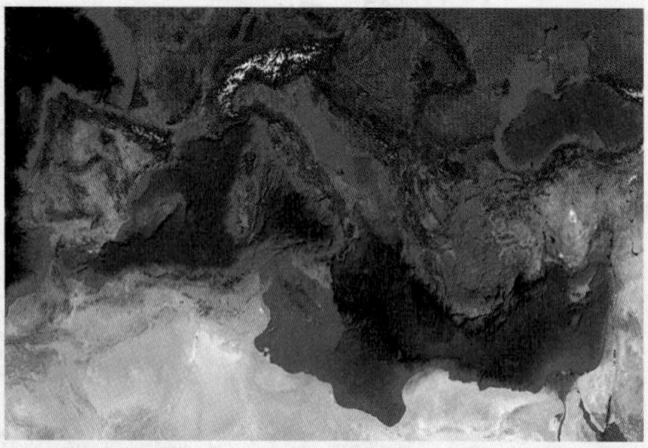

지중해의 위성사진

페르낭 브로델은 1940년부터 5년동안 뤼베크의 전쟁 포로수용소에 수감된 적이 있습니다. 프랑스 군인으로 제2차 세계 대전에 참전했다가 그만 독일군에게 사로잡히고 만 것이지요.

브로델은 포로수용소에서 지내면서 오로지 기억에만 의지해, 16세기 지중해 지역의 역사에 대한 논문을 써냅니다. 그는 이 논문으로 1947년 소르본 대학교에서 박사 학위를 받았습니다. 이것이 바로 브로델을 유명하게 만들어 준 첫 저작, 《펠리페 2세 시대의 지중해와 지중해 세계》랍니다.

그런데 브로델은 왜 지중해를 연구했을까요? 이번에는 지중해가 서양인에게 어떤 의미를 가지고 있는지 알아봅시다.

고대 서양인에게 지중해는 곧 세상의 모든 바다를 의미했습니다. 그때만 해도 대서양이나 태평양은 잘 알려지지 않았기 때문이지요. 당시 기술 수준으로 보면 지중해도 충분히 넓고 거친 대양이었을 것입니다. 고대를 지나 현대에 이르기까지 지중해는 늘 역사의 중심에 있었습니다. 지중해는 서양인에게 문명의 요람이자 산업의 핵심이며 문화 교류의 거점이 되었지요.

지중해의 상업적 가치에 처음으로 주목한 이들은 페니키아 인이었습니다. 그들은 뛰어난 조선술과 항해 기술을 앞세워, 지중해 연안 도시들을 상대로 해상 무역을 펼쳤습니다. 아테네는 어마어마한 부를 쌓을 수 있었지요.

뒤이어 지중해의 주인으로 일어선 나라는 그리스였습니다. 특히 아테네는 페르시아 전쟁에서 승리한 이후, 강력한 해군력을 바탕으로 지중해 무역에 뛰어들었어요. 이를 통해 지중해 연안 도시 국가의 부를 끌어들이며 더욱 강성해졌답니다.

그런가 하면 카르타고 인들은 그리스보다 더욱 활발하게 지중해를 개척했습니다. 이들은 지중해의 서쪽 이베리아 반도에 식민지를 건설하고, 북아프리카의 은광을 경영할 정도였어요. 또한 지중해 곳곳을 잇는 해상 무역을 통해 거대한 부를 쌓았지요. 그러나 뒷날 카르타고는 로마군에 의해 철저히 파괴되고 말았습니다.

각 시대별로 지중해가 가진 의미

'지중해' 하면 로마 제국을 빼놓을 수 없습니다. 아일랜드부터 아프리카, 중앙아시아에 이르는 대제국을 건설한 로마는 기원전 146년 카르타고를 멸망시킨 뒤, 지중해를 '내해(內海)'라고 부를 정도로 성장했습니다.

기원후 80년, 로마 제국때 세워진 콜로세움 경기장

로마는 초기에는 강력한 보병을 기반으로 이탈리아 반도를 통일했습니다. 그러다 로마와 카르타고 사이에 벌어진 포에니 전쟁 이후에는 강한 해군력을 바탕으로 하여 유럽과 오리엔트, 아프리카에 이르는 지중해 연안 전 지역을 제국의 영향력 아래 두었습니다. 로마 제국의 역사 동안 지중해는 그들에게 번영과 안녕을 가져다주었습니다. 지중해를 통해 로마 제국에 그리스의 문화가 들어왔으며, 밀과 같은 유용한 작물과 그리스도교도 등이 들어왔습니다.

로마 제국 이후 지중해는 소아시아 상인들의 활동 무대였습니다. 유럽이 중세의 암흑에 덮여 있는 동안, 투르크의 상인들은 지중해를 주름잡으며 동양의 향신료와 도자기, 비단과 각종 사치품을 실어 날랐습니다. 실크 로드를 통해 중앙아시아에 도착한 중국의 비단과 인도의 향신료들은 대부분 지중해를 거쳐 이탈리아 상인들의 손에 넘겨졌습니다.

르네상스 시기까지도 누가 지중해의 패권을 갖느냐 하는 문제는 매우 중요했습니다. 지중해의 패권을 갖는다는 것은 곧 유럽의 패권을 거머쥔다는 말과도 같았기 때문입니다. 지중해는 그야말로 부와 힘의 원천이었던 것입니다.

근대로 넘어오며 점차 중심은 대서양으로 옮겨 갔습니다. 자연히 상업의 중심지는 네덜란드나 영국이 되었고, 나중에는 그 범위가 인도양이나 태평양까지 넓어졌습니다. 그렇다고 해서 지중해의 중요성이 사라진 것은 아닙니다. 지금도 지중해를 중심으로 지중해 연합이 결성되어 유럽을 이끌고 있습니다. 유럽 인들에게 지중해는 모든 영감의 원천이자 상징과도 같은 바다랍니다.

브로델이 바라본 자본주의

브로델은 그의 책 어디에서도 자본주의에 대해 명확히 정의하지 않았습니다. 대신 그는 자본주의를 매우 비유적으로 표현했지요. 예를 들면 "이익이 콸콸 쏟아지는 고전압이 흐르는 곳, 예나 지금이나 바로 이런 곳에 자본주의가 존재한다.", "자본주의는 본질적으로 가장 높은 곳의 경제 활동에서 비롯된다.", "자본주의는 물질생활과 촘촘한 시장 경제를 깔고 앉아, 높은 수익이 나는 영역을 대변한다."와 같은 식입니다.

브로델이 자본주의에 대해 명확히 정의 내리지 않은 이유는 무엇일까요? 아마도 역사 본연의 모습만을 기록하고자 하는 의지와, 편견의 잣대를 들이대지 않으려는 학문적인 신념 때문일 것입니다. 또한 마르크스주의, 실존주의, 구조주의 등 수많은 이론들이 난립해 논쟁이 들썩이던 당시 프랑스의 상황 때문이었을 수도 있습니다.

자, 지금부터는 브로델이 자본주의를 어떻게 바라보았는지 알아볼까요?

1. 인간의 경제

브로델은 인간의 경제를 물질생활 – 시장 경제 – 자본주의의 세 단계로 나누었습니다.

물질생활 : 물질생활은 인간의 생존을 위한 모든 활동을 포함한 단계입니다. 즉, 자급자족적인 단계의 경제생활까지 아우르는 개념입니다.

시장 경제 : 시장 경제는 시장(정기 시장)이 형성되고, 이곳에서 교환이 이루어지며 인간의 삶이 영위되는 단계입니다. 우리가 흔히 말하는 '시장 경제'와 어떤 면에서는 비슷하지만, 규모로 따지면 브로델이 말하는 시장 경제가 훨씬 작습니다.

자본주의 : 브로델이 말하는 자본주의는 기존의 정의와는 좀 다릅니다. 브로델은 자본주의를 세 단계 중 가장 위쪽에 놓았습니다. 그는 자본주의가 초국적이고 세계적인 경제 시스템이라고 보았지요. 특히 자본주의는 독점을 기반으로 한다는 점을 강조했습니다.

2. 자본주의란?

브로델은 자본주의가 경제 시스템 그 이상이라고 정의했습니다. 심지어 '국가와 거의 대등한 지위에서 맞서기도 하고 공모하기도 하는 존재'라고까지 이야기했지요. 그는 자본주의를 국가 체제, 또는 사회 체제로 단정 짓지 않았습니다.

브로델에 의하면 자본주의는 시장 경제의 최상위층에서, 시장을 이용하거나 때로는 혼란에 빠뜨리며 이익을 추구합니다. 그런가 하면 자본주의는 국가나 지배 계급과 결탁하기도 합니다. 브로델은 자본주의를 하나의 사회적 생명체 같은 존재로 보았습니다. 브로델은 인간의 기본적인 경제 활동이 언제, 어느 체제에서든 존재한다고 보았으며, 이를 물질생활과 시장 경제라고 표현했습니다. 그리고 자본주의를 '물질생활과 시장 경제를 자신의 존재 기반으로 깔고 앉아, 독점적으로 높은 이익을 추구하는 무언가의 활동'으로 정의했지요. 그는 자본주의와 독점은 떼려야 뗄 수 없는 사이라고 생각했습니다.

3. 자본주의에 대한 브로델의 입장

브로델은 자본주의에 대해 긍정적이었을까요? 아니면 부정적이었을까요? 그가 자본주의에 대한 생각을 직접적으로 밝힌 적은 없지만, 그동안의 발언을 토대로 추측해 볼 수는 있습니다. 그는 자본주의를 '실체를 정의하기 어려운 괴물'이라고 묘사한 적이 있습니다. 이것으로 보아, 자본주의에 대해 호의적인 입장은 아니었던 것 같습니다.

그러나 브로델은 자본주의 자체의 가치를 평가하지는 않았습니다. 더군다나 자본주의의 미래를 예측하지도 않았습니다. 그저 '주어진 사료를 해석해 내는 역사학자 본연의 임무'에 충실했을 따름입니다. 더불어 그는 자신의 연구 결과가 결코 영원하지 않으며, 뒷날 연구자들에 의해 다른 해석이 나올 수도 있다고 생각했습니다. 오히려 이전의 연구를 맹신하는 태도를 더욱 경계했지요. 브로델의 이러한 태도는 아날학파의 자유로운 연구 풍토에 영향을 미쳤습니다.

브로델 물질문명과 자본주의

손영운 글 | 이진영 그림

01 《물질문명과 자본주의》를 쓴 페르낭 브로델은 일상적인 사람들의 삶이 역사를 움직인다고 생각하여 주로 사회사와 경제사를 연구한 어떤 역사학의 한 학파에 소속된 역사학자입니다. 1956년부터 발간된 영향력 있는 역사 잡지의 제목에서 유래된 이 학파의 이름은 무엇일까요?

① 역사학파 ② 고전학파 ③ 사회경제학파
④ 아날학파 ⑤ 저널학파

02 브로델은 역사를 단편적인 사건들의 집합으로 보는 것을 반대했습니다. 역사란 아주 오랜 시간 쌓여 이루어지며, 변화는 세계의 장기적인 구조에 의해 미리 결정되고 예견된다고 보았지요. 그래서 브로델은 시간이 여러 층으로 쌓인 피라미드 같다고 말하며, 최소한 세 개의 층이 있다고 주장했습니다. 그렇다면 아래 피라미드 구조에 들어갈 시간 층의 이름은 각각 무엇일까요?

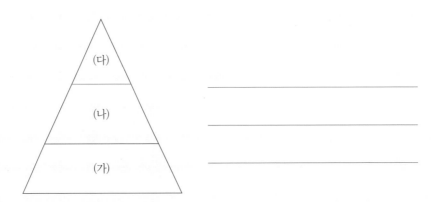

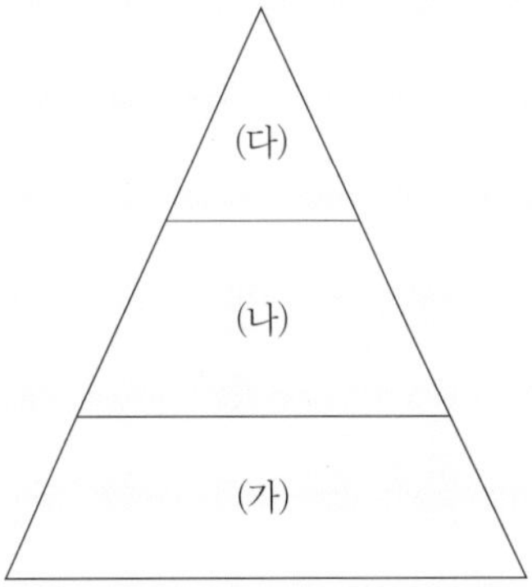
(다)
(나)
(가)

(다) ______________________

(나) ______________________

(가) ______________________

03 음식 문화에 대한 역사적 설명으로 틀린 것은 무엇일까요?

① 한 나라의 음식 문화는 그 지역의 인구 밀도와도 관련이 깊다.

② 동물성 음식은 식물성 음식보다 열량이 적기 때문에 인구수가 늘어나면 동물성 음식만으로 모든 사람이 먹고 살 수 없다.

③ 옛 유럽인들은 식물성 음식을 선호했는데, 넓은 영토에서 가축을 풀어놓고 기르기 수월해 동물성 음식의 희소성이 낮았기 때문이다.

④ 15세기부터 오늘날까지 밀, 쌀, 옥수수는 인류의 주 영양원이었다.

⑤ 동서양을 막론하고 지배 계급이 값에 비해 열량이 적은 동물성 음식을 차지했다.

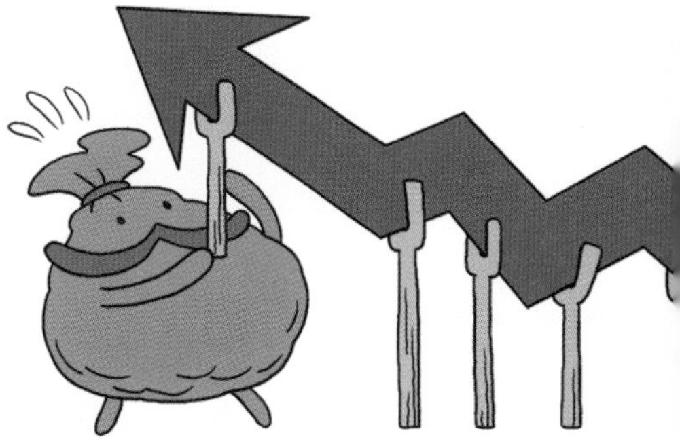

04 아래 글의 빈칸에 들어갈 말은 무엇일까요?

사람들은 누구나 밀, 쌀, 옥수수 같은 양식을 필요로 한다. 이것은 모든 사람에게 필요한 일상용품이다. 하지만 육류나 옷, 집 같은 경우는 ○○와 연관 지어 생각해 볼 수 있다. ○○품은 일상용품과 늘 함께 존재하고 또 서로 대립한다.

○○의 개념은 변하기 쉽고 매우 다양한데, 성장이 한계에 부딪힌 사회 내에서 생산된 잉여 생산물을 일부 특권층이 부당하게 독점하여 비경제적으로 사용하는 것이라 정의할 수 있다.

오늘날 ○○에 해당하는 일을 예로 들자면, 분에 넘치는 비싼 가방을 사거나 비슷한 종류의 보석이 많음에도 또다시 값비싼 보석을 구매하는 등이 있다.

① 구매　② 생산　③ 유행　④ 사치　⑤ 독점

05 유럽의 역사를 놓고 보았을 때, 유럽 역사를 크게 바꾼 세 가지 기술의 혁신이 있었습니다. 그 세 가지는 무엇일까요?

06 브로델은 화폐에 대해 "화폐의 진정한 존재 이유는 화폐 경제에 있다."고 하였습니다. 이 말의 의미로 옳은 것은 무엇일까요?

① 모든 사람이 돈의 가치를 인정하고 사용하는 화폐 경제 아래에서야 비로소 화폐가 존재 의미를 갖는다는 뜻이다.

② 화폐의 존재 이유는 화폐 경제를 이끄는 소수 집단에 의해 결정된다는 뜻이다.

③ 화폐 그 자체가 부의 상징이라는 뜻이다.

④ 화폐는 사회 속에서의 흐름에 상관없이 개인이 얼마나 보유하고 있느냐는 절대적인 수치가 중요하다는 뜻이다.

⑤ 화폐의 가치를 인정받으려면 권위 있는 경제학자의 이론이 필요하다는 뜻이다.

07 자본주의의 역사와 관련하여, 18세기 유럽의 자본 순환 과정에 대해 설명한 것 중 틀린 것은 무엇일까요?

① 18세기 유럽은 돈과 같은 자본재가 순환하는 과정이 활발히 일어나, 마침내 자본이 유럽 사회 전체의 흐름을 독점하게 되었다.

② 이후 사회는 여러 계급으로 나뉘었고, 그중 자본가들은 돈의힘으로 다른 이들 위에 군림할 수 있었다.

③ 도시와 농촌의 소득 차이가 더욱 커지면서 도시의 자본은농촌을 지배하게 되었다.

④ 농민들은 자본가의 밑에서 일하며 이전보다 돈도 많이 벌고 삶의 질도 올라갔다.

⑤ 농촌에서 떠나 도시로 간 이들은 공장 노동자가 되었다.

08 사회에는 반드시 계급이 존재합니다. 계급은 계층, 서열, 신분제 등 여러 가지 말로 쓰여 왔는데, 브로델은 이러한 계급을 다른 말로 표현했습니다. 부와 권력의 유무에 따라 사회 내부의 지배층과 피지배층으로 나뉘는 권력이, 사회가 고도화될수록 지배층과 피지배층 사이에 격차가 더 벌어져 그 사이에 수많은 중간 계급이 들어서기 때문에 다양한 계급을 표현할 수 있는 개념을 쓴 것입니다. 이 개념은 무엇일까요?

06 ① : 화폐는 모든 사람들이 화폐의 가치를 인정하고 그걸 사용해야만 비로소 가치와 존재 이유를 가집니다.
07 ④
08 계서제(계급서열제) : 계서제는 위치가 고정적이지 않고 사회의 흐름에 따라 변하기도 합니다.
09 ③ : 전 지구를 아우르는 광범위한 시장이자 함께 교역을 하며 세계를 하나의 통일체로 하는 세계적 규모의 경제는 '세계 경제'로, 브로델은 이러한 전 지구를 아우르는 세계 경제는 너무나 광범위해 연구 대상으로서 의미가 없다고 생각했습니다.
10 제1의 물결 – 농업 혁명, 제2의 물결 – 산업 혁명, 제3의 물결 – 정보 혁명

정답

01 ④ / 02 ㈎ 장기 지속, ㈏ 중기 지속, ㈐ 단기 지속 : 브로델은 시간의 피라미드 가장 아래층에는 수백 년에서 수천 년에 걸쳐 지속된 구조, 즉 장기 지속이라는 시간이 있고, 그 위에는 보통 수십 년 지속되는 구체적인 물질생활과 경제생활의 시간인 중기 지속이, 그리고 맨 위층에는 일어났다 곧 사라지는 사건 중심의 시간인 단기 지속이 있다고 주장했습니다. / 03 ③ / 04 ④

05 화약, 종이의 발명(인쇄술의 발전), 원양 항해 기술 : 화약의 개발은 전쟁의 양상을 바꾸어 사회 전반에 큰 영향을 가져왔습니다. 종이의 발명(인쇄술의 발전)은 사람들이 책을 쉽게 접할 수 있게 하여 그전보다 논리적이고 이성적으로 사고하게 만들었습니다. 원양 항해 기술은 인류가 지금껏 몰랐던 세계를 알게 해주는 바탕이 되었습니다.

09 브로델이 독일어 '벨트비르트샤프트(Weltwirtschaft)'를 번역하기 위해 만들어 낸 표현인 '세계-경제'에 대한 설명으로 틀린 것은 무엇일까요?

① 경제적으로 독자적이며, 핵심적인 것들을 자급자족할 수 있고 내부적인 연결과 교역이 유기적인 통일성을 이루는 단위다.

② 지중해 경제권은 오랜 역사를 지닌 하나의 세계-경제이다.

③ 전 지구를 아우르는 광범위한 시장이자 함께 교역을 하며 세계를 하나의 통일체로 하는 세계적 규모의 경제를 말한다.

④ 일정한 지역은 다른 지역과 명확한 경계를 가지고, 하나의 세계-경제 안에는 반드시 중심이 있다.

⑤ 세계-경제 권역에서 오직 경제만이 모든 걸 결정짓는 건 아니고, 정치와 종교, 문화와 같은 여러 요소도 존재한다.

10 미래학자 엘빈 토플러는 인류가 3가지 물결을 통해 비약적으로 진보하고 가치관에 변화를 겪었다고 주장했습니다. 그가 말한 3가지 물결은 무엇일까요?

통합교과학습의 기본은 세계사의 이해,

세계대역사 50사건

제대로 알차게 만든 교양 세계사 만화!
우리 집 최고의 종합 인문 교양서!

★서양사와 동양사를 21세기의 균형적 시각에서 다룬 최초의 역사 만화
★세계사의 핵심사건과 대표적 인물을 함께 소개해 세계사의 맥락을 짚어 주는 책
★시시각각 이슈가 되는 세계사 정보를 지식이 되게 하는 재미있는 대중 교양서

1. 파라오와 이집트
2. 마야와 잉카 문명
3. 춘추 전국 시대와 제자백가
4. 로마의 탄생과 포에니 전쟁
5.석가모니와 불교의 발전
6. 그리스 철학의 황금시대
7. 페르시아 전쟁과 그리스의 번영
8. 알렉산드로스 대왕과 헬레니즘
9. 실크 로드와 동서 문명의 교류
10. 진시황제와 중국 통일
11. 카이사르와 로마 제국
12. 로마 제국의 황제들
13. 예수와 기독교의 시작
14. 무함마드와 이슬람 제국
15. 십자군 전쟁
16. 칭기즈 칸과 몽골 제국
17. 르네상스와 휴머니즘
18. 잔 다르크와 백년전쟁
19. 루터와 종교개혁
20. 코페르니쿠스와 과학 혁명
21. 동인도회사와 유럽 제국주의
22. 루이 14세와 절대왕정
23. 청교도 혁명과 명예혁명
24. 미국의 독립전쟁
25. 산업 혁명과 유럽의 근대화
26. 프랑스 대혁명
27. 나폴레옹과 프랑스 제1제정
28. 라틴 아메리카의 독립과 민주화
29. 빅토리아 여왕과 대영제국
30. 마르크스_레닌주의
31. 태평천국운동과 신해혁명
32. 비스마르크와 독일 제국의 흥망성쇠
33. 메이지 유신 일본의 근대화
34. 올림픽의 어제와 오늘
35. 양자역학과 현대과학
36. 아인슈타인과 상대성 원리
37. 간디와 사티아그라하
38. 마오쩌둥과 중국 공산당
39. 대공황 이후 세계 자본주의의 발전
40. 제2차 세계 대전
41. 태평양 전쟁과 경제대국 일본
42. 호찌민과 베트남 전쟁
43. 팔레스타인과 이스라엘의 분쟁
44. 넬슨 만델라와 인권운동
45. 카스트로와 쿠바 혁명
46. 아프리카의 독립과 민주화
47. 스푸트니크호와 우주 개발
48. 독일 통일과 소련의 붕괴
49. 유럽 통합의 역사와 미래
50. 신흥대국 중국과 동북공정
★가이드북

김창회 외 글 | 진선규 외 그림 | 232쪽 내외

원전을 살려 쉽고 재미있게 쓴

한국고전문학읽기 전50권

허균 외 원작 | 전윤호 외 글 | 최정인 외 그림 | 144~212쪽 | 각권 9,500원, 세트 475,000원 | 독자 대상 4학년~중학생

소년한국일보 좋은 어린이책 대상수상

소년조선일보 2013 올해의 어린이책

제22회 대통령상타기 전국 고전읽기 백일장 본선대회 도서

한국소설가협회 추천도서

한국어린이교육문화연구원 으뜸책 선정

우리나라 대표 시인과 소설가가 풀어쓴 고전!

《춘향전》《심청전》《흥부놀부전》《박씨전》《최척전》《장끼전과 두껍전》《고대 가요·한시·시조》 등 초·중등 국어 교과서 수록 작품과 수능 및 모의고사 출제 작품까지 분석해서 목록을 구성했습니다.

서울대학교 국어국문학과 김유중 교수가 직접 쓴 작품 해설!

고전이 탄생한 시대적 배경과 작품의 의미 등 전문가가 직접 쓴 신뢰할 수 있는 해설은 고전을 읽는 즐거움을 느끼게 해 줍니다.

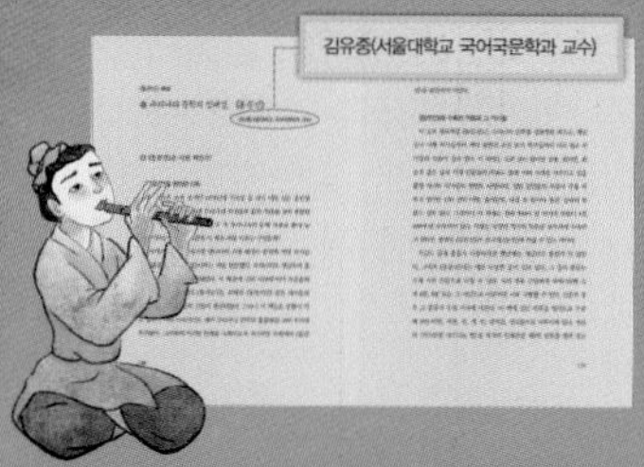
김유중(서울대학교 국어국문학과 교수)

바른 인성 교육 해법과 초·중 문학 교육 과정의 필독서

김종광, 정길연, 고진하, 서유미, 김이정, 전성태 등 소설가와 시인이 고전의 참맛을 살리면서도 우리말과 글의 아름다움을 살려 읽기 쉽게 풀어썼습니다.

장끼전과 두껍전
허생전과 열하일기
조선왕조실록 1
고려사
홍길동전

01 홍길동전
02 춘향전
03 사씨남정기
04 양반전 외
05 장화홍련전
06 전우치전
07 심청전
08 허생전과 열하일기
09 토끼전
10 흥부놀부전
11 금오신화
12 박씨전
13 옹고집전
14 금방울전
15 구운몽
16 최척전
17 이춘풍전과 배비장전
18 조웅전
19 임경업전
20 옥단춘전과 채봉감별곡
21 박문수전
22 숙향전
23 바리데기와 당금애기
24 삼국유사
25 한중록
26 인현왕후전
27 운영전과 심생전
28 최고운전
29 숙영낭자전과 콩쥐팥쥐
30 우리나라 설화와 전설
31 왕오천축국전
32 삼국사기
33 삽교별집
34 장끼전과 두껍전 6학년 2학기 국어활동④ 수록도서
35 적성의전
36 파한집과 보한집
37 임진록
38 난중일기
39 유충렬전
40 창선감의록
41 요로원야화기 외
42 역옹패설
43 고려사
44 조선왕조실록 1
45 조선왕조실록 2
46 청구야담
47 윤지경전과 김원전
48 동문선
49 계축일기
50 고대 가요·한시·시조

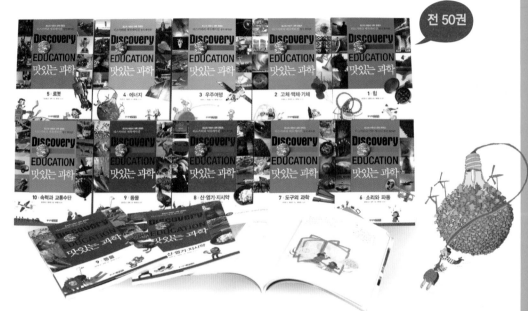